BONO o BONO

rozmawiał
Michka Assayas

przekład
Rafał Śmietana

Wydawnictwo Znak
Kraków 2007

Tytuł oryginału
Bono on Bono. Conversations with Michka Assayas
with a foreword by Bono

First published in Great Britain in 2005 by Hodder and Stoughton
A division of Hodder Headline

Opracowanie graficzne
Monika Klimowska

Fotografia na 1. stronie okładki
Brooks Kraft/Corbis

Wybór zdjęć
Katarzyna Ziębowicz-Tobolewska

Opieka redakcyjna
Magdalena Sanetra

Adiustacja
Katarzyna Mach

Korekty
Barbara Gąsiorowska
Katarzyna Onderka

Projekt typograficzny i łamanie
Irena Jagocha

ISBN 978-83-240-0786-8

Zamówienia: Dział Handlowy, 30-105 Kraków, ul. Kościuszki 37
Bezpłatna infolinia: 0800-130-082
Zapraszamy do naszej księgarni internetowej: www.znak.com.pl

Moim dzieciom: Antoine i Evie
I jego: Jordan, Eve, Elijahowi i Johnowi

Z okazji urodzin
najserdeczniejsze życzenia
składają:
Basia, Terka, Krzysiek i Bono.

PODZIĘKOWANIA

Na początku chciałbym podziękować Bono. Niewątpliwie po raz kolejny potwierdził reputację najwierniejszego oraz niegodnego zaufania przyjaciela. Bono – dzięki ci za czas, o który tak zażarcie walczyłem, oraz – przede wszystkim – za nieocenione zaufanie i gest. Wątpię, by tysiąc butelek Chablis Premier Cru mogło ci to wynagrodzić. Ale spróbuję w ratach...

Gdyby nie Catriona Garde, nie doszłoby do tych rozmów. Catriono – zachowałaś anielski spokój w oku cyklonu. Mam nadzieję, że z każdą chwilą dowiaduje się o tym coraz więcej osób.

Specjalne podziękowania dla Paula McGuinnessa, Edge'a, Adama i Larry'ego – za to, że pozwoliliście mu na ten wywiad. Mam nadzieję, że nie będziecie się krzywić podczas czytania.

Ali – dzięki za twoją gościnność w Killiney i Nicei. Liczę na to, że spodoba ci się twój portret.

Chciałbym wyrazić wdzięczność Sheili Roche oraz Dennisowi Sheehanowi za pomoc w Bolonii; Susan Hunter, Nadine O'Flynn oraz Candidzie Bottaci z Principle za pomoc w Dublinie; drodzy Christophe i Lorno Marécaut z Nicei – byliście wspaniali.

Edzie Victor – zawsze mówiłeś właściwe rzeczy we właściwym czasie, ale najlepiej doradziłeś mi w sprawie czterech kółek. Nie mogę zapomnieć o ludziach z agencji: Maggie, Lindzie, Abi, Edinie, Cristinie, Hitesh i Grainne.

Andrew Nurnberg – dzięki za słowa otuchy.

Billu Flanagan – nam też świetnie się rozmawiało, a twoja rada okazała się nadzwyczajna.

Joshu Behar – dzięki za entuzjazm.

Julie Grau, Katy Follian, Nicku Davies, Olivierze Nora, Jeanie-Paulu Enthoven – dziękuję wam za wsparcie.

Na koniec pragnę szczególnie podziękować Clarze, która podtrzymywała moją wiarę, że to, co robię, ma sens.

SŁOWO WSTĘPNE BONO

Michko,

pomyślałem, że jestem Ci winien parę słów na temat naszej książki. Właśnie ją przeczytałem: jest rozwlekła, pretensjonalna, nieprzyzwoita – i odkrywcza. Nie chciałem rozpoznać siebie w tym, co napisałeś, a jednak muszę. Bez niepotrzebnych przerywników, po prostu wyczerpujące odpowiedzi na krótkie pytania – niekiedy irytujące, ale zawsze zadawane w poszukiwaniu prawdy.

Nie wiem, dlaczego zgodziłem się na ten wywiad, ale stało się. W pewnym sensie wyjaśnia to pierwszy rozdział. Mówiąc poważnie – myślałem, że uda mi się uciec od śmierci ojca. Sądziłem, że znalazłem bezpieczne schronienie w swoich zajęciach i w rodzinie. Zawsze uważałem, że dobrze mi idzie opłakiwanie – lament, jak to mówimy w Irlandii. Jednakże, jak się okazuje, najlepiej udają mi się cudze tragedie. Pozornie nie ma nic dramatycznego w sytuacji, kiedy choroba tak powszechna jak rak powoli odbiera spełnione życie, lecz wywarło to na mnie wstrząsający wpływ i uruchomiło coś w rodzaju reakcji łańcuchowej. Może masz rację, że nie stać mnie na głębszą introspekcję.

Ali mówi, że nie jestem sobą i powinienem z kimś porozmawiać o moim skomplikowanym dzieciństwie. Mówi też, że noszę w sobie złość. W obawie przed jej gniewem obiecałem poważnie wszystko przemyśleć, ale w końcu uznałem, że jestem zbyt zajęty.

Michko Assayas – stworzyłeś mi okazję do konfrontacji ze mną samym w licznych wcieleniach, żebym mógł sobie wszystko poukładać.

Twój pacjent ekshibicjonista

Bono

Nicea, 21 stycznia 2005

WSTĘP

Jak nakłonić Bono do rozmowy? Przecież sam wyznaje: „Nigdy długo nie rozmawiam z kimś, kto pisze albo nagrywa. Przeważnie pije". Nie wiem, dlaczego stałem się kumplem Bono, z którym rozmawiał, pił i pisał, ale postaram się wytłumaczyć, jak do tego doszło.

Po raz pierwszy zetknąłem się osobiście z Bono i U2 w maju 1980 roku, co teraz wydaje się wspomnieniem jakby z innego życia. Nosiłem włosy ostrzyżone „pod garnek" i okulary w grubych szarych plastikowych oprawkach. Próbowałem wyglądać elegancko w stylu *new wave* – koszulka polo w szerokie żółto-bordowe pasy i czarne luźne spodnie zwężające się ku dołowi. Od tygodnia pracowałem jako reporter w dziale muzyki magazynu „Le Monde de la musique" z siedzibą w Paryżu. Nie byłem oszustem, ale tak się czułem. Miałem dwadzieścia jeden lat, skończone studia z literatury francuskiej i jaką taką znajomość języka angielskiego. „Le Monde de la musique" był niezwykle poważnym pismem o przygnębiającej szacie graficznej, poświęconym głównie nobliwej tematyce opery, słynnym dyrygentom i wirtuozom jazzu. Traktowało muzykę rockową jako *mouvement culturel* – określenie zarezerwowane dla nowinek muzycznych rodem z Londynu. Na początek wysłano mnie tam z misją specjalną zbadania ducha czasów i posłuchania, co w trawie piszczy. Moim przewodnikiem po owym świecie był wtedy magazyn „The New Musical Express". Co tydzień jego redaktorzy Paul Morley oraz Ian Penman promowali jakiś mało znany zespół z Manchesteru, którego singel (nie wspominając o fryzurach muzyków ani okładce płyty) miał wywołać estetyczne i egzystencjalne trzęsienie ziemi. Zapisywałem nazwy tych zespołów i udawało mi się poznać większość z nich. Niektóre zasłużyły na miano prawdziwych odkryć, szczególnie Young Marble Giants, którym, zanim na dobre zniknęli z muzycznej sceny, udało się wypuścić rewelacyjny album *Colossal Youth*. Niektórzy byli dobrzy, jak na przykład Psychedelic Furs czy The Monochrome Set. A innych... no cóż, można było posłuchać. U2 zupełnie nie znałem. Przed wywiadem nie słyszałem ani jednego kawałka tego zespołu.

Czterech muzyków U2 mieszkało w dwupokojowym mieszkaniu przy Collingham Gardens w pobliżu South Kensington w naprawdę spartańskich warunkach. Sprawiali wrażenie niezwykle ciepłych i otwartych ludzi. Od razu poczułem sympatię do jednego z nich - wygadanego, małego dublińczyka o szerokim uśmiechu i śmiesznym imieniu. Pamiętam, jak go słuchałem, obawiając się, że jego muzyka nie będzie tak dobra jak umiejętność prowadzenia rozmowy. Większość muzyków, z którymi przeprowadziłem wywiady, sprawiała wrażenie kompletnie zaskoczonych moimi abstrakcyjnymi pytaniami. Pewnie zastanawiali się, o czym plecie ten francuski gaduła. Oprócz Bono. Wyglądał na podekscytowanego i niespokojnego tak samo jak ja. Odniosłem wrażenie, że chce zagłębić się w tematy, które uważałem za istotne: rolę młodzieżowych mód w Londynie, dlaczego U2 nie chciało się do nich dopasować, czemu współczesna muzyka nie pozwala wyrażać stanu ducha, i tak dalej. Żeby wyjaśnić, o co mu chodzi, Bono sięgał po wiele argumentów, zapalając się coraz bardziej. Kiedy udało mu się dojść do sedna sprawy, jego twarz jaśniała. Mieszkanie było tak małe, że często wpadał na ściany, spacerując w trakcie rozmowy (przypominam sobie, że członkowie zespołu rozkładali śpiwory w jednym pokoju). Wszystkie myśli, które wtedy przychodziły mi do głowy, próbowałem od razu układać w gotowe teorie. Gdy mi się nie udawało, z pomocą przychodził Bono. By zacytować słowa Boba Dylana z *Chronicles*: „Kiedy razem z Bono nie jesteśmy pewni, co sądzimy na czyjś temat, wymyślamy coś na poczekaniu". Nie byłem więc sam. Z tamtego okresu pozostały mi w pamięci jeszcze inne obrazy: dżinsy Edge'a w punkowe graffiti, jego przyjazny uśmiech oraz wyważone słowa, uśmiech Adama - chociaż bardziej szelmowski, no i Larry o wyglądzie piętnastolatka ze zwieszoną głową przez cały czas trwania wywiadu. Pod koniec podarowali mi swojego pierwszego singla wydanego przez Island Records *11 O'Clock Tick Tock*. Okładka była niebieska z czarnymi żyłkami w stylu *new wave*. Niestety, w Londynie nie miałem gramofonu, musiałem więc posłuchać ich na żywo, żeby stwierdzić, czy ich muzyka dorównuje poziomowi ich wypowiedzi.

Tego samego wieczora U2 występowało w pubie o nazwie Hope and Anchor albo Moonlight Club czy coś w tym rodzaju, nie jestem pewien. Nie było nas wielu, na koncert przyszło jakieś siedemdziesiąt osób. Czułem się jednocześnie podekscytowany i skrępowany. Kiedy klub jest wypełniony tylko w połowie, wszystkim – zespołowi, publiczności oraz właścicielom klubu – wydaje się, że popełnili błąd. Wspominając tę noc, pamiętam wysokiego, wkurzonego faceta stojącego na środku przed sceną, który w przerwie między kolejnymi numerami wykrzykiwał coś głośno i niezrozumiale. Patrzyłem na niego, zastanawiając się, czy zaatakuje kogoś – z zespołu lub na widowni. Ale zespół nie zwracał na niego uwagi. Wokalista punkowy pewnie ruszyłby na kłopotliwego fana lub też zachęcił innych do spuszczenia mu manta, podgrzewając sytuację. Ale nie Bono, nie U2. Wydawali się nie zauważać gościa. Prawdopodobnie, żeby go nie słyszeć, Bono wspiął się na konstrukcję do mocowania głośników czy coś w tym rodzaju. Z czasem doszedłem do wniosku, że muzycy U2 nie zwracali uwagi na zachowanie publiczności. Nie byliśmy tą specjalną widownią w jednym ze znanych londyńskich klubów, lecz raczej zastępowaliśmy tę wymarzoną, przed którą – zamiast znanego zespołu z Dublina – występowała namiastka kultowej grupy. Chociaż muzycy wiedzieli, że jest nas tam zaledwie siedemdziesiąt osób, wydawali się skupieni na czymś innym, wielkim, lecz niewidzialnym, co i ja zacząłem dostrzegać. Tego wieczora zarówno zespół, jak i publiczność odczuli bliskość niewysłowionego piękna, które właśnie miało się narodzić. Nawiązaliśmy kontakt, silny kontakt, i tak już miało pozostać.

W pierwszej połowie lat osiemdziesiątych promowałem U2 oraz wytrwale recenzowałem ich płyty i koncerty w miesięczniku „Rock and Folk" i w dzienniku „Libération". Kiedy Bono i Edge po raz pierwszy przyjechali do Paryża, zabrałem ich do Notre-Dame, ale pomysł był ich, nie mój. Wciąż mam przed oczami Bono, kuśtykającego w ruchu ulicznym jak Quasimodo. Czasy „Jackassa", a Steve-O chodził jeszcze do przedszkola. Nie chcę się zarzekać, ale jestem prawie pewien, że swoją pierwszą kolację w Paryżu Bono zjadł właśnie w moim towarzystwie.

Systematycznie obserwowałem U2 za kulisami. W tych zamierzchłych czasach nikomu nie przeszło przez myśl, żeby na koncertach zatrudniać ochroniarzy. Zlany potem Bono wyglądał jak półprzytomny bokser. W tej muzyce uwielbiałem natchnioną nieporadność dźwięków. Stać ich było na niewiarygodną wręcz śmiałość - niejednokrotnie utopijną, w stylu retro, ale jednocześnie, zdając sobie sprawę z własnych ograniczeń, dawali z siebie wszystko, grając głośno i ekspresyjnie, co nawiązywało do ówczesnych trendów i stylu punk. Byli zbyt niemodni dla modnych, a dla niemodnych przez jakiś czas zbyt prowokujący. Wkraczali na rozległy, pusty kontynent, wciąż niezamieszkany, jak ogromny, bezkresny step w zimie, który przemierzają na grzbietach rumaków w teledysku *New Year's Day*. Wielu ludzi miało wkrótce wyruszyć za nimi na podbój tego świata, ale na początku byłem w tej fascynacji dość osamotniony. Równie dobrze mogłem tam zostać porzucony na pastwę losu i odejść w niepamięć wraz z kilkoma niepewnymi celu muzykami z Irlandii, czując się głupio.

W 1987 roku U2 wydało album *The Joshua Tree,* który wdarł się na pierwsze miejsca prawie wszystkich list przebojów. Niektórzy myśleli, że U2 to nowi Rolling Stonesi. Paradoksalnie, z każdym nowo wydanym albumem muzycy byli przekonani, że popełniają komercyjne samobójstwo. Jakby na przekór ich pogardzie każda premiera przynosiła pełny sukces. Ta sama arogancja kazała im dziesięć lat później nagrać album w stylu pop (*Pop*), który w pewnym sensie okazał się komercyjną porażką. Jak większość krytyków cieszyłem się, że uczestniczę w tych wydarzeniach, chociaż miałem ochotę - jak za naciśnięciem klawisza przewijania do przodu - przyspieszyć ich triumfalny podbój sceny muzycznej. Mimo że niektóre piosenki uważałem za genialne, moje serce nie biło w ich rytmie. Na jakiś czas straciłem zespół z oczu. Poniekąd czułem się też onieśmielony. Ci chłopcy stawali się supergwiazdami, co wprawiało mnie w poważne zakłopotanie. Prawda była taka, że U2 przestało potrzebować ludzi takich jak ja, więc zupełnie naturalnie usunąłem się w cień. Oczywiście, wiedziałem, że album *Achtung Baby* był rewelacyjny, ale tego nie musiałem nikomu obwieszczać.

Skrępowanie ustąpiło kilka lat później. Zmieniło się też moje podejście do ich sukcesu, dlatego postanowiłem znów skontaktować się z U2, trochę jak chłopak z byłą sympatią. W 1997 roku zadzwoniłem do wydawcy francuskiego tygodnika „Les Inrockuptibles" i poprosiłem o zlecenie wywiadu z Bono i Edge'em, którzy właśnie promowali album *Pop*. Myślę, że chciałem wybadać, czy drzemie w nas jeszcze duch przeszłości. Ponieważ tak długo nie miałem styczności z U2, nie wydawało mi się, by U2 wywarło jakikolwiek wpływ na moje życie. Podświadomie jednak nigdy nie zaakceptowałem takiej wersji wydarzeń i postanowiłem skonfrontować ją z rzeczywistością. Po raz pierwszy od trzynastu lat poleciałem do Dublina. Kiedy Bono wszedł do holu studia Hanover Quay, wyglądał, jakby zobaczył ducha. Potem podszedł do mnie i długo w milczeniu obejmował. Przez cały czas powtarzał: „Nie miałem pojęcia, że to ty... Nie miałem z i e l o n e g o p o j ę c i a...". W mgnieniu oka trzynaście lat rozstania zniknęło. Poszliśmy razem do pubu i za chwilę przestałem zwracać uwagę na czapkę z wizerunkiem Che Guevary i *cigarillo*. Pamiętam, że podzieliłem się swoimi wątpliwościami co do „Zoo TV", no i trochę się pokłóciliśmy na ten temat. Miałem wrażenie, że to dalszy ciąg rozmowy, którą zaczęliśmy w Collingham Gardens. W końcu zdałem sobie sprawę, że tak naprawdę nigdy jej nie przerwaliśmy.

W drodze powrotnej do Paryża zastanawiałem się nad pretekstem do częstszych spotkań z Bono w przyszłości. I właśnie wtedy wpadła mi do głowy myśl napisania o nim książki, nad którą moglibyśmy razem pracować. Zaproponowałem, że będę towarzyszył U2 w *tournée* „PopMart", prowadząc coś w rodzaju dziennika, bo książka o U2 już powstała. Bill Flanagan wydał *U2: At the End of the World* i spisał się rewelacyjnie. Rozmawiałem z Bono na temat mojego pomysłu i powiedział mi, że zespół chętnie by się zgodził, oprócz Larry'ego, który wyraził się jasno: „Nie chcę mieć więcej nic wspólnego z żadną książką". Kiedy przyszła kolej na Paryż, oczywiście byłem na miejscu. Następnego ranka po powrocie do domu odsłuchałem wiadomość z automatycznej sekretarki. Wydobył się z niej zdyszany głos: „To ja, twój stary przyjaciel z Irlandii... Wołałem twoje imię podczas koncertu, słyszałeś?... Mam strasznego kaca... Oddzwoń, jestem w hotelu Royal Monceau, hasło Penny". Tym razem nie mogłem przybyć na wezwanie. Musieliśmy odczekać kolejne cztery lata, co w naszym przypadku nie było czymś wyjątkowym.

W lipcu 2001 roku U2 dało fantastyczny koncert w paryskim Palais Omnisports de Bercy. Poszedłem za kulisy, by pogratulować Bono. Zmierzył mnie przenikliwym spojrzeniem i patrząc prosto w oczy, ni stąd, ni zowąd oznajmił: „Mamy książkę do napisania". Naprawdę? W trakcie koncertu znów wykrzykiwał moje imię – w przerwie w wykonywaniu *I Will Follow*, kiedy recytował nazwy wszystkich miejsc, gdzie U2 grali w Paryżu. Stało się. Jak mogłem nie odpowiedzieć na głos wokalisty zespołu rockowego numer jeden na świecie, który przywoływał mnie ze sceny, wykrzykując moje imię wobec dwudziestu tysięcy zgromadzonych fanów? Po tym występie napisałem do Bono list:

I oto mamy rok 2001. Właśnie wróciłem z jednego z najlepszych występów w Twojej karierze i wszystko wydaje mi się tak naturalne: rozmowa z Tobą, łączenie przeszłości z teraźniejszością i tak dalej. Dlatego coś przyszło mi do głowy. Istnieje tradycja pisania książek nie o malarzu, pisarzu czy znanym reżyserze, ale razem z nim. Osoba przeprowadzająca wywiad koncentruje się na danym aspekcie życia znanej osoby (na przykład dzieciństwie, wczesnej młodości, relacjach z innymi artystami, osiągnięciach czy porażkach) i pisze w formie dialogu, wywiadu rzeki. Bardzo lubię takie książki, ponieważ są zupełnie inne od zwykłych książek „o rocku". Oczywiście możesz stwierdzić, że jesteś jeszcze na to za młody. Ale wiesz dobrze, że dwadzieścia trzy lata doświadczeń w Twojej branży czyni z Ciebie prawie mędrca. W każdym razie, jeśli książka ma powstać, to powstanie. A jak nie... wiesz, że zawsze możemy do niej wrócić po sześćdziesiątce.

No i powstała. W sierpniu 2001 roku, pod koniec *tournée* „Elevation”, zmarł ojciec Bono. Kilka miesięcy później Bono wyraził zgodę na wywiady. Podczas rozmów na ogół odnosiłem wrażenie, że jesteśmy jak dwaj starcy w domu opieki społecznej i mamy na wszystko tyle czasu, ile zapragniemy. W rzeczywistości nie całkiem tak było, gdyż Bono bardzo często przerywał, oznajmiając, że właśnie musi „lecieć” - i leciał. Kiedy się rozstawaliśmy, miałem odczucie, że budzę się z głębokiego, niespokojnego snu. Zdaniem Bono, zawsze trafiałem go w najczulsze miejsce. Z każdej rozmowy starałem się wycisnąć tyle, ile się dało, obawiając się, że może to nasze ostatnie spotkanie... Mimo to Bono za każdym razem dobywał słów jakby z samej głębi swojej duszy. Był opanowany i niezwykle skupiony. Nasze rozmowy charakteryzował spokój zmieszany z pewną gorączkowością. Emocje, na pozór przeciwstawne, ale wynikłe z przebywania w oku cyklonu. Myślę, że najlepsza muzyka powstaje właśnie w takich warunkach. Chciałbym wierzyć, że w podobnych okolicznościach może powstawać też książka.

Michka Assayas, listopad 2004

1. SĄ HISTORIE, KTÓRYCH NIE DA SIĘ ZAŚPIEWAĆ

Pierwsza rozmowa (przedstawiona tutaj w czterech częściach, to znaczy rozdziały 1, 2, 3 i 4) odbyła się pod koniec 2002 roku w domu Bono w Killiney, w pobliżu Dublina.

Bono przyjechał po mnie mercedesem smutnego listopadowego dnia do Clarence Hotel (którego jest współwłaścicielem razem z Edge'em). Zauważyłem, że zaczął zwracać uwagę na kolor świateł i przestał jeździć pod prąd jednokierunkowymi ulicami. Ma samochód dentysty, to jeździ jak dentysta.

W strugach deszczu jechaliśmy wzdłuż szarego morskiego wybrzeża. Bono opowiadał o swojej nowej roli jako ambasadora DATA*. Wspomniał też, że w tydzień napisał sztukę teatralną dla jakiegoś reżysera z Ameryki. Kiedy zajechaliśmy pod jego dom, z powodu silnych opadów nie było prądu, więc sterowana elektrycznie brama nie działała. Bono pomógł dozorcy otworzyć. Przy szybkim lunchu plotkowaliśmy z jego żoną Ali, która zajmowała się właśnie organizowaniem charytatywnego pokazu mody na rzecz rodzin ofiar katastrofy w Czernobylu. Bono oprowadził mnie po domu i zabrał do pawilonu, w którym pan i pani Hewson (czyli Bono i Ali) goszczą wybitne osobistości. Ściany były obwieszone listami od Billa Clintona, Salmana Rushdiego, Quincy Jonesa i innych. Chociaż bardzo się przyglądałem, nie zauważyłem nic od Papieża. Potem wróciliśmy do głównego budynku. Poszedłem za Bono do małego pokoju - części jego gabinetu - z oknami wychodzącymi na morze. Ściągnął buty i ułożył się wygodnie na

---

* Debt, AIDS and Trade for Africa - Zadłużenie, AIDS i Handel dla Afryki, albo Demokracy, Accountability and Transparency for Africa - Demokracja, Odpowiedzialność i Przejrzystość w Afryce (przyp. tłum.).

sofie. W regularnych odstępach czasu odwiedzała nas jego starsza córka Jordan oraz synowie Elijah i John. Czasem Bono przerywał rozmowę, żeby zadzwonić. Pamiętam, że spodziewał się telefonu od Prince'a, ale zamiast niego zadzwonił Bruce Springsteen. Wspólnie planowali napisać piosenkę, którą chcieli wykonać podczas przerwy w finale mistrzostw futbolu amerykańskiego Super Bowl. Bono chciał, żeby Amerykanie potraktowali zbiórkę pieniędzy na zakup leków dla chorych na AIDS w Afryce jako „gest patriotyczny". Niestety, chyba nic z tego nie wyszło. Resztę dnia spędziliśmy, oglądając transmisję wręczania nagród MTV i jedząc pizzę: U2 nie zdobyło żadnej z nagród, do których zostało nominowane. Za każdym razem, kiedy miało nastąpić wręczenie jednej z nich, Bono starał się odgadnąć zwycięzcę, a Jordan razem z młodszą siostrą Eve, która dołączyła do towarzystwa, leżały na sofie, wysyłając SMS-y. Elijah był zafascynowany występem Christiny Aguilery. Trochę wcześniej uległ urokowi Kylie Minogue i poprosił Bono, żeby kiedyś zaprosił ją na kolację.

Udzieliłeś wielu wywiadów, dlaczego więc chcesz jeszcze mówić o sobie w książce? Miałeś przecież tak wiele okazji...
Zwykle nie szukam pretekstu, żeby wracać do przeszłości w tym, co robię, w ciągu dnia ani w ogóle. Ale może właśnie nadeszła taka chwila. Są historie, których nie da się zaśpiewać.

Zanim zaczęliśmy rozmawiać, powiedziałeś parę słów o ojcu, którego niedawno straciłeś. Wspominałeś jego cięty dowcip i sarkazm. Zastanawiałem się, dlaczego więc tak mało cynizmu jest w twoich tekstach.
Tak, to zastanawiające. Ojciec wydawał się znudzony, w pewnym sensie rozczarowany. Świat po prostu nie robił na nim wrażenia. Jako dziecko chciałem być kimś zupełnie innym, a jako nastolatkowi wydawało mi się, że stał się moim wrogiem. Tak się czasem dzieje... No to odrzuciłem wroga wraz z jego bronią, czyli ciętym dowcipem i sarkazmem.

To dość ostre słowa. Jaki naprawdę był twój ojciec?

Jak już wspominałem, był czarującym, nadzwyczaj zabawnym i miłym człowiekiem, ale jednocześnie bardzo cynicznym wobec świata i ludzi, spośród których nieliczni wzbudzali jego sympatię, a jeszcze mniej zasługiwało na pochwałę. Musiałem się z nim pogodzić, ale nigdy nie staliśmy się przyjaciółmi. Udało się to natomiast mojemu bratu, i dobrze. Nie ma w tym niczego wyjątkowego, po prostu podali sobie dłonie w stylu irlandzkich *macho*. A nam nigdy nie udało się szczerze porozmawiać. Nawet pod koniec życia ojca, kiedy odwiedzałem go w szpitalu, był w stanie tylko szeptać. Cierpiał na chorobę Parkinsona. Spałem przy nim całą noc na łóżku polowym. Choroba była wystarczającym usprawiedliwieniem milczenia. I chyba dobrze się z tym czuł. W dzień siedziałem przy nim i rysowałem go. Zrobiłem całą serię szkiców, począwszy od pokoju szpitalnego, skończywszy na aparaturze, do której był podłączony. Od czasu do czasu czytałem mu... [*przerwa*] Szekspira. Uwielbiał Szekspira. Kiedy czytałem mu Biblię, chmurzył się. [*śmiech*] Zupełnie jakby chciał powiedzieć: „Odpieprz się!”. I rzeczywiście, takie były jego ostatnie słowa. Leżałem obok niego i nagle w środku nocy usłyszałem krzyk. Do tej pory przez wiele dni tylko szeptał, więc zawołałem pielęgniarkę. Kiedy przyszła, znów zaczął szeptać, dlatego przybliżyliśmy uszy do jego ust. „Co chcesz powiedzieć? Czy wszystko w porządku? Potrzebujesz czegoś? Potrzebujesz pomocy?” Pielęgniarka pytała: „Bob, wszystko w porządku? Czego ci trzeba? O co chodzi?”. Odpowiedział: „Odpieprz się! Czy wreszcie się odpieprzycie i ktoś mnie stąd zabierze? Chcę do domu. Czuję się tu jak w więzieniu”. I to były jego ostatnie słowa. Nie romantyczne, ale wiele mówiące. Miałem wrażenie, że on naprawdę chce się wydostać – nie tylko z pokoju szpitalnego, ale także z własnego chorego ciała. Zupełnie w jego stylu. Do wszystkiego potrafił dodać odrobinę dziegciu, a potem jeszcze trochę. Mógł poznać najpiękniejsze dziewczyny na świecie. Na przykład Julię Roberts... Pamiętam, jak przedstawiłem mu ją w jakimś klubie, a on na to: „Pretty Woman? Mam ją w dupie”. [*śmiech*]

Wiesz, kogo mi przypomina? Ojca Briana Wilsona... Czytałeś o tym?
Tak, trochę.

Ojciec Briana Wilsona marzył, żeby jego syn zrobił karierę w biznesie muzycznym, podobnie jak twój ojciec chciał zostać śpiewakiem operowym. Kiedy Beach Boys mieli próby, krytykował ich. Brian układał te swoje fantastyczne piosenki, a ojciec bez przerwy komentował: „Co to za hit? Zabierz się wreszcie porządnie do roboty". Był agresywny – zarówno w mowie, jak i zachowaniu. I może w tym tkwi sedno sprawy: im ostrzejszy jest dla ciebie ojciec, tym bardziej twórczy się stajesz?
Jasne. Kiedy poznasz moich dwóch przyjaciół, Gavina i Guggiego*, dowiesz się, jaki wycisk dali im ojcowie. Cała nasza trójka dorastała na Cedarwood Road. Guggi został malarzem, Gavin fenomenalnym artystą, autorem piosenek dla kabaretu *nouveau* i muzyki filmowej. Różniło nas to, że oni mogli uciec przed karzącą dłonią ojców w czułe ramiona matek. Ja też bym uciekł, ale nie miałem do kogo. I pewnie dlatego cały czas chodziłem podminowany, a nawet wściekły, jak teraz to widzę.

Wściekły na co?
Na poczucie pustki... pusty dom... samotność... i świadomość, jak bardzo potrzebuję innych ludzi.

Czyli chciałeś, żeby przyjaciele zastąpili ci matkę, i to powodowało twoją wściekłość?
Tak myślę. Ale to nie wszystko. Jeśli budzisz się rano z jakąś dźwięczącą ci w głowie melodią, co mi się zdarza, chodzi o to, do jakiego stopnia jej się sprzeniewierzysz, przekładając ją na muzykę. Marnie gram na gitarze i jeszcze gorzej na fortepianie. Gdyby nie Edge,

---

* Fionan Hanvey (znany jako Gavin Friday) i Derek Friday (znany jako Guggi) w roku 1978 założyli awangardowy zespół punkrockowy Virgin Prunes, w którym debiutował również Dick Evans, starszy brat Edge'a.

który jest wyjątkowo utalentowanym muzykiem, nie dałbym sobie rady. Gdyby nie Larry i Adam, moje melodie nie miałyby tak świetnego podkładu. Ale dalej mam problem z korzystaniem z pomocy innych. Słabość... Błogosławieństwo słabości polega na tym, że zmusza cię do zawierania przyjaźni. Wszystkiego, czego ci brakuje, szukasz u innych, ale czasem odczuwasz gniew na myśl, co by było, gdybyś sam potrafił... Melodie, które słyszę w głowie, są o niebo ciekawsze od tych, które jestem w stanie zagrać. Mój gniew bierze się stąd, że tak bardzo muszę polegać na innych, chociaż – paradoksalnie – tak dobrze mi to wychodzi. No i mój zespół... Muszę ci powiedzieć, że nasza współpraca jest najlepszym dowodem mojego polegania na innych.

Co w tym szczególnego?
To, co zawsze powtarza Brian Eno: „W Smithsonian powinni zbadać, dlaczego tak dobrze wam idzie, jakim cudem tak świetnie się dogadujecie i uzupełniacie, to naprawdę coś". Jednak czasem bywa to uciążliwe. No bo pomyśl, czy to wszystko nie jest trochę przerażające? Polegasz na kimś, kogo kochasz, na przyjaciołach, a ostatecznie musisz zawierzyć Bogu, jeśli pragniesz stać się w pełni sobą. Oznacza to, że sam, jesteś... [*pauza*] wiesz, ten pieprzony pomysł z zen. Jesteś jak klucz bez zamka. [*śmiech*]

Czy po tym gdy straciłeś matkę jako nastolatek, zorientowałeś się, że tak bardzo zależysz od innych, czy też to uczucie pojawiło się już wcześniej?
Jako dzieciak właściwie nie interesowałem się rówieśnikami.

Mam wrażenie, że coś tu nie gra. Żeby móc cię zrozumieć, muszę odwołać się do swoich przeżyć. Tak jak ty miałem starszego brata, z którym byłem bardzo blisko. Mogłem na nim polegać i to dawało mi swobodę, mogłem być samotny, lecz jednocześnie czułem, że mnie chroni. A z tego co mówisz, wnioskuję, że dla ciebie przyjaźń oznaczała przetrwanie.

Masz rację, nie zawsze tak było. Kiedy byłem mały, miałem duże poczucie pewności siebie i w związku z tym bywałem arogancki. Dobrze sobie radziłem w sprawach intelektualnych. Lubiły mnie inne dzieci. Grałem w szachy i nawet nieźle mi to wychodziło. Kiedy miałem dwanaście lat, zagrałem w międzynarodowym turnieju szachowym. Wyobrażasz sobie?!

Wygrałeś?
Nie, ale poszło mi całkiem dobrze. No i zrobiło się dużo zamieszania, bo byłem jedynym dzieciakiem, który grał z dorosłymi. A to, że gry w szachy nauczył mnie ojciec, oznaczało, że muszę szybko nauczyć się z nim wygrywać. Chociaż może pozwalał mi na to? W pewnej chwili poczułem się pewnie i od tego czasu grałem już coraz gorzej. Jeśli chodzi o pewność siebie... Miałem jej mnóstwo i nagle coś pękło. Z tego, co wiem, każdy nastolatek przechodzi trudny okres, a mój był o tyle trudniejszy, że w domu nie miałem do kogo się zwrócić. Śmierć matki poważnie podkopała moją pewność siebie. Wracałem po szkole do domu, ale nie czułem się w nim dobrze. Nie było jej. Nasza mama, śliczna Iris, odeszła... Bałem się i czułem się opuszczony. Myślę, że strach szybko zmienia się w gniew. Nadal go odczuwam.

W co innego się zmienia?
Lubię być wśród ludzi.

W jakimś konkretnym miejscu?
Do rzeczy, które lubię robić najbardziej, zaliczam chodzenie na lunch. I uwielbiam pić. Lubię też dobrze zjeść.

Tak, zauważyłem i zastanawiałem się nad tym.
Po prostu najlepsze restauracje przyciągają mnie nieodparcie. To zupełnie nie w stylu rock'n'rolla! Chyba chodzę do restauracji dlatego, że kiedy byłem mały, jedzeniu nie towarzyszyła miłość. Byłem niezadowolony. Nie mogłem jeść... bo nie było matki.

To znaczy, że od małego musiałeś gotować sobie sam.

Posuwałem się do tego, że kradłem żywność w sklepach spożywczych, a pieniądze od ojca na jedzenie rozdawałem kolegom. Wściekałem się, kiedy nadchodziła pora posiłku. Pamiętasz Smash – te pastylki niby dla astronautów, które miały imitować jedzenie? Co za okropny pomysł. Lało się na nie wodę i zmieniały się w ziemniaki. Potem kładło się je do tego samego garnka co gotowaną fasolę lub coś innego i jadło prosto z niego, przed telewizorem.

Właśnie opisałeś piekło według francuskiego szefa kuchni.

Tragikomedia. Mój brat, który pracował w dziale informatycznym krajowych linii lotniczych, odkrył, że może dość tanio kupować jedzenie serwowane w samolotach. Przynosił paczki do domu i w lodówce zawsze mieliśmy ich pełno. Jadłem to po przyjściu do domu. A potem stało się coś nieoczekiwanego. Nasza szkoła była blisko lotniska. Wcześniej nie dawali nam tam lunchów, ale wreszcie ktoś wpadł na pomysł i zaczęli je kupować na lotnisku, więc takie samo pieprzone żarcie wcinałem też w szkole. Wracałem do domu i znów wsuwałem to samo. I co dalej? Zostajesz rockmanem i przez resztę życia jadasz posiłki w samolotach. [*śmiech*] To wystarczy, żeby mnie wypchnąć do eleganckiej restauracji, i tłumaczy, dlaczego przybieram na wadze. Tak na marginesie, nie wszedłem jeszcze w okres „tęgiego Elvisa". Poczekam na operę... Aha, to dlatego tu jesteś... No dobra, wracamy na sofę.

Może czas na hamburgera?

Poważnie mówiąc, całe moje twórcze życie zaczyna się w chwili, kiedy zawalił mi się świat, gdy miałem czternaście lat. Nie chcę przesadzać, bo wiem, że wielu innych miało jeszcze bardziej pod górkę. Czy to nie Dalajlama powiedział: „Jeżeli chcesz medytować o życiu, zacznij od śmierci"? Nie od dziewczyn, samochodów, seksu i narkotyków... Więc najpierw zacząłem pisać o śmierci. Co za palant ze mnie! Tak naprawdę nasz pierwszy album *Boy* wyjątkowo podnosi na duchu, zważywszy na jego motyw przewodni.

Mógłbyś to bliżej wyjaśnić?
Wbrew pozorom, *Boy* przypomina mi nasz nowy album *How to Dismantle an Atomic Bomb,* bo ma coś wspólnego z utratą niewinności. W pierwszym albumie wszyscy się tym delektowali, niczego nie rozpamiętywali. Wszyscy wiedzieli, że świętujemy naszą nieznajomość świata. Myślałem, że nikt jeszcze nie opisał tej historii, bo nikt nie zdobyłby się na taką nieprzyzwoitość. Rock'n'roll rzadko bywa nieprzyzwoity w wyrażaniu uczuć. Może być przesiąknięty erotyzmem, może być pełen przemocy i tryskać żółcią. Są tam demony, rzadko prawdziwe, ale nikt nie odprawia nad nimi egzorcyzmów, służą raczej zabawie. Nieczęsto pojawiają się prawdziwa czułość, duchowość, wątpliwości, które rzeczywiście trapią ludzi. Wiele w tym pozy i zadęcia. Przy naszym pierwszym albumie pomyślałem, że pozwolę sobie być dzieckiem, mówić o niewinności, która za chwilę zostanie utracona. Rock'n'roll nigdy wcześniej nie podjął tego tematu, to znaczy – poza kontekstem miłosnym.

Najbardziej interesuje mnie, dlaczego skupiłeś się właśnie na tym. To ciekawe wrócić do tych chwil w życiu, kiedy człowiek ma tylko marzenia i jeszcze nie wie, jak je zrealizować. Czy twoje relacje ze starszym o siedem lat bratem pomogły ci zdobyć pewność siebie?
I tak, i nie. To znaczy nauczył mnie grać na gitarze. Ćwiczyłem na jego gitarze piosenki, które on sam grał. Miał książkę z piosenkami Beatlesów, tę z psychodelicznymi ilustracjami. Powaliła mnie na kolana. Tak naprawdę ciągle uważam, że jest fantastyczna.

Jakiej piosenki Beatlesów nauczyłeś się najpierw?
Dear Prudence. Wszystko to, co można było zagrać w tonacji C. Mój brat miał jeszcze książkę Neila Diamonda... Uwielbiałem Diamonda. Piosenka *Sing Me.* [*śpiewa*] Po prostu genialne...

Wracając do tematu brata, lubiliście się?
Tak. Ale tłukliśmy się wzajemnie ile wlezie, znaczy – biliśmy się.

Większość dzieci się bije. Co w tym niezwykłego?
Byłem szesnastoletnim antychrystem, który nie cierpiał swojego domu. Jak mówiłem wcześniej, ciężko było ze mną wytrzymać. Kiedy brat wracał do domu, razem z kumplami oglądaliśmy telewizję. Oczywiście, nie pozmywałem ani nie tknąłem niczego, co obiecałem zrobić. Wtedy brat warczał coś pod nosem i trzaskał drzwiami, kończyło się kłótnią. [*śmiech*] Lata później można było znaleźć ślady krwi na ścianach kuchni. Naprawdę rzucaliśmy się na siebie.

Ale jestem pewien, że się tobą zajął, kiedy umarła matka, wtedy miał już skończone dwadzieścia lat.
Starał się, jak mógł. To wspaniały człowiek, nigdy nikogo nie okłamał. Pamiętam, że kiedyś pokłóciliśmy się na poważnie i rzuciłem w niego nożem. [*śmiech*] Nie zrobiłem tego, żeby go zabić, ale żeby go nastraszyć. Nóż wbił się w drzwi... tang... Brat zerknął na nóż, ja też. I wtedy zdałem sobie sprawę, że chociaż nie miałem takiego zamiaru, to mogłem go zabić. O ile dobrze pamiętam, zaczęliśmy wtedy płakać, przyznaliśmy się przed sobą, że byliśmy źli dla siebie, ponieważ nie potrafiliśmy opłakiwać mamy... żaden z nas nigdy o niej nie wspomniał.

Jak to: nigdy?
Po śmierci matki ojciec nigdy o niej nie wspomniał. Ten temat się już nie pojawił i dlatego nie mam żadnych wspomnień z nią związanych, co jest dość dziwne.

Miałeś wtedy czternaście lat. Czytałem, że umarła tuż po powrocie z pogrzebu swojego ojca. To prawda?
Zemdlała na pogrzebie, więc mój ojciec podniósł ją i zaniósł do domu. Nie odzyskała przytomności. Tak właściwie to nie jesteśmy pewni, czy tak, czy nie. Mój ojciec, kiedy zdawał się u kresu wytrzymałości, lub kiedy widział nasze kłótnie, powtarzał: „Na łożu śmierci obiecałem waszej matce, że...". I nigdy nie kończył zdania. Chciałem, żeby przed śmiercią wreszcie dopowiedział to do końca. To i inne rzeczy.

Czy chciałeś zadać ojcu jakieś pytania, na które nigdy nie dostałeś odpowiedzi?
Tak.

To dlaczego ich nie zadałeś?
Próbowałem, ale nie chciał odpowiedzieć.

Na przykład?
Chciałem z nim porozmawiać o tym, dlaczego jest, jaki jest. Odkryłem też bardzo ciekawą historię rodzinną, dość niezwykłą. Nie chcę teraz o tym mówić, a ojciec na samą wzmiankę o tym nabierał wody w usta albo zaczynał dowcipkować.

Co cię najbardziej intrygowało w jego stylu bycia?
Chyba to, że był taki zamknięty w sobie... I to, że w pewnym sensie nie wykazywał zainteresowania czymkolwiek. Mówię ci, rada, którą mi dawał, nie odzywając się do mnie, była taka: „Nie bądź marzycielem! Marzyciele kończą jako rozczarowani...". Właśnie tam zaczynała się megalomania. Motywem przewodnim jego życia było: nie posiadać żadnej wielkiej idei. To mnie interesowało.

A jak próbował cię zniechęcić?
„Po co chcesz iść na uniwersytet?" Na pewno z początku nie wiedział, co robić, ale w końcu powiedział: „Dobrze... idź do *college*'u. Pewnie, że ci pomogę...". W końcu zapłacił za lekcje gitary, ale nie przyszło mu to łatwo. A jednak w życiu najbardziej żałował tego, że nie został muzykiem ani piosenkarzem. Trudno mi sobie to jakoś poukładać w głowie. Teraz sam jestem ojcem czwórki dzieci i nie wyobrażam sobie, że mógłbym myśleć w ten sposób. To, że próbował nas ochronić przed rozczarowaniem, oznaczało jednocześnie wybijanie nam z głowy wszelkich pomysłów. W pewnej chwili ojciec zaczął się sam ograniczać. Myślę, że musiał przeżyć jakieś wielkie rozczarowanie, przed którym chciał ochronić swoje dzieci. Albo to, albo czysta przekora. Inaczej nie jestem go w stanie zrozumieć. No bo co innego? Jak jeszcze można to wytłumaczyć?

Jak ojciec widział twoją przyszłość?
Hm... Myślę... że chciał, żebym znalazł posadę w służbie cywilnej tak jak on. Bezpieczną pracę, z której nikt by mnie nie zwolnił. Ewentualnie mogłem zostać przedstawicielem handlowym. Wielu członków naszej rodziny pracowało w tej branży. Ja oczywiście poszedłem w ich ślady!

W pewnym sensie chyba tak.
Nie tylko w pewnym sensie, jestem tego pewien. Jestem handlarzem w trasie koncertowej i jeśli chcesz wiedzieć, jak sam siebie postrzegam, to właśnie w ten sposób. Prowadzę obwoźną sprzedaż piosenek, przemieszczając się z miasta do miasta. Handluję piosenkami i słowami. W tekstach politycznych sprzedaję idee, tak samo jak w świecie handlu, w który wchodzę. Postrzegam więc siebie jako jeszcze jednego członka rodziny, która od pokoleń pracowała w handlu. Naprawdę. Dzięki Bogu za wujka Jacka!

Czyli sukcesy życiowe w twojej rodzinie odnosili raczej krewni ze strony matki?
Jeden z jej starszych braci zrobił karierę w ubezpieczeniach. Wyjechał do Londynu, a potem podróżował po całym świecie. Im wszystkim dobrze się powodziło, ale jemu wręcz rewelacyjnie. Zdaniem wujów, też mogłem sprzedawać ubezpieczenia. To dość zabawne dla cyrkowca, który nigdy nie rozglądał się za siatką ochronną, prawda? W każdym razie muszę ci powiedzieć, że to wspaniałe uczucie pochodzić ze środowiska, w którym nie ma presji osiągnięcia sukcesu. Zazwyczaj bywa inaczej, ale dzięki Bogu byłem nieposłusznym dzieckiem. I kiedy zmarła mama, nieposłuszeństwo przerodziło się w otwarty bunt. Dlatego nie dziwię się mojemu ojcu, że nie patrzył na moją przyszłość z optymizmem, bo widział, co wyprawiałem. Szkoła mnie nie obchodziła, chociaż byłem dobrym uczniem. Zanim się zbuntowałem, byłem najlepszym uczniem w klasie. Moi najlepsi koledzy też nie przejmowali się szkołą, nie mogę więc za wszystko obwiniać ojca.

Bo sam sprawiałeś kłopoty?
Tak.

Ale w końcu poszedłeś na studia.
Tak. Dlatego że wybierali się tam koledzy ze szkoły. Odkąd pamiętam, miałem zadatki na intelektualistę. Na uniwersytecie spędziłem całe dwa tygodnie, studiując język angielski i historię. Wymarzone kierunki dla mnie, podobałoby mi się.

Jak to: dwa tygodnie?
Powiedzieli mi, że nie spełniłem wymogów formalnych. Studiując na państwowym uniwersytecie, musisz znać język ojczysty, a ja go nie znałem. Oblałem irlandzki, co w końcu wyszło na jaw. Wyrzucili mnie ze studiów, chociaż zostałem przyjęty na podstawie innych wyników.

Jak śmierć matki wpłynęła na twoje relacje z ojcem? Domyślam się, że bywało różnie.
Można powiedzieć, że po śmierci matki zmieniłem się w oprawcę dla brata i dla ojca. W domu zostaliśmy sami. To były niedobre czasy. Niszczyliśmy się tak, jak tylko potrafią trzej mieszkający ze sobą faceci. Pamiętam, jak raz ojciec próbował mnie znokautować. Nie oddałem mu, ale niełatwo było się powstrzymać. Najczęściej dochodziło do komicznych sytuacji. Ojciec nakręcał się sam, powtarzając, że martwi się o mnie. Kiedy miałem siedemnaście lat, chodziłem z kolegami na występy punkrockowe. Gdy wracałem, ojciec zawsze czekał na mnie na schodach z ciężką artylerią słowną. [*śmiech*] Wejście do domu przypominało tor przeszkód. Zawsze kombinowaliśmy z chłopakami, jak dostać się do środka, żeby go nie obudzić.

Mam wrażenie, że zafundowałeś swojemu biednemu ojcu wiele bezsennych nocy. Pamiętasz coś szczególnego z tamtych czasów?
Zwykle wspinałem się na drugie piętro po rynnie, potem musiałem przejść do okna łazienki po gzymsie – dosyć trudna sztuka – wyciąg-

nąć rękę, otworzyć je i wejść do środka, zejść na dół i wpuścić kolegów, żebyśmy mogli jeszcze trochę posiedzieć razem. Pamiętam, jak kiedyś – koło czwartej rano – właśnie gdy robiłem najtrudniejszy manewr, ojciec obudził się i spytał [*naśladuje głos*]: „To ty? Czy to ty?". Wisząc nad ziemią za oknem jego sypialni, odparłem [*mamrocze, przykładając rękę do ust*]: „Tak, to ja, już jestem". – „Pospiesz się! I idź już spać!" – „Jasne, już idę, OK..." Cholera, nie miał zielonego pojęcia, że w tej chwili wiszę za oknem, że za chwilę odpadnę od tej pieprzonej ściany i skręcę sobie kark. [*śmiech*]

Musiał cię nieźle wystraszyć.

Aż tak źle nie było. Myślę, że nasza sytuacja była po prostu konfliktogenna. Nasza trójka była niezwykła. Nie każdy ojciec ma synów, którzy noszą martensy, tomahawki i dziwne stroje. Guggi czasami podjeżdżał do domu na koniu. Od małego byliśmy surrealistami, było to dla nas bardzo śmieszne. Miałem już dwadzieścia lat, kiedy pokłóciłem się z kumplami. Przyjechali i owinęli mi samochód papierem toaletowym, między warstwami rozbite jaja, robiąc coś w rodzaju kokonu. A kiedy się obudziłem, zaczęli rzucać we mnie jajami. Niestety, na to wszystko obudził się ojciec, a spał z bronią pod poduszką.

Z pistoletem?

Nie, miał taki metalowy pręt. No i razem z ojcem, uzbrojeni po zęby, goniliśmy moich kolegów po ulicy. To dopiero było komiczne! Ojciec krzyczał [*naśladuje zdyszany ton ojca*]: „Padnę na zawał... Padnę na zawał... Te pieprzone gnojki! Już ja ich dorwę!".

Dlaczego się nie wyprowadziłeś?

Zaproponował mi rok pod swoim dachem – jedzenie i spanie bez płacenia za cokolwiek. Powiedział: „Masz rok. Jak nie wyjdzie ci z zespołem, masz sobie znaleźć normalną pracę". To dość szlachetne, jeśli się nad tym bliżej zastanowić. Chyba zaczął łagodnieć. Była jedna szczególna chwila, kiedy naprawdę mi pomógł. Kiedyś jakiś facet, gruba ryba z branży, przyszedł zobaczyć nasz zespół i zaproponował nam wydanie płyty. Ważna chwila dla nas, bo byliśmy bez pensa. No i za pieniądze, które oferował, zorganizowaliśmy *tournée* po Wielkiej Brytanii, ale w dalszym ciągu nie mieliśmy podpisanego kontraktu na nagranie. Obiecywaliśmy sobie, że gość podpisze go z nami w czasie trasy. Tylko że wieczorem przed wyruszeniem w drogę zadzwonił do nas i powiedział, że obcina nam forsę o połowę. Wiedział, że i tak musimy się zgodzić, bo wynajęliśmy już wóz, oświetlenie i wszystko. Na pewno słyszałeś historie o draniach, którzy żerują na zespołach bliskich dna - są prawdziwe. Ale my powiedzieliśmy mu, żeby sobie wsadził tę kasę do dupy. Zwróciliśmy się do naszych rodzin, prosząc każdą o pięćset funtów. Mój ojciec nam pożyczył, tak samo ojciec Edge'a i chyba też ojciec Larry'ego. Od tego zaczyna się ocieplenie w naszych wzajemnych stosunkach.

Czy ojciec kiedykolwiek powiedział ci, że jest dumny z twoich sukcesów?

Hm... Tak. Myślę, że na swój sposób był ze mnie dumny. Zabrałem go do Stanów w połowie lat osiemdziesiątych. Nigdy wcześniej tam nie był i przyleciał na występ U2 w Teksasie. Pomyślałem, że warto by było, żeby zobaczył ten koncert. Umówiłem się z Willie Wiliamsem, naszym specem od oświetlenia, żeby wycelował punktowiec w platformę dźwiękowców i we właściwym momencie zwróciłem się do publiczności: „Wiecie, że jest tu ktoś, kto nigdy wcześniej nie był w Teksasie" - okrzyki i wycie - „I nigdy nie był w Stanach" - jeszcze głośniejsze okrzyki - „I nigdy wcześniej nie był na koncercie U2 w Stanach" - totalne szaleństwo - „PANIE I PANOWIE, MIESZKAŃCY STANU SAMOTNEJ GWIAZDY, CHCĘ PRZEDSTAWIĆ WAM MOJEGO OJCA BOBA HEWSONA. OTO ON!". Reflektor zapala się, ojciec wstaje i wiesz, co robi? Zaczyna mi wygrażać pięścią. Mówię ci, co za chwila. Po koncercie, kiedy zszedłem już ze sceny, ojciec przyszedł do mnie. Zazwyczaj po występie przez jakieś dziesięć minut kręci mi się w głowie i chodzę po ścianach. Zwykle nikt wtedy się do mnie nie odzywa - wiedzą, że potrzebuję paru chwil, żeby dojść do siebie. Nagle słyszę kroki. Odwracam się i widzę ojca... prawie wzruszonego. [*śmiech*] Pomyślałem: „Boże, on wreszcie chce coś wyznać. Zdaje się, że nadeszła chwila, na którą czekałem przez całe życie...". Chyba miał łzy w oczach. Podał mi rękę, popatrzył się na mnie zaczerwienionymi oczami i powiedział: „Synu... [*długa pauza*] naprawdę jesteś profesjonalistą...". [*śmiech*]

Profesjonalistą?! Ja miałem wtedy inne wrażenie.
Fantastycznie, prawda? Jeśli wywodzisz się z tradycji punk rocka, ostatnia rzecz, jaka przychodzi ci do głowy, to profesjonalizm. Lecz ojciec był dumny. Wcześniej miał mnie za pozera i pewnie się nie mylił. Myślę, że wtedy uważał moje zachowanie za bezsensowne, i prawdopodobnie miał rację. Tak jak wielu ojców wiedział, co wytknąć swojemu synowi. No i miał złośliwe, naprawdę bardzo złośliwe poczucie humoru.

Chcesz przez to powiedzieć, że udzielał ci dobrych rad – jak powinieneś się zachowywać jako gwiazdor rocka?
Mówił, jak to mają w zwyczaju dublińczycy: „Mój syn, ten popieprzony idiota". O to chodziło. Kiedy wchodził do kuchni, gdzie stały szafki – jeszcze tam są – zwykł komentować: [*krzyczy*] „Ha! [*klaszcze*] Od razu wyczuli głupka, nie? Ale z ciebie idiota! Antyki... To klatki na króliki, nie żadne antyki. Ale chyba nie trzymasz w nich królików, co? Pewnie zapłaciłeś za nie jak za zboże, nie? Co z ciebie za głupiec". Cokolwiek byś zrobił, zawsze rzucał mi to charakterystyczne spojrzenie, potrząsając głową, jakby nie mógł się nadziwić głupocie syna. „O ludzie, ludzie, tego naprawdę nie można się było wcześniej domyślić". Jednak w miarę jak czas upływał i nic się, wbrew jego oczekiwaniom, nie waliło, trochę się speszył swoim czarnowidztwem. Mój brat zawsze był niezwykle zaradnym człowiekiem, pełnym pomysłów, świetnie radził sobie w interesach, wiedział, jak zarobić, i pod tym względem był ambitny. Ale mnie nigdy nie obchodziło takie zarabianie pieniędzy. W końcu ojca zaczęło bawić to, że ja też miałem trochę gotówki w kieszeni.

Przyznam, że chyba miał trochę racji.
Miał rację. Myślał: „Bóg musi mieć poczucie humoru. Mojemu synowi, któremu nigdy nie zależało na pieniądzach, dał ich za dużo. A teraz popatrzmy i pośmiejmy się, jak je przepuści, bo ten chłopak na pewno wszystko wyda na głupoty".

A jaki był dla wnuków?
Uwielbiał dzieci, kochał wnuki. Zawsze chodziło mu o to, że kiedy ja będę miał dzieci, dowiem się, co to znaczy być ojcem. Ból, cierpienie i tak dalej. Więc kiedy poszedłem mu powiedzieć, że Ali jest w ciąży, wybuchnął śmiechem i nie mógł przestać. Zapytałem, z czego się tak śmieje, a on na to [*bardzo niski głos*]: „Zemsta".

I miał rację? Czy jako ojciec męczyłeś się tak samo jak on?
Nie. U nas w domu rzadko słychać podniesiony głos. Zwycięża dobry nastrój Ali. W porównaniu z moim domem rodzinnym jest bardzo spokojnie.

Jaki był dla niej twój ojciec?
Och, prawie idealny. Kobiety go uwielbiały. Był czarujący i towarzyski. Dopóki zachowywałeś bezpieczny dystans, ojciec był zadowolony. Myślę, że łatwiej było mu się otworzyć przed kobietami niż przed mężczyznami i pewnie to po nim odziedziczyłem. Był dobrym przyjacielem. Miał wiele przyjaciółek wśród kobiet. Ja też mam, więc coś w tym jest.

Czy kiedykolwiek radził ci, jak obchodzić się z pieniędzmi?
„Nie ufaj nikomu".

Posłuchałeś go?
Ani trochę. Zaufanie jest dla mnie bardzo ważne. Pozwól, że trochę zboczę z tematu. Jak wiesz, w supermarketach zapisują ceny kodem kreskowym. Kiedy przynosisz zakupy do kasy, przesuwają kod nad czytnikiem. Edge opowiedział mi o gościu z MIT, który zrobił badania i odkrył, że dziesięć procent wszystkich transakcji przeprowa-

dzanych w ten sposób jest błędnych. Czyli to dziesięć procent może wyjść na korzyść jednej albo drugiej stronie... co znaczy, że...

... że... czasem wygrywasz...
Czasem wygrywasz, a czasem przegrywasz. Wyrównany bilans zysków i strat, więc nikt się nie martwi tym, że system nie działa tak, jak powinien. I poniekąd stąd bierze się lekcja zaufania. Jeżeli ufasz ludziom, masz dziesięć procent szans na to, że się rozczarujesz. Jestem z natury dość ufny, w dziesięciu więc przypadkach na sto znajduję się w sytuacji, w której nie znalazłbym się, gdybym bardziej uważał. Jednak wtedy ominęłoby mnie wiele wspaniałych rzeczy. Dlatego wolę ryzykować i właśnie tym różnię się od ojca.

Czy było coś w twoich relacjach z ojcem, co teraz budzi twoje poczucie winy?
Myślę, że ojciec miał do czynienia z nad wiek rozwiniętym dzieckiem. Nie było łatwo, tym bardziej że musiał sam sobie z tym radzić. Czuję, że... złości mnie to, iż... istniało między nami takie napięcie... napięcie między ojcem a synem, które opuściło mnie dopiero w ostatnich kilku tygodniach. Ali zauważyła, że od jego śmierci nie byłem sobą, stałem się bardziej agresywny i bardziej rozgorączkowany, że mam coś z jego wybuchowości. Włosi pozostają w żałobie przez długi czas. Żeby to okazać, przez cały rok noszą czarne ubrania. Po śmierci ojca pojechałem na krótkie wakacje, co w zasadzie jest eufemistycznym określeniem wypadu na drinka. Nie lubię nadużywać alkoholu, bo czegokolwiek nadużyjesz, to coś odbije się na tobie z nawiązką. Wystarczy, jak powiem, że poleciałem na Bali na drinka. Razem z moim przyjacielem Simonem [Carmodym, scenarzystą] po prostu wyjechaliśmy. Chciałem to wszystko jakoś odreagować, zapomnieć o tym. Ale kiedy wróciłem, doszedłem do wniosku, że nic się nie zmieniło. W święta wielkanocne wybrałem się do kościoła w małej wiosce, w której mieszkamy we Francji, i poczułem, że muszę sobie odpuścić. Tydzień wcześniej przeżyłem wybuch emocji. Chciałem się dowiedzieć... Poznać ich źródło. Uklęknąłem i wyrzuciłem z siebie cały

gniew, jaki czułem wobec ojca. Podziękowałem Bogu za to, że go miałem, i za wszystkie dary, które otrzymałem za jego przyczyną. Wypuściłem wszystko z siebie. Płakałem i poczułem, że gniew się ulotnił.

Raz na zawsze?
Myślę, że udało mi się znaleźć ujście dla tych uczuć w *How to Dismantle...* Bomba atomowa to oczywiście ojciec, tkwiący we mnie. Tak, *Sometimes You Can't Make It On Your Own* to mój łabędzi śpiew dla niego. Zaśpiewałem to na pogrzebie ojca [*recytuje, ale nie śpiewa*]: „Twardzielu, myślisz, że już wszystko masz pod kontrolą / Powtarzasz mnie i wszystkim, że jesteś taki twardy / OK. Nie musisz już niczego dowodzić / Nie musisz zawsze mieć racji / Pozwól, że przyjmę kilka ciosów za ciebie / Posłuchaj mnie teraz: chcę byś wiedział, że nie jesteś sam / Czasem potrzebny jest jeszcze ktoś". Kawałek jak u Phila Spectora, bardzo w stylu lat pięćdziesiątych. Jednej zwrotki nie nagrałem na płytę: „Kiedy mieszkałem w Cedarwood, chciałem być wielki, bo nie wystarczało być tylko dobrym / Teraz, kiedy dorosłem, nic się nie zmieniło / Jesteśmy bliżej, ale nadal daleko od siebie / Posłuchaj mnie teraz: chcę żebyś wiedział, że nie jesteś sam / Czasem potrzebny jest jeszcze ktoś". A teraz przychodzi refren, fantastyczne. Krzyczę: „To ze względu na ciebie śpiewam. To z twojego powodu noszę w sobie operę / Ale chcę, byś wiedział, że dach nad głową to jeszcze nie dom / Nie zostawiaj mnie tu samego / Czasem potrzebny jest jeszcze ktoś". Piosenka kończy się tak, jak się zaczyna. To prosty kawałek i mam nadzieję, że ostatni poświęcony ojcu.

Jak myślisz, co pociągało ojca w twojej muzyce?
Powiem ci, co myślę. Interesował go w niej aspekt duchowy, bo sam był niewierzący i taki pozostał do końca życia. Był katolikiem, ale stracił wiarę.

Co takiego się stało, że stracił wiarę?
Nie wiem. Myślę, że w pewnym sensie rozczarował się tym, co działo się w Kościele. Wiesz, te skandale i wszystko inne. Czasami podsu-

wałem mu Biblię albo - kiedy chciał - dzieliłem się z nim przemyśleniami o ewangeliach, stylu, w jakim zostały napisane, lub kontekstach poszczególnych fragmentów. W końcu nie dał się przekonać, ale myślę, że jego zdaniem właśnie to było najważniejsze, co miałem mu do zaproponowania. W U2 najbardziej podziwiał naszą wiarę. Nie rozumiał muzyki z lat dziewięćdziesiątych, bo uważał, że jest niereligijna.

Niektórzy fani U2 też nie mogli zrozumieć waszej muzyki z tego okresu.

To prawda, nie rozumieli. W albumie *Pop* mówię o trudnych relacjach z Bogiem: „Szukam sposobu na ocalenie duszy / szukam w miejscach, gdzie nie rosną kwiaty / szukam, by wypełnić dziurę w kształcie Boga". Bardzo ciekawy tekst, trochę nawiązuje do Roberta Johnsona. To prawdziwy blues, chociaż podany w stylu techno, w stylu epoki maszyn, pełen tej samej tęsknoty. Ale ojciec tego nie zauważył. Wielu ludzi też nie, bo woleli czuć, a nie myśleć. I na tym polegała różnica. To właśnie było dla ojca takie ważne. Pytał mnie wtedy: „Zgubiłeś drogę?". Odpowiadałem mu: „I kto to mówi? Co z tobą, tato? Ty, który nie miałeś czego zgubić!". W niedzielę chodziliśmy do pubu na whiskey - irlandzką oczywiście. Czasem zadawał poważne pytanie, czyli takie, na które ja musiałem udzielić prawdziwej odpowiedzi. I zawsze dotyczyło ono mojej wiary w Boga: „Jest jedna rzecz, której ci zazdroszczę, i niczego więcej", powiedział mi kiedyś. Pomyśl, śpiewałem, robiłem wszystko, o czym sam marzył, wiodłem twórcze życie artysty. A on mi powiedział: „Ty naprawdę jesteś blisko Boga". Odpowiedziałem: „A ty nigdy nie byłeś?". „Nie" - odpowiedział. Kontynuowałem: „Przecież przez większą część życia byłeś katolikiem". „Tak, wielu ludzi jest katolikami, ale to wcale nie znaczy, że rozmawiają z Bogiem. To rozmowa, w której słychać tylko jedną stronę... i milczenie drugiej, a tobie ta druga strona coś odpowiada!". Odpowiedziałem: „To prawda, odpowiada". Spytał: „Jak ty to wyczuwasz?". Powiedziałem: „Jakoś instynktownie, czuję odpowiedź na modlitwę albo że Ktoś mnie słucha i prowadzi we właściwą stronę. Lub kiedy czytam

Pismo Święte, w jakiś dziwny sposób ożywa dla mnie i nadaje sens chwili, w której się znalazłem, w ten sposób przestaje być tylko historycznym dokumentem". Spodobało mu się, kiedy to usłyszał.

Czyli... uważał cię za pobożnego?
Szkoda, że mojego stylu życia nie da się opisać w tych kategoriach. Nie mógłbym prawić kazań, bo nie potrafię się do nich zastosować w praktyce. Jak widać, nie jestem dobrą reklamą Pana Boga. Artyści są egoistami.

Trudno powiedzieć, że tego dnia podziwialiśmy zachód słońca, bo oświetlenie pokoju pozostało niezmienione od chwili mojego przyjazdu. Nastrój był tak wyciszony, że równie dobrze mogliśmy zacząć rozwiązywać łamigłówki przy kominku. Jeśli jest jakieś słowo, którego się nadużywa, komponując muzykę lub pisząc o sztuce, tym słowem jest „natchnienie". Ze względu na to, że muzyka U2 ma duchowe podteksty, bardzo często jest określana jako „natchniona" albo „inspirująca". Sam wielokrotnie ulegałem magii tych słów i zastanawiałem się, co Bono sądzi na ten temat po tylu latach. Czy zgadza się z tym, czy też jest gotów podważyć legendę? Mimo wszystko był gotów rozprawić się z mitem gwiazdy.

Nigdy nie wierzyłem w kontakty z duchami, ale zawsze uważałem, może naiwnie, że niektórzy muzycy słyszą głosy.
Tak, ale musisz uważać, kogo słuchasz. To tyle, jeżeli chodzi o mnie. [*śmiech*] Ale wiesz co? Masz rację, świat domaga się opisania, dlatego malarze, poeci, dziennikarze, twórcy pornografii, scenarzyści seriali celowo lub przypadkiem wypełniają polecenia z góry lub z dołu, opisując świat, w którym żyją.

Sugerujesz, że niektóre twoje pomysły bywają tandetne i nieprzemyślane?
Tak. Bardzo często najbardziej sugestywna muzyka jest najmniej poważna, i to właśnie nie podoba się intelektualistom. Pomyśl o muzyce lat siedemdziesiątych. Utwory, których słucha się do dziś, to prze-

de wszystkim pop, dance i disco, a gatunki wtedy uważane za ambitne, jak fusion, rock progresywny i tak dalej, wykonywane przez tak zwanych wielkich artystów, bardzo źle się zestarzały. Masz rację, Michka. Dusza zawsze znajdzie swój sposób ekspresji, ale Bóg niekoniecznie wybierze tych, których się spodziewasz.

Skąd się bierze twoja muzyka? Najpierw słyszysz melodię?
Tak. Czasami do głowy przychodzą mi różne melodie, ale nie mam pojęcia, skąd się biorą.

Ze słowami?
Czasem melodie, a czasem słowa... [*wstaje i przynosi z biurka malutką karteczkę samoprzylepną*]

Co to za karteczka? Czy coś właśnie zanotowałeś?
Chciałem znaleźć jakiś aktualny przykład. Zanotowałem to zeszłej nocy, *à propos* niczego. [*czyta*] „Jeśli masz twarde serce, to nawet lepiej / Możesz je złamać raz lub dwa / Po tym wykrwawi się do cna i możesz zamienić je w sopel lodu..." Sam nie wiem. [*wyraz powątpiewania na twarzy*]

Niezłe...
Tak... Ale nie jestem pewien, czy to był sen, czy też podsłuchałem czyjąś rozmowę. [*śmiech*]

Rozumiem cię...
Z tobą jest podobnie?

Tak, przeżyłem coś takiego. Czasem w mojej głowie pojawiają się obrazy o wiele piękniejsze od tych, które kiedykolwiek widziałem w rzeczywistości.
Ale nie potrafisz ich z siebie wydobyć.

Nie, bo nie jestem malarzem, i to mnie bardzo irytuje.
W ten sam sposób odbieram melodie.

Tak, ale melodie słyszysz i możesz je później odtworzyć.
Czasem nie mogę ich z siebie wydobyć. Słowa można zapisać, ale melodie są trudniejsze, bo rozmywają się w akordach.

Masz przecież Edge'a i zespół.
Dobra, ale zanim im to przekażę, pomysł może się ulotnić. [*miesza herbatę*] Dziwne... od wielu lat tego nie robiłem.

Czego?
Nie słodziłem herbaty. Nie piję z cukrem. Rozmawiamy o przeszłości - i od razu wracam do przyzwyczajeń sprzed lat. Na czym skończyliśmy? A tak... melodie, mam do nich ucho. To tak jakbyś wpadł na doskonały pomysł... Doskonały pomysł ma wiele wspólnego ze świetną melodią: jest oczywisty, jasny i natychmiast zapada w pamięć. Może być filozoficzny, handlowy albo polityczny, jak Drop the Debt*. Jak ci wcześniej mówiłem, uważam się za sprzedawcę melodii i pomysłów. Ze strony matki pochodzę z długiej linii handlarzy.

Tym samym zajmowali się dość dawno moi krewni ze strony ojca. Handlowali ubraniami.
Zabawne. Handel szmatami, prawda? To typowo żydowska działka. Żydzi... doskonali kupcy. Kiedyś mi powiedziano, że rodzina ze strony matki mogła mieć żydowskie korzenie. Rankin to przecież żydowskie nazwisko. Ktoś z rodziny odkrył sporo ciekawych rzeczy, badając pochodzenie nazwiska.

Muszę ci coś wyznać. Kiedy zobaczyłem twoje zdjęcie sprzed lat, uderzyło mnie, jak bardzo byłeś wtedy podobny do mojego ojca.
Wszyscy członkowie rodziny ze strony matki mieli wyraz twarzy kierowcy taksówki z Tel Awiwu.

---

* Kampania na rzecz darowania długów krajom Trzeciego Świata (przyp. tłum.).

Te ciemne włosy... i coś jeszcze. Kiedy zobaczyłem cię po raz pierwszy, miałem wrażenie, że już cię wcześniej spotkałem. Było w tobie coś znajomego...
Pewnie wsiadłeś do taksówki, którą jeździł ktoś z mojej rodziny.

Z kolei ktoś z mojej rodziny sprzedał ci buty. Czy wierzysz w coś takiego jak wspomnienia przekazywane pomiędzy pokoleniami bez udziału świadomości?
Być może te wspomnienia zapisują się w genach. Po ojcu lub dziadku dziedziczysz skłonności do kaszlu albo bóle krzyża, zatem na tej samej zasadzie możesz dziedziczyć preferencje kulturowe lub zainteresowania. Chociaż jeszcze nie zacząłem studiować kabały. Zaczytuję się w Biblii... i przejawiam powszechnie znane skłonności mesjanistyczne. [*śmiech*] To prawda, że interesuje mnie prawie wszystko, co żydowskie. Byłbym dumny, gdyby się okazało, że jestem Żydem. Pochlebiałoby mi to.

Jakieś prawdopodobieństwo istnieje.
Nie wiem, ale wrodzony romantyzm pozwala mi przypuszczać, że to prawda.

Jak daleko w przeszłość potrafisz prześledzić przodków twojej matki?
Po prostu pojawili się w pewnej chwili.

Jak poznali się twoi rodzice?
Wychowywali się na tej samej ulicy.

W północnej części Dublina?
Tak, w dzielnicy robotniczej o nazwie Cowtown, na Cowper Street. Handlowano tam bydłem. Chłopi je przyprowadzali, a dublińczycy z miasta przychodzili popatrzeć na targ. Zadzierali nosy, wybrzydzali na smród krów i ich odchodów, szydząc z wieśniaków, jak ich nazywali, bo uważali się za lepszych.

Gdzie najpierw pracował twój ojciec?
Przerwał naukę, kiedy miał czternaście lat. Christian Brothers, którzy go uczyli, błagali moją babkę, żeby pozwoliła mu się kształcić dalej, bo był najlepszym uczniem, jakiego mieli od wielu lat, ale ona od razu posłała go do pracy w administracji państwowej - bezpiecznej, z emeryturą. Na tej posadzie dotrwał aż do końca kariery zawodowej. W życiu kierował się lękiem przed tym, co mogło się wydarzyć lub nie udać. To on leżał u podstaw wszystkiego, co robił. A lęk, jak wiesz, stanowi przeciwieństwo wiary. Jestem pewien, że ten zaszczepił go w nim jego ojciec, dotknięty gruźlicą, największą zmorą lat trzydziestych. Gruźlica była wtedy w Irlandii powodem do wstydu, bo cierpieli na nią biedacy. Zachorował też dziadek, jak wielu innych ludzi w tamtych czasach. Jednym z objawów był spadek wagi ciała. Nikt nie chciał się przyznać, że choruje, więc żeby to sprawdzić, ważono ich w zakładach pracy. Jak opowiadał mi ojciec, dziadek wkładał sobie do butów płytki ołowiu, żeby spadek wagi nie zdradził, że umiera na gruźlicę, dzięki czemu mógł dalej pracować. To chyba jeden z najbardziej haniebnych obrazów ciemnej przeszłości nie tylko Dublina, ale wielu innych miast w Europie. Myślę jednak, że jego awersja do ryzyka wzięła się z tego, iż sam wychowywał się w niebezpiecznych czasach.

Pochodził z dużej rodziny?
Miał starszego brata, dwóch młodszych oraz siostrę. Tommy, Leslie, Charlie i Evelyn - najwspanialsi ludzie, jakich znam. Grywali w krykieta i słuchali opery. Robotnicy, którzy przełamali stereotyp pochodzenia.

Pewnie pomagał rodzeństwu.
Tak. To prawda, z tym że on był katolikiem, a matka protestantką... a może Żydówką [*śmiech*]. Wtedy to była poważna sprawa, bo tak naprawdę nie powinni byli się pobrać.

Musieli się w tej sytuacji ukrywać?
Nie. Ale w niektórych kręgach obgadywano ich, a w innych ich związek w ogóle nie został uznany.

Przecież dzielnica, w której mieszkaliście, była katolicka, dlaczego więc mieszkała tam rodzina twojej matki?
Nie wiem. Mała protestancka wspólnota tkwiła w środku katolickiej. Ale ani matka, ani ojciec nie traktowali religii ze szczególną powagą i całe zamieszanie wokół swojego małżeństwa uważali za absurd. W niedzielę matka zabierała nas do kościoła, ale ojciec czekał na zewnątrz. Muszę przyznać, że po rodzicach zostało mi przekonanie, iż wyznanie często wchodzi w drogę Bogu.

Czy żyją jeszcze jacyś wujkowie lub ciotki ze strony matki?
Tak. Wszystkie siostry i bracia matki. I trzech braci ojca.

Opiekowali się tobą po śmierci matki?
Owszem. W szczególności dwie ciotki: Ruth, która była bardzo bliska matce, oraz Barbara, bliska mojemu ojcu.

Czy dali ci to ciepło i wsparcie, którego...
[*przerywa*] Nie, tak naprawdę wcale się na to nie otworzyłem. Byłem koszmarnym nastolatkiem, a Barbara była romantyczką, czytała książki. Często wstawiała się za mną u ojca. Z kolei Ruth była najbardziej praktyczna wśród Rankinów i stąpała twardo po ziemi.

Broniły cię, kiedy ojciec był zbyt surowy?
Wszyscy uważali, że ojciec jest dla mnie zbyt surowy, co do tego wszyscy się zgadzali. A ja sam nie wiem, czy wystarczająco surowy. [*śmiech*] Ponieważ myślę, że ludzie powinni być wymagający w stosunku do siebie, nie sądzisz? Tak naprawdę żyjemy w klimacie samouwielbienia. Samouwielbienia, ale też nienawiści do samych siebie.

Myślę, że masz rację – to dwie strony medalu. Ludzie mają obsesję na swoim punkcie: wszystko ma w nich początek i na nich się kończy. To dość narcystyczne podejście.
Moim zdaniem, odrobina narcyzmu jest konieczna, czasem trzeba popatrzeć na swoje odbicie w wodzie. Trzeba umieć dostrzec siebie

w tłumie. Dla pisarzy to doskonały pretekst do odgrywania samolubnych drani. A ty? Nie masz w sobie nic z narcyza i raczej nie masz bzika na swoim punkcie.

Czasem mi tego brakuje!
Ale piszesz. Dlaczego to robisz?

Hm, dlatego że nie potrafię wyrażać się w inny sposób. Często mam wrażenie, że słowa, które wypowiadam, nie są właściwe. Nie mogę ich uwolnić, dopóki nie jestem stuprocentowo pewien.
Może tak trzeba.

Zapewne, ale czasem służy to za wymówkę...
O tak.

... żeby się nie przykładać.
To prawda. Często spotyka się takie wymówki. Trzeba mieć odwagę, żeby popełniać błędy. Myślę, że lęk przed porażką bardzo blokuje. Nigdy go nie odczuwałem. Czy to nie wariactwo?

To rzeczywiście szalone, ale jednocześnie na tym polega sekret. Nigdy nie bałeś się wyjść na głupka czy śmiesznie wyglądać, ale też nigdy nie wątpiłeś, że ci się uda. Zaczytywałem się kiedyś w książce twojego przyjaciela Nialla Stokesa *Into the Heart: The Stories Behind Every U2 Song*. Zacytował tekst jednej z twoich piosenek, której, muszę przyznać, nie pamiętałem, brzmiała jakoś tak: *Obraz szarości, Dorian Gray.**
O tak, to fantastyczny kawałek!

„Czułem się jak gwiazda".
„Czułem, że świat daleko zajdzie, jeżeli usłyszy to, co mówię". To może ironiczny kawałek, z odrobiną humoru, ale chodzi o samą myśl, że ma się coś do powiedzenia.

---

* *The Ocean*, album *Boy*; gra słów: *gray* – szary – ang. (przyp. tłum.).

Chciałem, żebyś odniósł sukces, bo się o to założyłem, ale nigdy nie przypuszczałem, że zajdziesz aż tak daleko. Myślałem, że U2 zostanie kultową grupą – jak te z lat osiemdziesiątych, o których czytałeś w „New Musical Express", tak dumne z akceptacji rówieśników.
Nigdy mnie to nie interesowało. Muzyka, którą grasz jako mieszkaniec getta, brzmi inaczej niż ta, którą gra ktoś, kto chce do niego wejść. [*śmiech*] To zupełnie inne brzmienie, bez względu na to, czy getto jest środowiskiem intelektualnym, czy też miejscem, z którego pochodzisz.

Posłuchaj, Bono, wywodzisz się z Dublina, najbardziej prowincjonalnego ze wszystkich miast. Oczywiście, mówiliście po angielsku, ale nikt z Dublina nie wypłynął na szersze wody.
Philip Lynott z Thin Lizzy. Jedyny Murzyn w Irlandii... i dołącza do zespołu rockowego! [*śmiech*] Coś podobnego!

Fakt, był ważną postacią w latach siedemdziesiątych, ale czy tylko na nim się wzorowałeś?
Zainspirował mnie Bob Geldof. On też pochodzi z Dublina.

To prawda, tak samo Boomtown Rats. Daleko zaszli. To z ich powodu pomyślałeś, że i tobie może się udać?
W ich przypadku masz rację o tyle, że nie mieszkali na stałe w Dublinie, lecz się z niego wyprowadzili. Zarówno Phil Lynott, jak i Bob Geldof przenieśli się do Londynu, a Bob wręcz go podbił. Wiele się od niego nauczyłem – zwłaszcza przekonania, że nie ma rzeczy niemożliwych. Dziwne, ale nie zaraził mnie działalnością społeczną. Co więcej, często się sprzeczaliśmy w tej kwestii. Przekonywał mnie, że rock'n'roll nie powinien zbyt daleko odchodzić od spraw seksu i dobrej zabawy. Rewolucję zostaw politykom! Dopóki nie przejrzał na oczy, powtarzał: „To tylko rock'n'roll i to lubię". Musieliśmy sami znaleźć własną drogę. To prawda, w końcu zostaliśmy w Dublinie, przeciwstawiając się całemu światu. Nie chcieliśmy utożsamiać się z żadną estradą.

Zawsze miałem was za niewiniątka, którymi na pewno nie byliście. Młodzi, wywodzący się z cichego zakątka, chcieli podbić cyniczny świat swoją otwartością i udało im się. Być może u podstaw tego wyobrażenia leży moje romantyczne francuskie przekonanie, że piękno polega na tym, by wykonać elegancki gest i zniknąć. [*śmiech Bono*] Ale nie doceniłem waszych apetytów.

Tak, powodował nami nienasycony głód. Pamiętam, jak Adam powiedział mi - jakoś przy okazji wydania *Rattle and Hum*: „Popatrz, udało nam się, już nie musimy się tak bardzo starać". Razem z Ali zadawaliśmy sobie to samo pytanie: „Czy możemy już sobie odpuścić?". Wtedy powiedziałem: „Jasne, że możemy, ale lada chwila przestaniemy cokolwiek znaczyć. Zyskać znaczenie jest o wiele trudniej, niż osiągnąć sukces". Jeśli oceniasz naszą pozycję według domu, na jaki nas stać, to używasz niewłaściwej miary. Dla mnie miarą sukcesu jest to, jak precyzyjnie potrafię oddać melodię, którą słyszę w głowie, a jeśli chodzi o zespół, w jakim stopniu udaje nam się realizować nasz potencjał. To coś zupełnie innego. Byłem niezadowolony, kiedy zorientowałem się, jak daleko jesteśmy od miejsca, w którym moglibyśmy się znaleźć. Teraz jesteśmy trochę bliżej. Można nas porównać do boksera, któremu zabrakło ze sześć cali do trafienia przeciwnika prawym sierpowym. Przeważnie właśnie tak się czuliśmy jako zespół. Bardzo rzadko, dlatego że działaliśmy szybko, jakaś wewnętrzna siła pozwalała nam osiągnąć jeden czy drugi z naszych celów, ale zwykle zamiary były ambitniejsze niż rzeczywiste osiągnięcia.

W latach osiemdziesiątych na pewno mieliście wrażenie, że takie zespoły jak Echo i Bunnymen lub Teardrop Explodes są bardziej na fali i że prasa brytyjska będzie im sprzyjać bardziej niż U2. Czy kiedyś odczuliście, że są już za wami? Czy to ze względu na Amerykę?

Zespoły, które wymieniłeś, to świetne kapele, ale stanęły wobec problemu popularności w swoim kraju. My nigdy nie byliśmy zespołem brytyjskim. Zaakceptowaliśmy Wielką Brytanię, ale ona nie zaakceptowała nas. Tak naprawdę Irlandczycy bardzo różnią się od Anglików. Podziwiam angielski dystans i rygor, jednak my byliśmy zbyt wylewni, emocjonalni i za bardzo bezpośredni. Byliśmy gorący, gdy oni byli chłodni. Właśnie wtedy wymyśliliśmy określenie dla niektórych zespołów, nie Bunnymen ani Teardrop Explodes, ale tych paradujących po King's Road w Londynie, odstrzelonych jak przystało na rockowe kapele, ale mających tak niewiele do powiedzenia: „Wszystko tylko nie To". My odwrotnie, nie mieliśmy „Nic oprócz Tego". I na tym polegała różnica. Niektóre zespoły mogły zawładnąć sceną, ale wtedy były inne czasy. Media i cała atmosfera nie sprzyjały podbojowi świata, jak dawniej w przypadku Beatlesów, Stonesów czy nawet Sex Pistols. Teraz nie wolno im było przyznać się do swoich ambicji. Trochę jak rewolucja kulturalna za czasów Mao. Prasa muzyczna nie pozwalała nikomu się wychylić. Zaraz dostałby w twarz tortem. Pomyślałem: „Pieprzę ich, proszę bardzo. Będę klaunem, rzucajcie", bo miałem taką definicję sztuki: wkładasz ręce pod skórę, łamiesz mostek, otwierasz klatkę piersiową. Jeżeli naprawdę chcesz tworzyć, to tylko tak. Jesteś gotów? Bo w przeciwnym razie rock'n'roll sprowadza się tylko do pary butów i uczesania, jakiegoś gorzkiego egzystencjalizmu albo słodkiego rozpadu. Krew – to była jedna z moich pierwszych prób zdefiniowania sztuki. Prosto z literatury irlandzkiej, z *De Profundis* Oscara Wilde'a, od Brendana Behana, który podczas wystawiania jego sztuki wyszedł na scenę i zawołał do wszystkich: „Walcie się!". Irlandczycy noszą w sobie ból rozdartych serc.

Nie tylko Irlandczycy. Słynny stał się cytat Louisa Ferdinada Céline'a, autora *Podróży do kresu nocy*: „Kiedy piszesz, odkrywaj prawdę".
Rock'n' roll bywa czasem zupełnie inny. Wielokrotnie zakrywa swoje prawdziwe oblicze, nakłada różne maski.

Jako outsider, widzę w tym dużą sprzeczność. Jak godzisz swoją szczerość i bezpośredniość z koniecznością wkładania maski showmana?
Nigdy nie ufaj artyście. Artyści to utalentowani kłamcy i kłamstwem zarabiają na życie. W pewnym sensie ty też jesteś aktorem, z tym że pisarz nie kłamie. Pozwól, że zacytuję Biblię: „Poznacie prawdę, a prawda was wyzwoli". Jako dziecko zapamiętałem, co mój nauczyciel mó-

wił o wielkim irlandzkim poecie Williamie Butlerze Yeatsie. W swojej karierze literackiej przeżył okres wypalenia - nie mógł pisać. Podniosłem rękę do góry i zapytałem: „Dlaczego nie napisał o tym?". - „Nie bądź głupi. Opuść rękę i przestań być taki bezczelny". Ale ja wcale nie chciałem się wymądrzać. Żyłem zgodnie z dewizą: „Prawda cię wyzwoli". Jak nie mam nic do powiedzenia, to właśnie tak zaczynam pierwszą zwrotkę piosenki. Faktycznie, nasz drugim album (*October*) jest o tym, że nie mam nic do powiedzenia: ... „Chcę zaśpiewać... Chcę wstać, ale nie potrafię / Chcę coś powiedzieć, ale tylko przy tobie jestem pełnym człowiekiem". Zawsze postrzegałem to jako swego rodzaju sztuczkę. I może tym to właśnie jest: sztuczką. Umiem pisać, bo pisząc, nie potrafię być nieszczery. Jako wykonawcy nie zawsze mi się to udaje. Wiesz, co pozwala mi zachować szczerość na scenie? Te pieprzone wysokie tony, które muszę zaśpiewać. Bo jako człowiek tak naprawdę nie potrafię śpiewać - to poza moim zasięgiem. Właśnie to sprawia, że jestem uczciwy na scenie. Gdybym potrafił występować bez tej protezy, pewnie bym tak robił. A tak przy okazji - wiesz, ile mnie kosztuje wyjazd w trasę i wejście w te piosenki co wieczór? Chyba wolałbym nie udawać.

Stawiasz się bliżej tradycji gospel, stylu „nawiedzonego kaznodziei". Rock'n'roll wywodzi się właśnie z takiego źródła, od szalonych kaznodziejów.
To prawda.

Sugerujesz, że nie potrafisz zdobyć się na czyste błazeństwo i dlatego stałeś się nawiedzonym prorokiem?
Czy to nie zastanawiające, że U2, podobnie jak wiele innych ludzi rocka - włącznie z Elvisem, znalazło się dokładnie w tym samym miejscu? To coś w bluesie i gospel to w jednej ręce anoda, w drugiej katoda, a taniec Elvisa to naprawdę śmiertelne rażenie prądem.

Wróćmy do lat osiemdziesiątych. Czy przeżywałeś zwątpienie: że to się nie uda, zespół nie osiągnie sukcesu i że będziesz musiał zna-

leźć sobie jakieś normalne zajęcie, zarabiając na chleb jako poważna osoba?
Chyba tak było przed „PopMart" (*tournée* z lat 1997–1998). Mniej więcej w tym czasie.

Dosyć późno.
Tak, bo ryzykowaliśmy bankructwem. „Zoo TV" kosztowało zbyt wiele, jakieś ćwierć miliona dolarów dziennie. Jeśli więc frekwencja na koncertach spadłaby o dziesięć procent, to byśmy zbankrutowali, a przy tym poziomie kosztów straty byłyby nie do odrobienia. Ćwierć miliona dolarów dziennie to sporo kasy. Znaleźliśmy już dobrych ludzi, którzy są gotowi z nami zaryzykować, ale wtedy mieliśmy niezłego stracha. Pamiętam, jak mówiłem Ali o możliwych konsekwencjach porażki. Nie obawiała się niczego: „Czy stałoby się coś złego, gdybyśmy sprzedali dom i kupili mniejszy, pozbyli się przy okazji tego drugiego, którego nie potrzebujemy, i zaczęli prowadzić normalne życie jak nasi przyjaciele? Co w tym złego? To wciąż nasi przyjaciele. Mielibyśmy dokąd wracać, bez żadnego wstydu. A oni westchnęliby z ulgą: »Bogu niech będą dzięki«". [*śmiech*] Nie robiło jej to różnicy, mnie też nie. „The Rolling Stone" opisał trasę jako objawienie – istnego Sierżanta Pieprza występów na żywo. To był przełom. Bawiliśmy się świetnie, a na koniec zarobiliśmy parę funciaków. Trochę. Tak jest lepiej; nie chcę, żeby ktoś mnie wziął za zrzędę albo chama, ale lepiej jest być na wozie niż pod wozem. Jeden jedyny raz pomyślałem o porażce, nigdy wcześniej nie miałem takich obaw.

Bądź szczery, czy naprawdę nigdy wcześniej nie brałeś pod uwagę takiej możliwości?
Nie pamiętam. Denerwowałem się, byłem zły, że nie jesteśmy w stanie osiągnąć tego, co chcielibyśmy. To pamiętam. Ale nie przypominam sobie obaw, że się nam nie uda, zawsze myślałem na odwrót. I kiedy zaczęło nam iść, wszystko stało się dość oczywiste. [*śmiech*] Nigdy nie wątpiliśmy w cel, obawialiśmy się tylko o materiał, o nasze umiejętności, które miały nas do celu doprowadzić. Nawet jeżeli nam

ich brakowało, pozostawała wiara, bo zawsze mogliśmy wejść na scenę i zagrać tak, że wszyscy dostawali gęsiej skórki bez względu na to, czy na widowni było pięć, czy pięćset osób. Ryzykowaliśmy, bo równie dobrze mogło stać się inaczej. Ale raz za razem się udawało, dzięki czemu z każdym następnym występem czuliśmy się bardziej pewni siebie. Coś w stylu Joy Division. Widzisz, istnieje przepaść między zazdrością a pożądaniem. Zazdrość jest wtedy, kiedy pragniesz tego, co nie twoje. Pragnienie jest inne. Masz z nim do czynienia wtedy, kiedy chcesz czegoś, co ci się należy, i nie przestajesz chcieć, mimo że to jeszcze nie jest twoje, ale to nie zazdrość. Kiedy pragnienie zmienia się w zazdrość, to co innego, nawet z punktu widzenia fana. Podziwia kogoś, kim nigdy nie zostanie, lub kogoś, kim ma szansę się stać. A każdy ma szansę zostać Bono i U2.

To prawda w odniesieniu do wczesnych lat osiemdziesiątych. Ale teraz chyba nie jesteście tak postrzegani przez piętnasto- czy nawet dwudziestolatków. Dla nich U2 to wielki zespół, który sprzedał ponad sto milionów płyt, a jego występy to gigantyczne widowiska.
Tak, lecz kiedy zgaszą światło i słuchają nas wieczorem w słuchawkach, nie wydaje mi się, żeby chodziło im o wzniosłe ideały, ale raczej o znajome brzmienie.

Tak, ale kiedy słuchają waszej muzyki, raczej nie przyjdzie im do głowy, że będą w stanie was doścignąć.
To rzeczywiście mniej prawdopodobne. Coraz lepiej radzimy sobie z zachowaniem w stylu gwiazd rocka, ale nie jestem pewien, czy akurat z tego powinniśmy być dumni. Może ucierpiała na tym szczerość, ale to dla naszego własnego bezpieczeństwa. Dzięki temu zachowaliśmy wiarygodność jako muzycy. OK, teraz jest MTV, ludzie! Wszędzie kamery! Poradzimy sobie! Ale nie jesteśmy w pełni wiarygodni jako gwiazdy rocka.

Dziwne, bo wydaje mi się, że ciężko pracowaliście nad swoim wizerunkiem. Niektórzy zaczęli od efekciarstwa, jak Prince, a wam na tym

nie zależało. Wprost przeciwnie, chcieliście być antyefektowni. I po kilku latach przyszły zmiany.
Po dziesięciu latach...

Na pewnym etapie fanatyczna walka „my" kontra „system" straciła aktualność.
Stała się anachroniczna.

Wydaje się, że wtedy wróciliście do szkoły – nie po to, żeby znaleźć głębsze korzenie własnej muzyki jak w przypadku *Rattle and Hum*, ale po naukę, jak być gwiazdami rocka.
Trafiony – zatopiony. Właśnie o to chodziło w „Zoo TV". Tożsamość gwiazdy rocka, jaką sobie wtedy skleciłem, była znakiem rozpoznawczym. Nosiłem kurtkę w stylu Elvisa Presleya, skórzane spodnie Jima Morrisona, jajcarskie okulary przeciwsłoneczne Lou Reeda, buty Jerry Lee Lewisa, naśladowałem charakterystyczny utykający krok Gene'a Vincenta. Pytasz o gadżety rock'n'rollowca? Oto one.

Jak na pchlim targu.
[*śmiech*] Jak na pchlim targu! Powtarzam, nadal uważam, że nie jesteśmy wiarygodni jako gwiazdy rock'n'rolla, chociaż coraz lepiej nam idzie. I powiem ci, skąd to wiem – bo wszędzie chodzę i jeżdżę bez ochrony. Nigdy nie była mi potrzebna. Kiedy spotykam się z fanami, potrafię sam o siebie zadbać. Lubię czuć ludzi blisko siebie i uchodzę za bardzo kontaktowego. Ludzie mnie zagadują, podchodzą do mnie – nie traktują mnie tak, jak traktowali innych współczesnych muzyków lub tych, na których się wzorowałem. Nie odczuwają żadnych barier w kontaktach ze mną, bo wiedzą, że chociaż trochę się zmieniłem przez te dziesięć lat, w środku pozostałem taki sam. I oni to czują. Nawet w Nowym Jorku na ulicy witają mnie: „Jak się masz?". Trąbią klaksonem, podchodzą do mnie – ot tak. Nie obawiają się mnie. Może zawiodłem jako gwiazda rock'n'rolla? [*śmiech*] Czasem spotykam jakiegoś zwariowanego wielbiciela, który traktuje mnie jak gwiazdę. Ale nie zwracam na niego uwagi. I przechodzę obok. Lu-

dzie, którzy znają naszą muzykę, znają też nas. Wiedzą, kim jesteśmy. Swoje przeszli, znają nas lepiej niż najlepszy przyjaciel, bo w ten sposób nie śpiewa się nawet dla najlepszych przyjaciół.

Pewnie niektórzy ludzie uznają cię za parodystę. Czy to prawda?

Parodystą jestem częściej, niż chciałbym się do tego przyznać, ale pozwól, że opowiem ci zabawną historię. Nie zdradzę szczegółów, ale powiedzmy, że nagrywam ze znanym wykonawcą innego gatunku muzyki. Przyjeżdża do Dublina i nie może się dostać do żadnego dużego studia. W końcu trafia do skromniejszego, w centrum miasta. Zdążył dojść do wniosku, że Irlandia to Trzeci Świat. Jest trochę podenerwowany i tylko pojawienie się wielkiej gwiazdy może temu zaradzić. Na to wszystko podjeżdżam w umówione miejsce samochodem. Zwykłym. Poprosiłem, żeby zarezerwowano dla mnie miejsce do parkowania, bo zawsze mam z tym kłopoty. Jeden z ochroniarzy patrzy na mnie i widzi jakiegoś idiotę, który próbuje się wcisnąć na miejsce do parkowania wielkiej gwiazdy. Podchodzi więc do mnie i informuje: „Przykro mi, ale to miejsce jest zajęte". Ja na to: „W porządku, to ja". [*śmiech*] Ochroniarz: „Przykro mi, ale nie może pan tu zaparkować". Zupełnie jak w krainie gigantów! Więc mówię: „Hej, to ja, ten piosenkarz". Nie przyszło im do głowy, że ktoś mojego pokroju może przyjechać bez eskorty ochroniarzy uzbrojonych w krótkofalówki i inne gadżety. I tak jest zawsze. Idziemy na imprezę w Beverly Hills zwyczajnie jak na spacer, a wszyscy dziwią się, dlaczego nie podjeżdżamy w limuzynach z pełną ochroną. Naprawdę jestem dumny z mojego stylu życia, którego nigdy się nie wyzbyłem. Naprawdę, nie załapujemy się na radar gwiazdorstwa.

Masz tupet. Podejrzewam, że to nieprawda.

Przeważnie nasze życie nie jest wystarczająco barwne, żeby zasługiwało na relacje prasowe. Myślę, że nawet paparazzi nauczyli się szanować naszą prywatność, bo jak wiadomo, najlepszy sposób na ściągnięcie ich uwagi to uciekać przed nimi lub wdawać się z nimi w przepychanki. Było kilka nieciekawych sytuacji, ale zwykle po prostu mówię: „Patrzcie, tu jestem. Chcecie fotografować, proszę bardzo!".

Czasem zdarza mi się pójść z nimi na drinka. Nikt im nie stawia, a oni przecież jakoś muszą zarabiać na chleb. Polubiłem wielu z nich. I czuję, że ogólnie ludzie szanują moją prywatność.

Czego zatem obawiają się ci inni muzycy, o których wspominałeś?
Hm, mój przyjaciel Michael Hutchence zwykł mówić: „W tym biznesie pieprzy się artystów, ale najgorzej robią to oni sami". Jest taka choroba z objawami w stylu: „Nikt mnie nie fotografuje. Nie istnieję, jeżeli nikt nie chce ode mnie autografu, więc pewnie mój ostatni album był do kitu". Podświadomie chcemy, żeby zwracano na nas uwagę. Jestem pewien, że sam jej bardzo potrzebuję, lecz myślę, że mam jej dość w trakcie występów i nie potrzebuję w życiu prywatnym. Chociaż może niekoniecznie... bo popatrz, co teraz robię. Rozmawiam z tobą niby przez przypadek, bo przecież książka zostanie opublikowana, albo podaję rękę jakiemuś prezydentowi, o czym zaraz doniosą światowe media. I co na to twój kieszonkowy podręcznik psychologii? „Nie masz już dość zainteresowania ze wszystkich stron?" Skoro w życiu zdarzają ci się takie sytuacje, to znaczy, że ci odpowiadają. Wydaje mi się, że wolę być gdzieś pośrodku, jednak bardziej zależy mi na prywatności. Po prostu kocham irlandzkie ustronie i zacisze Dublina. Dzięki temu mogę upiec dwie pieczenie przy jednym ogniu – wychodzę na estradę i udaję gwiazdę, mimo że poza nią niezbyt przypominam idola ani się tak nie zachowuję. A kiedy chcę żyć bardziej prywatnie, wyjeżdżam do Dublina, Nicei albo Nowego Jorku. Wiele czasu spędzam właśnie tam. Ludzie są w stosunku do mnie naprawdę super, nawet jeśli mnie poznają. Nawet policjanci – najlepsi z nowojorczyków. Wielu z nich to Irlandczycy. A po 11 września i koncercie U2 dla miasta nowojorczycy żywią do nas wiele sympatii. Naprawdę czuję, że dbają o mnie. Czasem kiedy zatrzymuję taksówkę, podjeżdża radiowóz, wychyla się policjant i woła: „Hej, Bono! Gdzie cię podwieźć?". Po prostu bomba.

Sugerujesz, że paru twoich kolegów po fachu straciło kontakt z rzeczywistością?
Chodzi mi o to, że nie potrzebuję tylu rekwizytów co oni.

Przede wszystkim po co im coś takiego?
Nie mam pojęcia, może ze względu na status? W tym biznesie dużą rolę odgrywa hierarchia. Stolik, jaki dostajesz w restauracji, zdradza, na jakim etapie kariery się znalazłeś. Wiele razy zdarzyło mi się przyjść do restauracji albo do klubu, a tu się okazuje, że ktoś źle zapisał rezerwację i trzeba było czekać albo iść gdzie indziej. Właśnie wtedy, kiedy jesteś speszony całą sytuacją i musisz wyjść, żeby poszukać miejsca w innej knajpie, dopadają cię paparazzi i robią zdjęcie. Takie rzeczy rozwiązuje ochrona albo straż przednia, która wpada wcześniej do lokalu, żeby zająć miejsce, ale to nie w moim stylu. Pewnie czasami artyście przydaje się świta. Nie chcę jednak stracić kontaktu ze zwykłymi ludźmi z ulicy... Nie mówię, że nie doceniam życia w luksusowym apartamencie na ostatnim piętrze, ale nie gardzę też ulicą. Jestem dumny, że w obu miejscach czuję się jak u siebie w domu. Odpowiada mi życie wyższych i niższych sfer. Nie umiem się tylko odnaleźć pośrodku, między jednym a drugim.

Czyli nie widzisz w swoim zachowaniu pogoni za sławą?
Nie, nie widzę.

To kim ty jesteś, do diabła?
Bazgrzę, palę cygara, piję wino, czytam Biblię i występuję w zespole. Taki sobie pozer [*śmiech*]... który lubi malować to, czego nie widzi. Mąż, ojciec, przyjaciel biednych, czasem też bogatych. Społecznik, wędrowny handlarz pomysłów. Szachista, gwiazda rocka na pół etatu, śpiewak operowy najgłośniejszego zespołu folkowego na świecie. I co ty na to?

Hm... tym razem się wywinąłeś, ale to już ostatni raz.

Potrzebowałem trochę czasu, żeby wreszcie zapytać Bono o najbliższych przyjaciół: muzyków z zespołu i menedżera Paula McGuinnessa. Pomyślałem sobie, że powinniśmy się z Bono trochę bliżej poznać, zanim o nich porozmawiamy, no i w końcu opowiedział mi o wszystkim w zajmujący sposób w pewne sobotnie popołudnie, kiedy siedzieliśmy w jego gabinecie w bardzo swobodnych nastrojach.

Znasz okoliczności pierwszego spotkania Micka Jaggera i Keitha Richardsa? Mieli wtedy mniej więcej po szesnaście lat i czekali na pociąg do Londynu. Richards podszedł do Micka, bo zauważył, że tamten trzyma pod pachą wyjątkowo rzadkie płyty z katalogu Chess. Czy przypominasz sobie podobne spotkanie z Edge'em, które zapoczątkowało waszą przyjaźń – osobistą i artystyczną?
W liceum Edge chodził do tej samej klasy co Ali. Byli rok młodsi ode mnie. Widziałem go na szkolnym korytarzu, jak spacerował z płytami pod pachą.

Czego słuchał?
Taste. Pamiętam, że był wtedy taki zespół.

Jasne, pierwsza kapela Rory'ego Gallaghera.
Kiedyś Edge usiadł na korytarzu, wyciągnął gitarę i zaczął grać utwór Neila Younga *The Needle and the Damage Done*. Wtedy też próbowałem się nauczyć tego kawałka. Zazdrościłem mu, bo szło mu trochę lepiej niż mnie. [*śmiech*] Nie zdawałem sobie jeszcze sprawy, że jest ode

mnie o niebo lepszy. Jednak nie miał ochoty na współzawodnictwo. Ale gdyby ktoś go zgłosił do konkursu, to mimo wszystko zależałoby mu na wygranej. Zadziwia mnie jego nonszalanckie, a jednocześnie pełne szacunku podejście do samego siebie.

Co przez to rozumiesz?
Zna swoje możliwości, ale nie czuje potrzeby wystawiania ich na próbę. Raczej zostanie w cieniu i poczeka, aż ktoś go zauważy.

Sugerujesz, że...
[*śmiech, przerywa*] Sugeruję, że pełnię funkcję jego menedżera. Larry jest inny. Larry, który założył naszą grupę, powiedziałby ci, że mu zwisa, czy jest gwiazdą rocka. Ale skoro założył zespół, jego wyznanie nie jest do końca prawdziwe, bo to właśnie on zachwycał się takimi gwiazdami, jak T. Rex, David Bowie i inne znakomitości muzyki pop. Po wypłynięciu na szersze wody, mimo że dotąd nie chował się w cieniu jak Edge, próbował w nim się schować. Moim zdaniem za bardzo się zarzeka, bo naprawdę doskonale pasuje do zespołu, chociaż uważa, że tak nie jest. Ma wszystkie atuty showmana, ale wychodzi na to, że tę działkę w zespole z konieczności przejęliśmy ja z Adamem.

Który już w szkole dał się poznać jako luzak. Nosił bardziej odlotowe ciuchy niż wy wszyscy razem, więc chyba nie miał trudności z przemianą w showmana?
Nie, ale mimo to wszystko mu się poplątało, zresztą podobnie jak mnie.

Bardziej niż tobie?
Myślę, że obu nam poplątało się mniej więcej tak samo. Jeżeli chodzi o elegancję i wprawę w komponowaniu strojów, przez te wszystkie lata wykazywaliśmy się zadziwiającą nieporadnością. Tymczasem nasi skromni koledzy wspaniale sobie z tym radzą. Zawsze dobrze wyglądają, wiedzą, jak się zachować, i są na czasie. Na swoje usprawiedliwienie mogę tylko powiedzieć, że nigdy nie zależało mi na tym, żeby wyglądać modnie... tylko seksownie. [*śmiech*]

Bardziej podziwiałeś Adama niż on ciebie...
Chyba tak. Byłem nim zafascynowany. Nigdy wcześniej nie spotkałem kogoś takiego jak on.

Co chcesz przez to powiedzieć?
Wyrzucili go z prywatnej szkoły dla wyższych sfer w Irlandii. Pojawił się w bezpłatnej szkole państwowej z tym swoim wytwornym akcentem, w kaftanie przywiezionym z wakacji w Afganistanie, po którym jako szesnastolatek podróżował autostopem. Na koszulce miał napis „Afganistan '76", a jego kręcone blond włosy były zrobione na afro. Wyglądał jak negatyw Michaela Jacksona.

Może pozował na Jimmy'ego Hendriksa, jak Eric Clapton, kiedy grał w Cream?
Fakt, Jimi Hendrix miał w Irlandii status bohatera. Łączyła ich pewna cecha. Adam jest obdarzony niesamowitym wyczuciem akcentu w takcie, unikalnym wyczuciem rytmu. Większość rock'n'rolla tworzą ludzie, którzy uwielbiają rytm 4/4, podczas gdy Adam gra bardziej na 5/8, trochę jazzowo. Ktoś kiedyś powiedział, że gdy Jimi Hendrix uczył się grać na gitarze, nie był w stanie utrzymać najprostszego rytmu na 4/4. Adam już potrafi, ale niespecjalnie go to kręci. [*śmiech*] Pewnie dlatego że więcej słuchał jazzu niż Jimiego Hendriksa. To są jego prawdziwe korzenie.

Odkąd się poznaliśmy, zawsze zwracałeś się do Edge'a *per* Edge. Czy kiedykolwiek mówiłeś do niego Dave?
Tak, chyba przez rok. Ale od 1978 już tylko Edge.

A on najpierw nazywał cię Bono czy Paul?
Mówił do mnie *per* Paul mniej więcej do roku 1976. Jako Bono znali mnie tylko przyjaciele z Lypton Village*. Edge, Adam i Larry nie byli jeszcze wtedy członkami Lypton Village. To było później.

---

* Lypton Villiage – nazwa surrealistycznego gangu ulicznego, do którego należeli Bono i jego przyjaciele; jego rytuał wymagał nadawania kolegom pseudonimów (zob. rozdział 6).

Myślisz, że łatwo im przyszło tak się do ciebie zwracać? Może niektórym się to nie podobało i nadal mówili do ciebie po imieniu?
Tego typu ksywki bywają bardzo zaraźliwe. Nie musisz prosić ludzi, żeby tak cię nazywali, po prostu pewnego dnia zaczynają. Nie pamiętam, kiedy Ali zaczęła mówić do mnie Bono, miałem wtedy chyba szesnaście lat. Edge miał inny przydomek rodem z Lypton Village.

Jaki?
Inchicore. Tak jak małe miasteczko na obrzeżach Dublina.

Kto mu wybrał tak niedorzeczny pseudonim jak The Edge*?
Za niedorzeczności w tym zespole odpowiadam ja. Chodziło o kształt głowy, szczęki i jego szalone zamiłowanie do chodzenia po krawędziach bardzo wysokich murów, mostów i budynków. Zanim stałem się Bono, nazywali mnie Steinvic von Huyseman, potem już tylko Huyseman, następnie Houseman, Bon Murray, Bono Vox z O'Connell Street, no i wreszcie Bono.

Bono Vox z O'Connell Street brzmi jak nazwisko arystokraty. Jest w nim coś szlachetnego.
No pewnie! [*śmiech*]

Nie byłeś przypadkiem baronem albo hrabią?
Moi koledzy rzeczywiście mieli na myśli coś w rodzaju barona. [*śmiech*]

Kiedy Larry założył zespół, nie miał nawet piętnastu lat, a ty miałeś szesnaście i pół. Nie bawiła cię jego szczeniacka pewność siebie?
To był jego zespół. Chyba nawet na początku chciał go nazwać Larry Mullen Band.

---

* Krawędź – ang. (przyp. tłum.).

Jaką muzykę chciał grać?
Uwielbiał glam rocka. To był jego konik, ale nazwa Larry Mullen Band nie pasowała do muzyki, którą chciał grać.

Brzmi raczej jak nazwa zespołu z połowy lat siedemdziesiątych grającego jazz albo bluesa.
Był gwiazdą. Kiedy siadał przy perkusji, rosła temperatura w całym pomieszczeniu. Coś się działo. Grał, jakby od tego zależało jego życie. Myślę, że w pewnym sensie właśnie tak było.

A dlaczego Adam i Larry nie dostali pseudonimów, tak jak ty i Edge?
Myślę, że Junior [Larry Mullen, jun.] akcentował bluesowo-jazzowy *image* zespołu. Przekonałem go do tego. Adam Clayton i tak brzmi jak nazwisko czarnego muzyka. Ale mieli nieoficjalne przydomki: Larry zwany Jamjar*, zaś Adam to Sparky**.

Powiedziałbyś, że Larry był najlepszym muzykiem z was wszystkich?
Edge też był dobry, więcej, był bardzo dobry. Ale Larry rzeczywiście zadziwiał. Niesamowite, jak potrafił wypełnić przestrzeń dźwiękiem bębnów przyprawionym srebrem i złotem talerzy. Sprzęt miał cały w kolorze szkarłatu. Nigdy nie widzieliśmy czegoś podobnego, przy nim nasze gitary były po prostu do niczego.

Miał świetny sprzęt...
To była tania podróbka, ale dobrze wyglądała, on też świetnie przy nim wyglądał. Tymczasem Adam znał wszystkie właściwe słowa, zawsze wiedział, co powiedzieć: [*głosem z getta*] „Mam przewalone". Nawijał jak zawodowy muzyk, ale dopiero po kilku próbach zorientowaliśmy się, że nie potrafi grać. Przyjechał z gitarą basową, ze wzmacniaczem i wyglądał niesamowicie. Miał cały sprzęt i operował właściwą terminologią, wyglądał bojowo i tak samo się zachowywał.

---

* Słoik po dżemie - ang. (przyp. tłum.).
** Elektryk, przenośnie zapał - ang. (przyp. tłum.).

A my przez cały czas nie mieliśmy pojęcia, że nie potrafi zagrać ani jednego dźwięku. Do tego tak świetnie udawał, że wszędzie szukaliśmy powodu, dlaczego to nam nic nie wychodzi! A on zawalał!

To znaczy, że się nie zorientowaliście?
Był najstarszy i wyglądał najbardziej profesjonalnie.

Jeśli chodzi o bardziej osobiste sprawy, wydaje mi się, że najbliżej było ci do Larry'ego, bo jako nastolatki doświadczyliście podobnych trudnych przeżyć. Stracił najpierw siostrę, potem matkę. Czy to was jakoś zbliżyło?
Zawsze raczej się przyjaźniliśmy. Teraz, podobnie jak przedtem, Larry nie dopuszcza do siebie zbyt wielu osób. Ale kiedy już się z kimś zaprzyjaźni, jest bardzo lojalnym i oddanym przyjacielem. Ja jestem lojalny, tylko że nie można na mnie polegać. Dla przyjaciół Larry zrobi wszystko. Połączyło nas to, że ja też przeżyłem bolesną stratę. Straciłem matkę, kiedy miałem czternaście lat, on – kiedy skończył szesnaście, no i obaj musieliśmy radzić sobie z ojcami despotami. Larry pewnie by ci powiedział, że chcieliśmy uciec z domu lub, jak to się u nas mówi, uciec do cyrku. A kiedy na peryferiach Europy rozbijano cyrkowy namiot, my nadal byliśmy na zewnątrz, przyglądaliśmy się słoniom i dużo gadaliśmy. Od czasu do czasu nam się to jeszcze zdarza.

Czy rozmawiałeś z Larrym o czymś, o czym nie bardzo można było pogadać z Edge'em czy Adamem?
Najczęściej o tym, żeby nie przegapić chwili, nie zaniedbać okazji i osiągnąć zamierzony cel. Larry nie wiedział, dokąd idziemy, a ja nie miałem pojęcia, gdzie akurat jesteśmy.

Czyli najpierw zaprzyjaźniłeś się z Larrym?
Muszę przyznać, że Larry i ja staliśmy się naprawdę bliskimi przyjaciółmi. Podczas *tournée* mieszkaliśmy w jednym pokoju. Stanowiliśmy dość dziwną parę, bo on jest bardzo pedantyczny.

A ty nie jesteś?
Tak się składa. Moja walizka pękała w szwach, po podłodze walały się różne rzeczy. Larry zabierał ze sobą śpiwór, bo nie chciał spać w pościeli w tanich hotelach. Kładł się w śpiworze na łóżku.

Nie chciał złapać wszy ani pcheł?
Pamiętam, że kiedyś tak mu nagadałem, że powiedział: „dobra". Rzucił śpiworem i poszedł spać w pościeli. Kiedy się obudził, całe ciało miał pokryte różową wysypką. Ludzie śmiali się z nas obu.

Osoby dobrze poinformowane pisywały o istniejącym od samego początku milczącym podziale: na ciebie, Edge'a i Larry'ego – irlandzkich chrześcijan z jednej strony, a z drugiej – Adama i Paula McGuinnessa, angielskich sceptyków mających smykałkę do interesów, wywodzących się z wyższych sfer i wychowanych przez ojców wojskowych. Czy to prawda, czy wymysł?
No wiesz, Adam i Edge byli kolegami. Pochodzili z tej samej podmiejskiej dzielnicy. Należeli do klasy średniej i obaj mieli brytyjskie paszporty. Ale jeżeli chodzi o dobrą zabawę, figle, imprezy, wino, modny wygląd i życie pełną gębą, to myślę, że Paul i Adam mieli ze sobą wiele wspólnego. Zaprzyjaźnili się. Ja, Edge i Larry byliśmy trochę fanatykami. I byliśmy przeświadczeni, że świat – z wszystkimi swoimi intryganckimi próbami sprowadzenia nas na złą drogę, odciągnięcia od obranego celu – nam w tym nie przeszkodzi. Przypomina mi się stara historia o facecie, który chowa się przed światem, wspinając się tyłem na szczyt góry. Dociera do połowy zbocza, znajduje jaskinię, rozgląda się w prawo i w lewo, w górę i w dół, żeby się upewnić, że świat go nie śledzi. Potem zagląda do ciemnej i cichej jaskini. Nagle coś słyszy. Co to? To świat! [*śmiech*] Nie ma od niego ucieczki. Myśmy tego wtedy zwyczajnie nie wiedzieli. Ale okazuje się, że to o wiele subtelniejsze zagrożenie niż seks, prochy i rock'n'roll. Przekonanie o własnej nieomylności, samobiczowanie są tak samo niebezpieczne jak coś, co można nazwać kultem własnej osoby. Wtedy postanowiliśmy, że się nigdy nie zmienimy. Muzyczny biznes nas nie zmieni,

sukces też nie. Ale kiedy się nad tym zastanowisz, to straszne. Byłoby okropnie, gdybyś był ciągle taki sam. Powinieneś się zmieniać. Paul i Adam po prostu chcieli się zabawić, wyjść na zewnątrz i przekonać się, co świat ma do zaproponowania. My wiedzieliśmy - ale nie mieliśmy ochoty tego kupować, poszliśmy więc w zupełnie innych kierunkach. Szanowaliśmy ich, a oni - nas.

Czy Paul i Adam kiedykolwiek próbowali wyperswadować wam tę skłonność do fanatyzmu? Czy raczej milczeli i odnosili się do tego z szacunkiem?
Nie, szanowali nas. Pamiętam, że kiedy wydaliśmy nasz drugi album, *October* (1981), a jego przygotowanie było swego rodzaju religijnym przeżyciem, bardzo nierock'n'rollowym, Paul powiedział: „Widzisz, to nie są kwestie, o które bym zapytał, ale kwestie, które mnie interesują. Wszyscy myślący ludzie powinni się nimi interesować. I chociaż w rock'n'rollu nie znajdziesz wielu ludzi gotowych tak się otworzyć jak wy w tym albumie, posłuchajcie czarnej muzyki, tam znajdziesz wiele takich piosenek. Choćby Marvina Gaye'a albo Boba Marleya".

Często się do nich odwołujesz. Opowiadasz o tym, co zrobiło U2 albo ty sam w odniesieniu do czarnoskórych artystów. To ciekawe, bo oprócz Boba Marleya i Prince'a niewielu czarnoskórych artystów wywarło znaczący wpływ na rocka.
My, Irlandczycy, jesteśmy czarnuchami wśród białych. Paul to wiedział, bo jest od nas parę lat starszy. Chris Blackwell, który założył naszą firmę płytową Island Records, także odkrył Boba Marleya. Bardzo nas wspierał. Tak więc mamy menedżera i firmę, która w stu procentach popiera coś, co w białym rock'n'rollu wydaje się szczytem ekstrawagancji. Ale jeżeli przyjrzysz się pisarzom, malarzom czy poetom, to często dostrzeżesz poszukiwanie ekstazy i traumatycznego przeżycia religijnego.

Których pisarzy, malarzy i poetów masz teraz na myśli?

W muzyce to Patti Smith, Bob Dylan, Marvin Gaye, Bob Marley, Stevie Wonder, lista nie ma końca. Poeci to Kavanagh* - kto wie, czy nie większy od Yeatsa, John Donne, William Blake, Emily Dickinson - zwłaszcza ona wywarła na mnie wielki wpływ. Wszyscy malarze renesansowi rozdarci między Bogiem, mecenatem i pożądaniem ciała.

Rozmawiałeś z Blackwellem o Marleyu? Czy, twoim zdaniem, Marley doświadczył „traumatycznego przeżycia religijnego"? Co w ostatecznym rozrachunku dzieli artystów czarnoskórych od białych? Bob Dylan i Johnny Cash też przez to przeszli.

Chris Blackwell był - i jest - na tym poziomie prawdziwym oparciem. Jeszcze jedna ważna postać w naszym życiu. Podobnie jak Paul Guinness, chyba rozumiał, że czasami najlepszy wpływ, jaki możesz na kogoś wywrzeć, to starać powstrzymać się przed jakimkolwiek oddziaływaniem. Chris był świetnym producentem. Mógł wpaść do studia i zadawać nam trudne pytania: „Gdzie ten singel? Co wy teraz robicie? Czemu to nie brzmi, jak należy?", jednak wierzył, że znajdziemy własny styl, na swój sposób zaufał naszej wierze. A co do Dylana i Casha, raczej zaliczyłbym ich do wyjątków. Pod względem duchowym muzyka białych jest znacznie bardziej niedostępna. Tak czy siak, większość czarnoskórych artystów wiązała swoje początki z Kościołem.

Krótko mówiąc, czego dowiedziałeś się o sobie od waszego menedżera Paula Guinnessa?

Dowiedziałem się, na co mnie stać. Wierzył we mnie bardziej niż ktokolwiek inny w życiu i dodał mi pewności siebie, żebym realizował swój potencjał jako artysta. To wielki i bystry intelekt, a mój był bardzo niewyrobiony i chaotyczny. Wielokrotnie sadzał mnie i mawiał: „Masz wszystko, co trzeba. Musisz bardziej wierzyć w siebie i kopać głębiej. I nie złość się ani się nie zdziw, kiedy wyciągniesz stamtąd coś nieprzyjemnego". [*śmiech*]

---

* Patrick Kavanagh (1904-1967) wykładał poezję na National University w Dublinie.

A więc odkryłeś rzeczy, które – na pierwszy rzut oka – wolałbyś utrzymać w sekrecie? Co to takiego?
Nieporadny podziw, uwielbienie, zadziwienie otaczającym cię światem. Luz może ci pomóc przejść z ludźmi przez świat, ale niepodobna stanąć przed Bogiem w słonecznych okularach. Niepodobna stanąć przed Bogiem bez oddania się, odkrycia się, bez autentyzmu. Na tym polega związek między wielką muzyką i wielką sztuką i dlatego może być on uciążliwy. Szpan jest wrogiem, bo to drugi powód twojego bycia w zespole: chciałeś zaszpanować. Kiedy zabierałem się do pracy, nie chodziło mi o zarejestrowanie na taśmie przeżyć religijnych.

W takim razie co z twoimi okularami słonecznymi? Czy nosisz je, żeby zasygnalizować Bogu, że „ten rockman jest zbyt zarozumiały i póki co nie do wzięcia"?
No, moja nieszczerość... Nauczyłem się, jak ważna jest nieszczerość i to, żeby nie brać wszystkiego poważnie. Nie masz pojęcia, co się dzieje za tymi okularami, ale mogę cię zapewnić, że Bóg wie.

Do czego jeszcze zachęcał cię Paul McGuinness?
Kiedy byłem bardzo młody, miałem jakieś dwadzieścia pięć lat, powiedział mi: „Masz coś, co posiada niewielu artystów". Ja na to: „Nie sądzę, Paul". A on: „Nie, ty widzisz całe równanie". To... jednocześnie przekleństwo i błogosławieństwo. Bardzo ciekawe. Wtedy chyba nie rozumiałem, o co mu chodziło. Od tamtej pory nigdy tak naprawdę z nim o tym nie rozmawiałem, ale sądzę, że wiem, co miał na myśli: dar znajduje się w środku sprzeczności, ale otoczkę wypełnia dużo innych rzeczy, które musisz rozgryźć, jeżeli chcesz, żeby twój dar naprawdę się rozwijał.

Błogosławieństwo – rozumiem. Ale dlaczego przekleństwo?
Bo oznacza koniec lenistwa, koniec podróży pociągiem, którym kieruje ktoś inny. To ty jesteś odpowiedzialny, nikt inny – nie firma płytowa, nie menedżerowie. Sam musisz wyrobić w sobie muskulaturę, żeby chronić swój dar.

Mam wrażenie, że niewiele mówiłeś o swoich relacjach z Edge'em, Larrym i Adamem w kontekście ich życia rodzinnego. Dobrze znałeś krewnych swoich kumpli? Powiedziałeś, że uciekając od surowości ojca, chciałeś bywać w miejscach, gdzie odczuwałeś ciepło. Czy wizyty w domu Edge'a wywoływały równie ciepłe uczucia jak dom Guggiego czy Gavina Fridaya?
Rodzice Edge'a to superfajni ludzie, totalnie wyluzowani. Nie szukają tego, co oczywiste. Mają skłonności akademickie i nie przywiązują zbyt dużej wagi do spraw materialnych. Ojciec Edge'a odnosi też sukcesy w biznesie. Jestem pewien, że wiodłoby mu się jeszcze lepiej, gdyby się postarał, ale mu to zwisa. [*śmiech*] Woli raczej miło spędzać czas, pograć w golfa. Od czasu do czasu umawiali się na partyjkę z moim ojcem. Dobrze im razem szło, chociaż mój skarżył się kiedyś, że Garvin ma bzika na punkcie zasad. [*wybucha śmiechem*] Powiedział: „Wykuł ten pieprzony podręcznik na pamięć". Ale obaj uwielbiali operę. Faktem jest, że kiedy jakiś czas temu graliśmy w Madison Square Garden, wydarzyło się coś wspaniałego: obaj podpici panowie szli Madison Avenue i śpiewali duet z *Traviaty*. Do domu Edge'a zawsze można było wpaść. Pamiętam, że kiedyś wróciliśmy o czwartej nad ranem, a „pani Edge" zeszła na dół, przetarła oczy i zapytała Edge'a, czy nie jest głodny i... [*robi zdumioną minę*] Myślałem, że to zupełnie inny świat. Spodziewałem się raczej czegoś w rodzaju: o cholera, gdzie ona trzyma broń? [*śmiech*] I na hasło Edge'a: „Tak, jestem głodny", wyciągnęłaby haubicę! Ale Edge powiedział: „Nie, nie, dzięki. Wracaj do łóżka, nic mi nie trzeba". I nie było żadnych problemów. Jego brat Dick miał zadatki na geniusza. Rząd mu płacił, żeby studiował informatykę. Więcej niż stypendium, bo nie tylko opłacali mu studia, ale dostawał kasę za to, żeby studiował. Taki był dobry. Tymczasem on wstąpił do Virgin Prunes. No i w domu Evansów mieli dwóch szalonych muzyków. Ale byli bardzo... o t w a r c i, to właściwe słowo. Czuło się, że to dom otwarty. „Pani Edge" zawsze interesowała się, kim jesteś.

Czy matka Edge'a pracowała?
Była nauczycielką, a potem chyba pomagała Garvinowi. Miała na imię Gwenda. Razem z mężem pochodzili z Walii, dlatego mówili

z takim melodyjnym akcentem sprawiającym, że czułeś do nich jeszcze większą sympatię. W ich ogrodzie stała szopa, w której ćwiczyliśmy. Była może taka jak ten pokój lub trochę mniejsza, naprawdę bardzo mała, i pozwolili nam grać w tej komórce - mniej więcej cztery na trzy stopy, no może pięć na cztery, ale chyba przesadzam. Ledwo dało się tam wcisnąć perkusję, z trudem można było stanąć, ale przez jakiś czas miejsce było świetne. Spotkałem ostatnio Garvina i w żartach zastanawiał się, ile by teraz była warta na eBayu. Powiedział: „Bono, czy przypadkiem nie nadszedł czas na szopę?". Wyjaśniłem mu, że nie mieliśmy wielkiego szczęścia na eBayu, kiedy próbowaliśmy opchnąć „StarshipLemon" - nasz gigantyczny statek kosmiczny w kształcie cytryny (z trasy „PopMart").

Ciekawi mnie twoje pierwsze wrażenie, kiedy wszedłeś do pokoju Edge'a. Czy był posprzątany, bardzo poukładany, jak sobie wyobrażam?
Nie pamiętam pokoju Edge'a. Pamiętam pokój Adama. Przypominał nocny klub w wersji szesnastolatka. Ultrafiolet - wiesz, UV - paliło się kadzidło, wszędzie płyty i miękki fotel [*śmiech*]. Takiego pokoju jak u Adama nie widziałem nigdy.

Jaka atmosfera panowała u Claytonów?
Mieli bardzo elegancki dom. Bardzo duży, wolno stojący parterowy dom w ładnej dzielnicy. Sam czegoś takiego nie widziałem, bo wychowywałem się przy zwykłej ulicy zamieszkanej przez niższą klasę średnią. A ten dom był bardzo zadbany.

Z ogrodem?
Tak, mieli ładny ogród. Pamiętam jeszcze, że mieli w pokoju taki włochaty biały dywan. Powiedziałem Adamowi: „Kurczę! Jakbyśmy mieli w domu taki dywan, nie byłoby nam wolno po nim chodzić". A on na to: „Bo nie wolno. Zdejmuj buty! [*śmiech*] Nikomu nie wolno po nim chodzić. Ledwo nas tu wpuszczają". Jego matka była bardzo wytworna, ojciec był pilotem, a to też jest bardzo prestiżowe zajęcie. Ojciec

Adama miał bardzo cierpkie poczucie humoru. Lubił chodzić na ryby. Niewiele było trzeba, żeby krytycznie spoglądał na całe to zamieszanie dookoła. Pochodził z East Endu w Londynie i nigdy o tym nie zapominał, mimo że znalazł się w korpusie oficerskim RAF-u. Matka Adama potrafiła świetnie dyskutować. Często toczyliśmy długie nocne rozmowy o życiu, śmierci, Bogu i wszechświecie... i o tym, dlaczego nie możemy chodzić po białym puszystym dywanie.

Jakimi ludźmi byli Claytonowie? Tak samo wyluzowani jak rodzice Edge'a?
Nikt nie jest tak wyluzowany jak rodzice Edge'a. Wydaje mi się, że Jo Clayton miała ambicje wobec swojego syna i bardzo się martwiła, bo wyrzucili go już z jednej szkoły, a teraz wstąpił do zespołu rockowego i zadawał się z bardzo dziwnie wyglądającymi ludźmi, czyli z nami. Więc pozornie była w stosunku do nas bardzo miła, ale wydaje mi się, że w duchu martwiła się bardzo, że jej syn wpadł w złe towarzystwo.

Czy Adam długo zastanawiał się nad karierą muzyka? Czy uważał, że zadaje się z niewłaściwymi ludźmi?
Adam szukał niewłaściwych ludzi. Chciał być tylko basistą. W zespole mamy taki żart: Edge chce grać na perkusji, Bono chce grać na gitarze, Larry chce śpiewać, a Adam... chce tylko grać na basie! Adam i jego młodszy brat Sebastian byli świetni. Pamiętam, że zawsze się śmiali i mieli typowo angielskie, absurdalne poczucie humoru. Zakładali skarpety na penisy i tak chodzili, próbując zawstydzić swoją siostrę Cindy. Adam uwielbiał nagość. Zawsze tak się zachowywał. Kiedy byliśmy w szkole, ganiał nago po korytarzach.

No to był jeszcze większym ekshibicjonistą niż ty. Nieźle!
Tak, wiem. Pamiętam pierwszy raz, mieliśmy wtedy po kilkanaście lat. Ali rozmawiała z nim i nagle poczuła na nodze coś mokrego [*śmiech*], a to Adam sikał - nie na jej nogę, ale niedaleko. Przy byle okazji wyjmował małego. Nie chciał przerwać ciekawej rozmowy, żeby iść na stronę. A może zapomniał zapytać. [*śmiech*]

A jak było u Larry'ego? Pewnie bardziej ponuro.
Chyba tak. U niego w domu było podobnie jak u mnie. Miało się do czynienia z pogrążonymi w smutku ludźmi i nieważne, jak bardzo starali się to ukryć, chcąc nie chcąc, uczestniczyło się w ich nieszczęściu.

Larry mieszkał z ojcem.
Tak, z ojcem i siostrą.

Jego młodsza siostra też zmarła. Co się właściwie stało?
Nie pamiętam szczegółów.

Mieszkali w takim samym domu jak twój. To znaczy, że w takim samym środowisku?
W bardzo podobnym.

Czy jego ojciec był tak samo surowy jak twój wobec ciebie?
Jego ojciec bardzo się martwił, że syn marnuje życie w zespole rock'n'rollowym. Uważał, że skoro Larry interesuje się muzyką, powinien to być jazz. Powinien nauczyć się dobrze grać. Jedyna różnica polegała na tym, że ojciec Larry'ego chciał, by jego syn osiągnął więcej niż on sam, dalej się uczył, poszedł na uniwersytet i tak dalej. A Larry'ego to w ogóle nie pociągało. Mojego ojca zupełnie nie obchodziło, czy się uczę, czy nie - a ja chciałem, żeby go obchodziło. To jedyna różnica.

Czy przesiadywaliście u Larry'ego tak często jak u Adama albo Edge'a?
Czasami. Pierwszą próbę zorganizowaliśmy u Larry'ego.

Zmieściliście się?
W kuchni. Nie było dużo miejsca.

Jego ojciec to znosił?
Matka pewnie powiedziała ojcu, że to zespół jazzowy. Była niesamowitą kobietą, wspaniałą pod każdym względem, pozbawioną próż-

ności. Kochała syna i chciała, żeby został perkusistą, ponieważ on tego pragnął. Pozwoliła, by pierwsza próba odbyła się u niej w kuchni. Staliśmy tak wszyscy, razem chyba z sześciu, i pamiętam, że już wtedy dziewczyny wołały Larry'ego przed domem. Miał chyba ze czternaście lat i pamiętam, że postraszył je szlauchem: „Idźcie sobie! Zostawcie mnie w spokoju. Cisza!". Od tamtej pory robi to samo. Ale tak naprawdę zbyt często u nich nie bywałem. Chodziliśmy na próby. W końcu znaleźliśmy pomieszczenie do prób - co dziwne - blisko cmentarza, na którym pochowano moją matkę. Czysty przypadek. Mały żółty domek obok cmentarza...

Oprócz muzyki, co najbardziej lubiliście razem robić?
Najpierw nic, ale potem zdaliśmy sobie sprawę, że mamy takie samo surrealistyczne poczucie humoru.

Nigdy nie sądziłem, że powiesz coś takiego. To znaczy, że robiliście razem kawały?
No, dawaliśmy razem czadu.

Jak?
Chyba razem z Edge'em wsiedliśmy raz do samochodu Guggiego. W wieku siedemnastu lat miał samochód. Jego ojciec zbierał gruchoty, zepsute auta i reperował je. Pamiętam, że wymknęliśmy się z budy do jego samochodu i pojechaliśmy do szkoły dla dziewcząt - z obrazem, który namalowaliśmy, weszliśmy do budynku i pukaliśmy po klasach, by go sprzedać. Zanim zdążyli zadzwonić na policję, dotarliśmy do kilku klas w szkole żeńskiej: „Przepraszamy. Byliśmy w pobliżu, mamy obraz i powiedziano nam, że w klasie angielskiej ktoś chce go kupić. [*zmienia głos*] Cześć, dziewczyny!". [*śmiech*] To tylko wygłup nastolatków, ale surrealistyczny. Albo robiliśmy też wariackie teatralne numery.

Jakie „wariackie"?
Pamiętam, że podczas jednego z naszych pierwszych występów dawaliśmy bożonarodzeniowe koncerty w środku lata. Nazywały się „Jingle

Balls"*. Zasuwaliśmy w nocnym klubie i wstawiliśmy do środka choinkę. Po prostu udawaliśmy, że w środku lata jest zima. Takie szczeniackie dowcipy... W Lypton Village nadaliśmy sobie nowe imiona i mówiliśmy innym językiem. W końcu Edge świetnie się w to wpasował - tak samo Adam, bo obaj mieli surrealistyczne skłonności. Larry zachowywał się nieco bardziej podejrzliwie, ale taki już był.

Dziwne, bo na początku koncerty U2 zyskały reputację przepojonych emocjami, poważnych występów.
Owszem. Dlatego ci, którzy oglądali „Zoo TV", czuli się zdezorientowani - ty chyba też - i zwyczajnie martwili się, co się z nami dzieje. Ale właściwie z tego wyrośliśmy - z występów jak ten czerwcowy koncert na Boże Narodzenie. Od samego początku bawiliśmy się postaciami z teatru. Ja korzystałem z „Błazna" (The Fool), poprzednika „Muchy" (The Fly).

Mogę się zgodzić, że w „Zoo TV" przywróciliście do życia pewną bardzo wczesną tradycję U2, rodem z początku lat dziewięćdziesiątych. Ale wygląda na to, że przez pierwszych dziesięć lat humor w ogóle nie wchodził w grę.
Mam wrażenie, że straciliśmy trochę poczucia humoru. Wszystko przez chorobę kesonową, ciągłe zmiany ciśnienia: z przedmieść Dublina ruszyliśmy w podróż po świecie, plus wszystko, co się z tym łączy. Wydaje mi się, że to, o czym rozmawialiśmy wcześniej, ten rodzaj niezachwianej determinacji, zapału, wziął się częściowo z reakcji na zaistniały stan rzeczy.

Ten zapał istniał chyba jeszcze przed waszym ogromnym sukcesem. *Boy* był jakby tragiczny, *October* nosił w sobie przejmującą powagę i smutek, a *War* przepełniał gniew.
Kiedy dotarliśmy do *Boya*, w pewnym stopniu pozbyliśmy się surrealizmu. Mieliśmy pomysł, wizję albumu i wpasowaliśmy się w nią. Mu-

---

* Dzwońcie jaja - ang. (przyp. tłum.).

sisz przywyknąć do tego, że kiedy coś nam przyjdzie do głowy, zmieniamy się, żeby się do tego dopasować. Nie ma w tym nic dziwnego, kiedy jesteś reżyserem albo pisarzem. Żeby zgłębić jakiś temat, zmieniasz ubranie i buty i zaczynasz śmiesznie chodzić. Czy zespoły nie powinny tak robić? Tematy naszych piosenek, jeśli wolisz, zawsze narzucały nam sposób ich prezentacji, rodzaj noszonych ubrań, kręconych filmów czy zachowania podczas występów.

Naprawdę? Z mojego punktu widzenia w tamtych czasach nie sprawiałeś wrażenia najzabawniejszego faceta na scenie...
Nie, nie odgrywało to zbyt wielkiej roli w naszej pracy. Ale nasze życie, część naszego życia straciła humorystyczne akcenty. Wydaje mi się, że zacząłem wszystko głębiej przeżywać. Teraz chyba nie, ale wtedy był to akt woli. Porażka nie wchodziła w grę, choć mówiąc szczerze, była bardzo prawdopodobna. Wiesz, myślę, że naprawdę wtedy ją przeczuwałem i byłem tak zdeterminowany, żeby zagłuszyć ów głos, że umyślnie nie zwracałem uwagi na sprawy o drugorzędnym znaczeniu. Stałem się po prostu bardzo zdesperowany.

Może U2 potrzebowało wtedy takiego zaangażowania? Może wasza publiczność go potrzebowała?
Może rzeczywiście masz rację. Wszyscy byli zdeterminowani, ale nikt bardziej ode mnie. Robiło się nadzwyczaj poważnie i rosło napięcie, bo co wieczór musieliśmy dać najlepszy występ w życiu. Mógłbyś powiedzieć: „Wyluzuj, Bono, spoko, OK?". [*śmiech*] Ale... nie! Co wieczór, nie ściemniam ani nie przesadzam. Uważaliśmy, że tylko tak możemy być autentyczni. Jeśli tak nie było, jeśli nie chciałeś wyrazić tych piosenek całym sobą, jeśli w danej chwili nie żyłeś nimi, to kłamałeś i okradałeś ludzi. Byliśmy zapaleńcami, staliśmy się więźniami własnego kultu. [*śmiech*] I braliśmy zakładników. Paul McGuinness i nasza ekipa z tras koncertowych zachowywali się niesamowicie. Joe O'Herlihy, nasz mikser dźwięku, toż to legenda! Wszyscy pracowali po sto godzin na tydzień, żeby wepchać głaz pod górę. Góra była wysoka i szło ciężko, a my nie posiadaliśmy talentów najbardziej

potrzebnych w tego rodzaju podróży. Ale okazało się, że mamy inne, może nawet ważniejsze.

Co masz na myśli, mówiąc „inne talenty, może nawet ważniejsze"?
Iskrę. Nasz punkt widzenia był dość oryginalny, nawet jeżeli nie wyrażaliśmy go zbyt umiejętnie. I nieustępliwość. Już te dwie rzeczy pozwolą ci zajść, dokąd zechcesz. Kiedy patrzę na te dwadzieścia lat, widzę powolną, prawie niezauważalną ewolucję: maleńkie, drobne kroczki, zaledwie kilkustopniowe. Powoli talent rozkwitał i bywały chwile, kiedy wybiegaliśmy w przyszłość, jak w przypadku *The Joshua Tree* lub *Achtung Baby* albo tak jak teraz. Ale tak naprawdę uważam, że wszystko dzieje się bardzo powoli. Mam wrażenie, że dojście do tego wszystkiego zajęło nam bardzo dużo czasu, że uczymy się najwolniej na świecie. Tymczasem czytasz o Beatlesach, a u nich wszystko trwało raptem dziesięć lat. [*naśladuje odgłos odrzutowca*] A my dotarliśmy właśnie do *Rubber Soul*.

Mówisz poważnie?
No pewnie. Tak właśnie myślę. W porządku, mógłbym się rozchorować z zazdrości, gdyby John zaśpiewał *In My Life* na próbie, ale reszta piosenek przyprawia mnie o nudności. Powiedziałbym mu: „Wasze piosenki mają niesamowite melodie, z którymi nic się nie da porównać, ale nasze utwory mają pewną wagę, której waszym brak. Można to nazwać ciężarem gatunkowym...".

Ciężarem spraw, które miały nadejść, ale może to już inna historia.
To po prostu ciężar gatunkowy. Który mieliśmy. A to wiele znaczy. Kiedyś miało miejsce niesamowite zdarzenie - nie wiem, czy ci już o tym mówiłem - po 11 września, kiedy graliśmy koncert dla nowojorskiej policji i straży pożarnej w Madison Square Garden, Rolling Stonesi zagrali fantastyczną piosenkę *Miss You* i w jednej chwili... [*śpiewa*] *Do-do-doo-doo / Doo-do-loo / How I miss you...* Jagger wygląda niesamowicie. To był świetny występ i miał tę lekkość, którą tylko Mick ma na scenie. Ale potem weszło... The Who. Było ich

trzech. W porównaniu z wychudzonym Jaggerem ci faceci wyglądali jak dokerzy, jakby dopiero co przybyli z New Jersey z łomami w kieszeniach, rozumiesz? Wzięli gitary i zagrali *Who Are You?*, a potem *Baba O'Riley* i *Won't Get Fooled Again*. Po raz pierwszy tego wieczora ci strażacy i policjanci, którzy zapijali smutek i hałasowali jak należy – „Hej, to Stonesi! Hej, to ten i ten" – nagle przestali. Szczęki im opadły. Nie miało to nic wspólnego ze szpanem ani z elegancją – właśnie na tym polega ciężar gatunkowy. I nasza muzyka to ma. Nadal się uczymy, nawet teraz wymyślamy bardziej nieprzewidywalne melodie, teksty, które mogą cię skołować, żebyś myślał jedno, aby potem zaskoczyć cię czymś innym – to wszystko składa się na rzemiosło i pisanie piosenek, to nam wychodzi i jest świetne. Ale tę drugą rzecz też mamy. Wyraźnie daje się odczuć podczas obecnej trasy, ponieważ zbliżamy się do czegoś. Chris Blackwell powtarzał: „Z U2 jest tak: zawsze wiadomo, że coś nadchodzi, ale nigdy się nie czuje, że przyszło".

O co najbardziej kłócicie się w zespole? Pamiętasz, kiedy po raz pierwszy pomyślałeś sobie: „Boże, jest źle, sądziłem, że nigdy do tego nie dojdzie"?
Jeśli mam być szczery, były chyba takie chwile, kiedy wszyscy członkowie zespołu zaczynali mnie okropnie irytować.

Nie użyłbyś innego słowa?
Nie, ale jestem pewien, że ja tak samo ich irytowałem. [*śmiech*] Wydaje mi się, że to się właśnie nazywa kariera solowa. Uważam, że trzeba dać ludziom trochę przestrzeni, żeby od czasu do czasu mogli się zawieruszyć, i pamiętam, kiedy każdy z nich zatracał siebie albo swoje podejście do pracy – bardzo mnie to martwiło. Ale, czy ja wiem, pewnie kiedyś było tak, że mieli takie same odczucia w stosunku do mnie, chociaż nie mam pojęcia kiedy.

Pamiętasz jakiś moment, kiedy odczułeś, że zespół żywi do ciebie urazę?

Wydaje mi się, że podczas nagrywania *All That You Can't Leave Behind* faktycznie wystawiłem ich cierpliwość na ogromną próbę z powodu nawału zajęć w sprawie Afryki - spędzałem mnóstwo czasu przy telefonie.

Wróćmy do okresu twojego zaangażowania z początku lat osiemdziesiątych. Jak to się skończyło? Jak dogoniłeś Adama, a jak on dogonił ciebie?
Spotkaliśmy się chyba gdzieś pośrodku. Adam... obaj znaleźliśmy trzecie wyjście. On był zmęczony światem, a ja byłem go trochę bardziej ciekawy.

Czy teraz wszyscy jesteście wierzący?
Tak. Adam poszedł własną drogą, która zaprowadziła go dalej w świat, ale powiedziałbym, że z całego zespołu to właśnie on jest teraz najbardziej skupiony na duchowości.

Jego ścieżka okazała się bardziej wyboista?
Tak. Myślę, że okazuje największą czujność wobec owieczek oddalających się od stada. [*śmiech*] Uwielbiam motyw owieczki, trzeba to przyznać Jezusowi. [*śmiech*] Owce są świetne, nie? Bo jest tak: świnie to inteligentne, pożyteczne zwierzęta, tylko że na farmie tarzają się w błocie. Ale owce? Jasne, przydają się na swetry, ale tak naprawdę są zupełnie głupie. Doskonałe wyobrażenie ludzkości. I tak samo chodzą w stadzie. Razem zbaczają ze złej drogi. Nie ma jednego przywódcy, każda z nich może być liderem i każda może wywołać popłoch. Są przestraszone i nawet nie zdają sobie sprawy, że przydają się na wełniane swetry, a kiedy umrą, z ich skór robi się kożuchy dla dilerów używanych samochodów. [*śmiech*]

Nie wiem, ile w tym prawdy, a ile pogłoski, ale mówi się, że na album *Achtung Baby* wielki wpływ wywarł kryzys w życiu osobistym Edge'a i koszmar rozwodu. Czy naprawdę spowodowało to kryzys grupy, czy wprost przeciwnie, problem Edge'a nie wyszedł poza granice życia prywatnego?

Masz rację. Rysy i rozłam w życiu Edge'a stanowiły doskonałą metaforę tego, co się działo z zespołem. W czasie pracy nad tym albumem dochodziło między nami do licznych spięć. Ja i Edge chcieliśmy ściąć *The Joshua Tree**, a Larry i Adam chcieli wokół niego wznieść szklarnię i zabłysnąć. Larry i Adam mają w sobie pokorę, ale Edge i ja arogancko twierdziliśmy, że na U2 nie składają się tylko dźwięk gitary, kolizja dźwięków tworzących melodię albo jakaś wyjątkowa aranżacja oparta na gitarze basowej i perkusji. Wierzyliśmy, że U2 stworzyła iskra i że można zniszczyć całą zewnętrzną otoczkę, a iskra i tak by została. Mogłeś przepuścić mój głos przez modulator, zabronić Edge'owi korzystać z pogłosu i wygrywania srebrnych nutek, mogłeś zmienić tematykę... [*śmiech*] lub zniszczyć wszystko, co w zespole rozpoznawalne, a i tak iskra by się przebiła. Mogłeś sięgnąć po temat, którego na ogół byś z zespołem nie skojarzył.

Czy, twoim zdaniem, chaos w życiu Edge'a dał mu muzycznego kopa do pracy?
Hmm, nie. Edge przechodził przez to wszystko z wielkim trudem. Trudno się z nim pokłócić. Mocno przeżył rozwód. Bardzo kochał Aislinn, a za dziećmi świata nie widział. Straszne było patrzeć na kogoś tak przeciwnego rozstaniu. Wydaje mi się, że w tej sytuacji po prostu skupił się na muzyce, żeby jakoś przetrwać. W porównaniu z tym emocje zespołu musiały wypaść blado. Nasze konflikty stanowiły dla niego wytchnienie od własnych.

To znaczy, że przeżycia osobiste oddaliły go od zespołu?
No cóż, bardzo blisko ze sobą współpracowaliśmy. Nalegałem na zmianę kierunku, w którym zmierzał zespół, a Edge bardzo mnie wspierał. Zdarzały się chwile, kiedy Adam i Larry byli do tego wrogo nastawieni. Ale i w tym wypadku, ze względu na własną skromność, uważali, że to, czego chcemy, znajduje się poza naszym zasięgiem.

---

* Dosłownie: Drzewo Jozuego – ang. (przyp. tłum.).

Jak walka Edge'a z chaosem życiowym przeobraziła się w muzykę? Czy znalazła odzwierciedlenie w tematyce niektórych piosenek, takich jak *One*?
No jasne, że znalazła. To bardzo dojrzałe tematy. Rozpaczliwy wysiłek, żeby dobrze się bawić, [*śmiech*] co samo w sobie stanowi sprzeczność. Tak to bywa. Wszystkie albumy, na których próbowaliśmy uniknąć powagi, *Pop* i *Achtung Baby*, zawsze kończyliśmy tak, jakby ciężar powietrza rozkładał nas na łopatki. [*śmiech*]. To bardzo zabawne.

Kilka miesięcy temu przesłuchałem wszystkie te albumy pod rząd. *Achtung Baby* wybija się jako najmocniejszy, ale także najmroczniejszy i najtwardszy. Teraz brzmi jeszcze wyraźniej niż wtedy. Wtedy myślałem, że to zabawa, bo eksperymentujecie z aparaturą i dlatego twój głos jest zniekształcony. Ale patrząc wstecz, odczuwa się, że płyta jest niesamowicie agresywna.
Tak. *Love Is Blindness* to naprawdę coś z innej bajki. Pamiętam, że pod koniec Edge gra solówkę. Przyciskałem go, przyciskałem i przyciskałem, a on grał, aż popękały struny. Pod koniec solówki wyraźnie to słychać. Zdaje mi się, że w środku tonął we łzach, a na zewnątrz po prostu szalał.

Na tej płycie słychać mnóstwo nienawiści do samych siebie.
To prawdziwa czarna piękność.

Czarne piękności... Ludzie nie zrozumieją – i ja nie zrozumiem [*śmiech*] – jeżeli nie poruszymy tego, co stało się podczas „trudnego okresu" Adama. Jak to było, kiedy Adam nie przyszedł na występ w Sydney podczas trasy „Zoo TV" w 1993 roku? Chyba nigdy nie opowiadałeś tej historii z własnego punktu widzenia. Jak się o tym dowiedziałeś? Jak sobie z tym poradziłeś? Jak przez to przeszedłeś? I co się stało, kiedy potem znów spotkałeś się z Adamem?
[*zaskoczony*] Hmm... Jaki widzisz związek między Adamem a czarną pięknością?

Miałem na myśli Naomi Campbell.
Przeskoczyłeś z Sydney do Naomi.

To pytanie miałem przygotowane już wcześniej. Wiesz, o co mi chodzi.
[*nieco zmieszany*] Nie... Poznałem Adama z Naomi. Zawsze miał do niej słabość. Trzeba wiedzieć, że w ciele kocicy kryje się zmysłowość i duży potencjał intelektualny; można ją nawet określić jako tygrysicę - kto wie, może pumę? Pod wieloma względami pasowali do siebie. Uważam, że byłoby niesprawiedliwością przypisywać Naomi jakąkolwiek odpowiedzialność za blamaż Adama w Sydney.

To było tylko skojarzenie. Nie sugeruję, że istnieje tu jakaś logiczna więź.
Aha. Bo moim zdaniem, Adam znajdował się na drodze ku całkowitemu zatraceniu. [*śmiech*] Ku wydaleniu, samospaleniu - i każdemu innemu „-eniu" jakie ci przyjdzie do głowy - na długo przedtem, zanim ją poznał. Zaczął obracać się w świecie i sięgnął po największy kawałek pizzy, jaki wpadł mu w ręce. Był młody, należał do świetnego zespołu rockowego i był jedyną gwiazdą w grupie. [*śmiech*] Na własny użytek miał porcję dla czterech osób. To cała fura żarcia! [*śmiech*] Po jakimś czasie zrobiło mu się niedobrze. Nie mógł wziąć udziału w występie, bo rozbolał go brzuch. W Sydney Adam tak naprawdę nie zdradził zespołu, tylko samego siebie, bo nie ma w U2 większego profesjonalisty niż on. Uznał, że trudno mu z czymś takim żyć, i faktycznie, nie był w stanie. Zdał sobie sprawę, że sprowadził na siebie niezłą chorobę, i chciał wyzdrowieć. Trwało kilka lat, ale to prawdziwy punkt zwrotny w jego życiu. Powtarzam, to prawdziwy profesjonalista.

Profesjonalista, który nie przyszedł do pracy.
Tak. A do tego kręciliśmy, co jeszcze bardziej utrudniało sytuację. Premiera „Zoo TV" na żywo z Sydney. W środku dwadzieścia kamer: stałe i na żurawiach, dodatkowe oświetlenie - światło, akcja. Lub raczej w tym przypadku: światło, brak akcji. Kontynuowaliśmy występ z szacunku dla ludzi, którzy przyszli, oraz z powodu rachunku, ja-

ki zapłacilibyśmy, gdyby kamery nie poszły w ruch. Tej nocy Adama zastąpił Stuart Morgan, technik od basów. Dał heroiczny występ i szczerze mówiąc, zasłużył na wyróżnienie w blasku reflektorów, którego nie dostał. Pozostał w cieniu. [*śmiech*] Właściwie część obecnych myślała, że to Adam, co chyba najbardziej go zabolało. Jeśli można, chciałbym powiedzieć coś o grze Adama i dlaczego w sumie jest nie do zastąpienia. W rockowym kwartecie gitara basowa może być najbardziej nijakim instrumentem. Podczas większości koncertów, na które chodzę, i to nie tylko rockowych - jazz, pop, blues - bas nie wpada mi w ucho. Nikt go nie zauważa. Nikt nie wie, co robi facet z gitarą basową. W U2 tak nie jest. Tej nocy czułem ogromną pustkę i miałem wrażenie, że się zapadam. Podobnie jak my wszyscy.

Ale wiedzieliście, na co się zanosi?

No tak, wiedzieliśmy, że coś jest nie tak. Tylko co można na to poradzić? On jest taki fajny, taki dobry w tym, co robi. [*śmiech*] Naprawdę bardzo dobry. Ale potrzeba dużo czasu, żeby dojść do siebie. Na parę ładnych lat można stracić sprężystość kroku. Mam wrażenie, że odstawienie alkoholu i prochów bardzo przypomina separację z żoną. Mówi się, że aby się z tego otrząsnąć, trzeba połowy poświęconego na to czasu. Czyli jeżeli byłeś żonaty przez dziesięć lat, potrzeba ci pięciu. Jeżeli byłeś żonaty przez dwadzieścia - dziesięciu, żeby naprawdę się z tym uporać. Moim zdaniem, skoro Adam tkwił w tym przez dziesięć długich lat, to prawdopodobnie będzie musiało upłynąć pięć, żeby mógł się z tego otrząsnąć.

Jaki wpływ wywarły na zespół te wydarzenia?

Kiedy tylko Adam ładował się w tarapaty, zawsze byliśmy przy nim. I nieważne, jaki skandal wybuchał, nikt w takich chwilach nie przejmował się zespołem. Wszyscy przejmowali się nim.

Bywały chwile, kiedy myślałeś, że zagraża to zespołowi?

No jasne, zawsze się tym martwiłem, bo dla nas nie było wygranej, dopóki każdy nie zapunktował. Każdy musiał ujść z tego z życiem, parafrazując Jimiego Morrisona. Nasze motto brzmiało: „Każdy uchodzi z tego z życiem".

Adam umawiał się z Naomi, a ty stanąłeś twarzą w twarz z paparazzi i sławą. Dla zapaleńca, który nadal się w tobie sporadycznie odzywał, musiało to być traumatyczne przeżycie.
Nie, nie, nie. Pamiętasz, że sława towarzyszyła temu wszystkiemu. Ślizganie się po powierzchni stanowiło charakterystyczną cechę tamtego okresu. To ja zgodziłem się pozować na okładce „Vogue'a" z Christy [Turlington] i miałem dość skwaszonych min reszty zespołu. Robiliśmy te same trasy co dziewczyny i zatrzymywaliśmy się w tych samych hotelach, chociaż nie chodziliśmy w tych samych butach. [*śmiech*]

Kto wie? Może bez świadków?
Jestem przekonany, że od czasu do czasu przymierzał je Adam jako wielki znawca butów, a już z pewnością nalał do paru szampana. Władza modelek nad ludźmi jest fascynująca. Jej początki sięgają gwiazd kina niemego, bo w latach trzydziestych Hollywood nigdy nie osiągnął takiej popularności jak w epoce kina niemego. W milczeniu tkwi ogromna moc.

To źródło mocy, na którym w swojej karierze zbytnio nie polegałeś.
I dlatego tak bardzo szanuję ją w osobach tej klasy co Christy Turlington, która – kiedy zdecyduje się odezwać – ma wiele do powiedzenia; mówi rzeczy głębokie, przemyślane i inteligentne.

Podobno nie było większych gwiazd niż Rudolf Valentino i Greta Garbo.
Nie było. A supermodelki (Christy, Naomi i reszta) to gwiazdy niemego kina naszego wieku. Twarze bez wyrazu i spojrzenia, które z jednej strony sugerują pewną erotyczną uległość, a z drugiej – wściekłość na kamery, coś jakby złość z domieszką łobuzerstwa. [*śmiech*] Niesamowite wrażenie. Kiedy poznawałeś osoby zajmujące szczyt tego szczegól-

▪ U2, 1983. Od lewej: perkusista Larry Mullen, Bono, basista Adam Clayton, gitarzysta The Edge

■ Przed koncertem w Las Cruces, w Nowym Meksyku, 1987. Bono z narzutką w irlandzkich barwach

■ Pierwsza trasa koncertowa w USA promująca płytę *War*

▪ „Podczas występu chyba mi się przypatrywał. Zdziwiłem się. Czy to dlatego, że miałem na nosie niebieskie okulary przeciwsłoneczne? Zdjąłem je na wypadek, gdyby mógł się poczuć urażony. Kiedy zostałem mu przedstawiony, nadal się w nie wpatrywał. Ciągle patrzył na okulary w mojej dłoni, podarowałem więc mu je w zamian za różaniec, który mi wręczył".

▪ Brit Awards, 2001

BRIT
AWARDS
2001
with MasterCard
Brits.co.uk

▪ „Prezydent Republiki, Pan Jacques Chirac, uprzejmie zaprasza pana Michkę Assayasa na uroczystość nadania tytułu Kawalera Legii Honorowej Panu Paulowi Hewsonowi, znanemu także jako Bono, w Pałacu Elizejskim w piątek 28 lutego 2003 roku o godzinie 12.15. Wymagany strój wizytowy".
Bono z żoną Ali Hewson u prezydenta Jacques'a Chiraca, 2003

▪ Spotkanie w Białym Domu, 2005

E PLURIBUS UNUM

▪ Konferencja na forum Komisji Europejskiej w Brukseli, 2005

nego drzewa, okazywało się, że to bardzo zdolne, bardzo bystre menedżerki własnej marki, a w przypadku Christy, Heleny [Christensen], Naomi i Kate [Moss] - osoby, z którymi chętnie się spotykaliśmy.

Naprawdę?
Hmm... Ich towarzystwo było znacznie ciekawsze niż większości muzyków. Świetnie nam razem szło, mieliśmy niezły ubaw. Było kapitalnie, ale dla wielu z naszych fanów równało się to złamaniu tabu.

Niektórzy myśleli, że się całkiem pogubiłeś albo że zdradziłeś świętą sprawę. Zacząłeś prowadzić życie gwiazdy rocka.
Najciekawsze, że te dziewczyny, wszystkie bez wyjątku, kochają muzykę i wiedzą o niej więcej niż większość zawodowców. Kate i Christy są doskonałymi didżejkami i zawsze wiedzą, co w muzyce czai się za rogiem. Helena tak samo, a do tego świetnie się z nią rozmawia, jest bez przerwy spragniona pomysłów - co możemy zrobić tej nocy, tego roku. Widzą potencjał tam, gdzie inni mogą go przegapić. A Christy zauważa po prostu wszystko. Nasze wakacje w połowie lat dziewięćdziesiątych uderzały do głowy - czysty hedonizm, ale Edge i ja znów zakochaliśmy się w muzyce w dużym stopniu ze względu na inspirację ze strony dziewczyn i kilku innych przyjaciół, takich jak Michael Hutchence: superimprezy, tańce, pływanie w Morzu Śródziemnym, nocne kąpiele przy dźwiękach doskonałych piosenek kapeli REM z Michaelem Stipe'em, prawdziwym poetą. Beztroska właśnie wtedy kiedy trochę jej potrzebowaliśmy.

Jest takie słowo, przed którym się wzbraniasz - „dekadencja".
Nie użyłem go, bo to nie była dekadencja, wprost przeciwnie. Dekadencja jest wtedy, gdy masz wszystko pod nosem, ale tego nie widzisz. Ja widziałem wszystko i doceniałem to.

A co z resztą twojej rodziny?
Też się fantastycznie bawiła. Byliśmy wszyscy w domu, Ali poznała „wielkie dziewczyny", jak o nich mówiono, bliżej niż ja i Edge. Po-

za tym trzeba było opiekować się małymi dziećmi, więc byliśmy trochę uziemieni.

Ale nie spodziewaliśmy się, że U2 będzie wiodło życie gwiazd. To takie oklepane: siedzisz sobie w willi na południu Francji. Czy to nie Rolling Stonesi mieli trochę dalej willę, gdzie w 1971 roku nagrali *Exile On Main Street*?
Powinni byli tam zostać, to świetny album. Należę do tych, który uważają, że jest w nich coś więcej. Muzyka musi brać się z życia. Jak nie ma życia, to nie ma muzyki. Ale uważam, że do tego stopnia, do jakiego bawiliśmy się komunałami, staraliśmy się je także rozwalać. Musisz pamiętać o kontekście, kontekście muzyki grunge, brzmienia z Seattle, jakie wówczas dominowało. Uwielbiałem Seattle i to brzmienie jak rzeka wpływająca do delty, u samego ujścia. Jest industrialne, szare, jest w nim deszczowe niebo, koszula w szkocką kratę, podarte dżinsy, swetry ze sklepów z używaną odzieżą i bebechowaty ryk Kurta Cobaina. A tu nagle pojawiają się w zatoce plastikowe gacie na gigantycznym statku wycieczkowym ozdobionym anteną satelitarną i płyną pod prąd. [*śmiech*] W „Zoo TV" sprzeciwialiśmy się oczywistym definicjom autentyczności. Autentyczność polega na szczerej dyskusji serca z umysłem, ciałem i duszą. Nie ma nic wspólnego z ubraniami, jakie nosisz. Te białe gwiazdy rocka - wydaje im się, że są autentyczne i że Prince to jakaś showbiznesowa choinka. A on ma więcej duszy w małym palcu niż cała przystań pełna zespołów rockowych. Kraftwerk... to kolejny przykład duszy w wymiarze kosmicznym.

Ruch grunge występował przeciwko połowie lat osiemdziesiątych i sprzeciwiał się pretensjonalnemu przepychowi tych lat.
Ale w latach osiemdziesiątych nie było przepychu, tylko brzydota: lakierowane fryzury, wywatowane ramiona. Ja postrzegam ten okres jako bardzo brzydki i nieestetyczny. Moim zdaniem, U2 to jedna z nielicznych godnych polecenia rzeczy z lat osiemdziesiątych.

Te czasy to zabawa ponad wszystko, moda, przewaga stylu nad treścią, kult pieniądza - wszystkiego, przeciwko czemu - w powszechnym mniemaniu - występowało U2.
Kwestionowaliśmy je, jeszcze w latach dziewięćdziesiątych, ale obraliśmy inną drogę. Lata dziewięćdziesiąte były o wiele bardziej seksowne.

Lata dziewięćdziesiąte były dla ciebie bardziej seksowne, bo w latach osiemdziesiątych byłeś zapaleńcem. Inni nie byli, popatrz na Madonnę. W latach dziewięćdziesiątych najdziwniejsze jest dla mnie to, że artyści muzyki pop chcieli być mroczni i introspektywni, a tacy jak U2 chcieli iść w stronę popu i walczyć o prawo do zabawy. Zupełnie jakby zamienili się rolami. Zgodzisz się z tym?
Ale albumy *Achtung Baby* i *Zooropa* trudno uznać za popowe. Mają taki ładunek emocji i są tak gęste, jak się da. Przypominam sobie, jak mówiłem o tym przed wydaniem *Zooropy* pewnemu niemieckiemu dziennikarzowi. Ale on zamiast „*dense*"* zrozumiał „*dance*"**. Remiksy tylko wzmogły zamęt.

Tak było w Europie. A co z Ameryką?
Uwielbiałem Pearl Jam. W głosie Eddiego Veddera brzmiała czysta autentyczność. Jako zespół okazywali i nadal okazują zaangażowanie, a w latach osiemdziesiątych nie było tego za wiele. Pod koniec lat dziewięćdziesiątych, kiedy „PopMart" dotarł w końcu do Seattle, miasto naprawdę wspaniale nas przywitało. To był najlepszy show całej trasy, wyjąwszy Chicago. Wszyscy muzycy z Seattle przyszli, żeby pokazać poparcie dla naszej pracy. Wiesz, nawet Kurt Cobain, zanim zmarł, nosił koszulę z cekinami.

Kto najczęściej w zespole mówi „nie"? Domyślam się, że Larry.
[*śmiech*] Nie sądzę, żeby to wymagało wielkiego nakładu pracy ze strony prywatnego detektywa. Tak, zdecydowanie jest najbardziej ostroż-

---

* Gęsty - ang. (przyp. tłum.).
** Taniec - ang. (przyp. tłum.).

ną osobą w zespole i nie wybiera się w trasę, dopóki się nie dowie, dokąd jedziemy i jak się tam dostaniemy. Ależ to staromodne! [*śmiech*] Wiesz, pod tym względem jest najrozsądniejszym facetem w zespole.

Pamiętam, że kiedy wydano *The Joshua Tree*, na długo przedtem zanim płyta okazała się waszym największym sukcesem, w wywiadach to właśnie Larry przekonywał cię, że obowiązkiem U2 jest pisać i grać ponadczasowe piosenki w stylu pop.
Tak. On i Paul Guinness to dwie osoby z naszego otoczenia, które najmniej tolerują takie zjawisko jak artysta, co oznacza, że są podejrzliwi w stosunku do sztuki. [*śmiech*] Ale tu chodzi o kontrolę. Gdybym był artystą, wolałbym pracować w reklamie, bo byłoby mi bardzo ciężko - a w przypadku Larry'ego byłoby to niemożliwe - dać krytykom prawo do oceny efektów mojej pracy. Na tym polega problem: o tym, co jest, a co nie jest sztuką, decyduje garstka ludzi. A ci ludzie, ponieważ jest ich mniej, stają się bardzo wpływowi. Tymczasem piosenkę puszcza się w radio, wszyscy ją słyszą i wynoszą na szczyt listy przebojów. Tutaj popularność kształtuje się inaczej. I dlatego uważam, że Larry był zawsze podejrzliwy w stosunku do sztuki, bo wtedy zależeliśmy od krytyków. Zaś każdy zespół, który kiedykolwiek został wylansowany przez krytyków, zwykle bywa przez nich niszczony.

Za duża presja?
No cóż, tak nie da się żyć. Zawsze szukamy czystszego pomysłu, czystszej linii melodycznej z jak najmniejszymi śladami sztuczności.

Był zadowolony, kiedy nagrywaliście *Achtung Baby*?
Nie, właśnie to mówię. I dlatego album *Achtung Baby* mógł spodobać się Larry'emu tylko pod warunkiem, że piosenki będą świetne. Nie obchodziło go, że pracowaliśmy z technologią. Przedsięwzięcie artystyczne? To tylko kaprys Bono i Edge'a. Najważniejsze, czy piosenki są dobre. Jeżeli nie, to chodźmy do domu, bo tu zimno.

Co sądził o Brianie Eno?
To kolejny doskonały przykład. Larry chętnie poświęciłby jak najmniej czasu na proces powstawania muzyki rozumiany jako istotny czynnik

naszej pracy, w przeciwieństwie do Briana, któremu chodzi wyłącznie o proces. Pierwsza rzecz, jaką robi Brian, kiedy przyjeżdża na sesję, to przemeblowanie pomieszczenia - nie żartuję. Porządkuje, wyrzuca instrumenty, wzmacniacze i... ludzi [*śmiech*], którzy mu nie pasują. Potem pyta o nasze nastawienie - jakie podejście przyjmujemy, więc dość dużo czasu pochłania sam proces. A Larry wznosi oczy do nieba. Ale kiedy w efekcie powstaje doskonała piosenka, Larry podchodzi do Briana i mówi: „To był świetny dzień". Jeżeli jej nie ma, Larry uważa, że nie powinien dostać forsy. [*śmiech*] Chciałby, żeby Brian wypisywał czeki za przywilej przebywania z zespołem w jednym pomieszczeniu. [*śmiech*] Chodzi o wynik. Jeżeli w końcu wychodzi z tego piosenka, to było warto, a jeśli nie, wolałby zostać w domu i pobawić się z dziećmi.

Jak okazywał zniecierpliwienie?
Wydaje mi się, że przy *Achtung Baby* było kilka chwil, kiedy prawie uciekł na lotnisko. Raz w Berlinie Wschodnim został w hotelu, który przezwaliśmy „brązowym", bo wszystko w nim było brązowe. Atmosfera była nerwowa, spędziliśmy tam trzy tygodnie i nie napisaliśmy ani jednej naprawdę wartościowej nuty. Larry przez pomyłkę został w hotelowym holu, a całą naszą resztę zawieziono do studia. Chyba w końcu dostrzegł komizm całej sytuacji. Nie miałby nic przeciwko temu, gdyby później musiał nadgonić czymś wielkim. Denerwowało go, że potem skończyło się czymś tak brązowym jak ów hotel. A na płycie było za dużo brązu tego rodzaju, zanim w końcu zaczęła się mienić różnymi kolorami.

Potrzebowaliście Briana Eno, Daniela Lanoisa i Flooda, żeby zamienić czerń i biel w feerię barw?
I Steve'a Lillywhite'a, żeby móc się skupić. Muszę przyznać, że nie wiem, gdzie byśmy się bez nich znaleźli jako zespół. Daniel Lanois to fantastyczny muzyk. Kiedy nagrywasz z nim album, robota musi być perfekcyjna, inaczej ktoś zginie - albo ty, albo on. Nie znosi przeciętności, nie angażuje się w nic, co trąci fałszem. W nim zawiera się definicja słów, których użyłem w *Vertigo*: „Uczucie jest znacznie silniejsze od myśli".

Z Brianem Eno było inaczej?
Mógłbyś pomyśleć, że u niego jajogłowość przeważa nad sercem, ale nic z tych rzeczy. Słucha dużo muzyki gospel, doo-wop, grup wokalnych, które doprowadzają do łez. Poza tym surowo ocenia stare pomysły i zawsze szuka nowych. Ale kontekst i moda nie są dla niego tak samo istotne jak dusza. On jest – i zawsze był – ważnym katalizatorem kilku najlepszych utworów U2: *Bad*, *With or Without You*, *Grace*, *In a Little While*. To bardzo emocjonalne piosenki, które by nie powstały, gdyby nam nie towarzyszył.

Uwielbiam *In a Little While*. W tej piosence poznaję ciebie.
Cóż, zaczęła się od Briana. Bawił się jakimiś gospelowymi akordami, a ja po prostu zacząłem śpiewać.

Jak Flood pasuje do tego obrazka?
Jedyny człowiek na świecie, który lubi, kiedy gram na gitarze! Prawdziwy innowator. Wybuchy na początku *Zoo Station*, kiedy masz wrażenie, że głośniki eksplodują, to właśnie on. Mroczny lord.

Przychodzi mi na myśl słowo, o które miałem cię zapytać. To pierwsze użyte przez ciebie określenie, kiedy zacząłem wypytywać o Edge'a, Adama i Larry'ego, a brzmi ono „irytujący"... Weźmy nagranie waszego nowego albumu. Czy zdarzały się chwile, kiedy to uczucie powracało?
[*pauza*] Hmm... Przy *How to Dismantle an Atomic Bomb* szło nam dobrze. [*pauza*] Czasami bywa ciężko – bardzo długo nad czymś pracować, przygotowywać się do tego, zaprezentować zespołowi, a potem spotkać się z ogłuszającą ciszą albo odgłosem rozdziawianych ust i ziewnięcia. Ale Adam i Larry mają bardzo wysokie wymagania i zwykle, jeśli piosenka jest naprawdę dobra, okazują duże zainteresowanie. Jednak nawet wtedy nie okazują nadmiernych emocji.

Nie miewasz czasami wrażenia: „Boże, znam tych ludzi na wylot. Wiem, jaki dowcip opowiedzą. Błagam, oszczędź mi tego...". Jak się bronisz przed takimi odczuciami?

To, co wszyscy trzej mają - w nadmiarze - to uczciwość. Są w stanie zrezygnować z kolosalnych pieniędzy i wybrać najprostsze rzeczy. [*śmiech*] I zawsze mnie to bawi. Pod tym względem są nieugięci - elastyczni, ale nieugięci. Wszyscy trzej mają szelmowskie poczucie humoru i właśnie to podtrzymuje moją ciekawość.

Czyli trzymają cię w pogotowiu?
Tak, trzymają mnie w pogotowiu.

To głupie, ale... wyobraź sobie, że jestem headhunterem i dzwonię do ciebie. Powiedzmy, że Edge został lekarzem, tak jak kiedyś planował. No i pytam cię: „Jest pan jednym z jego najlepszych przyjaciół, więc chciałbym, żeby mi pan szczerze opowiedział o tym facecie. Chcę mu zaproponować posadę dyrektora kliniki. Co pan o nim myśli? Jakie ma wady i zalety oraz przed czym by mnie pan najbardziej przestrzegał?".
Po pierwsze, błagam, nie rób z niego szefa swojej kliniki! [*śmiech*]

Może powinniśmy zatrudnić go jako chirurga?
Tak, to jest chirurg. Zrobi najmniejsze możliwe nacięcie, ale będziecie potrzebowali więcej eteru, znieczulenia. Pewnie spędzi godzinę, krążąc wokół pacjenta, zanim w końcu go otworzy. Szczególnie będzie się interesował neurochirurgią.

Słyszałem plotki, że lubi przeprowadzać dziwaczne eksperymenty. Czy powinienem się tego obawiać?
Dopóki w grę wchodzi głowa kogoś innego, to chyba jesteś bezpieczny. [*śmiech*] Będzie bardzo odpowiedzialny i, jak mówię, wykonując powierzone zadanie, wyrządzi najmniejsze możliwe szkody.

Czy to znaczy, że przestrzega mnie pan przed jego skłonnością do samookaleczania?
Tak, nie pozwoliłbym mu operować własnej głowy. [*śmiech*] I zadbałbym o zasilanie awaryjne, bo zabieg może się trochę przeciągnąć.

Dobra, a teraz Adam. Zamierzamy go zatrudnić jako architekta krajobrazu. Wiemy, że uwielbia przyrodę. Właśnie kupiliśmy ogromną posiadłość, cudowne miejsce na południu Francji. Mamy winnice, zamierzamy założyć pole golfowe, myślimy też o wodospadzie. Słyszeliśmy o niejakim Adamie Claytonie. Wiemy, że długo z nim pan pracował. Uważa pan, że się nada?
Po pierwsze, musi pan dysponować naprawdę bardzo dużym budżetem. I proszę być przygotowanym na wydatek równy kwocie wydanej w sumie na posiadłość i dom. Cztery ściany nie interesują go nawet w połowie tak bardzo jak to, co poza nimi. Dla niego ogród to mebel Boga i bardzo pracowicie o niego dba. Nigdy pan go nie zobaczy, jak po nim biega. Reszta pracowników dostanie kota, patrząc, ile czasu potrzeba mu na przycięcie żywopłotu. Ale kiedy przyjrzy się pan wynikom jego pracy, dostrzeże pan wspaniałe i niespodziewane kształty. Adam porusza się bardzo powoli, zbuduje most nad rzeką, z tym że nie użyje do tego zwyczajnych kamieni, tylko zatrudni rzeźbiarza.

Pan wybaczy, ale to mnie martwi. Mówi mi pan, że będzie bardzo drogi i że nie skończy pracy w terminie. Żałuję, ale go nie zatrudnię.
Bardzo drogi i nie skończy pracy w terminie. Każdy rzemieślnik przeradza się w artystę. I dopiero kiedy zda pan sobie sprawę, że konto bankowe wyczyszczone jest do dna i trzeba sprzedać posiadłość, pojmie pan, że jest obecnie warta dziesięć razy tyle, ile w nią pan włożył. Nic z tego, co zrobi Adam, nie wychodzi z mody, z wyjątkiem jego fryzury.

Wreszcie przyszła kolej na Larry'ego. Tak przy okazji, nie mam pojęcia, czym by się zajął, gdyby nie został perkusistą.
Hmm... Do czego by go polecić?... Aktor! W pewnym sensie, jak na osobę tak bezpretensjonalną, to właśnie on w zespole najbardziej udaje. Robiąc tak niewiele, stworzył postać – moim zdaniem – bardzo trwałą, nieprzeniknioną i fascynującą. Myślę, że kamera uwielbia osoby, które... nienawidzą kamer.

Powiedzmy, że jesteś jego agentem. Jak byś go obsadził? Z jakimi reżyserami poleciłbyś mu pracować? Jakie partnerki i fabuły?
Moim zdaniem, wszyscy wielcy aktorzy zawsze pozostają sobą, nabierając cech postaci, które grają. To jedna z wielkich sprzeczności. Moim ulubieńcem jest Daniel Day-Lewis. Kiedy przeistacza się w kogoś innego, zawsze dostrzegam w nim coś prawdziwego, bo to nadal jest on. Myślę, że Larry zawsze będzie miał tę cechę. Najbardziej przypomina mi Davida Carradine'a. We wszystkich rolach ma w sobie coś z samotnika, nawet kiedy znajduje się wśród ludzi. A znów kiedy się śmieje, śmieją się wszyscy, bo musiało się zdarzyć coś naprawdę zabawnego. [*wybucha śmiechem*]

Jaka byłaby jego najważniejsza rola?
Policjant drogówki w środku Ameryki. Jakieś Aimes w stanie Iowa. Zagrałby policjanta drogówki bardzo zrozpaczonego tym, że nie radzi sobie z rewirem, bo farmerzy bankrutują, aż w końcu jednego dnia nie wytrzymuje i zaczyna planować napad na miejscowy bank.

A na co powinienem uważać?
Powiedziałbym... nie każ mu grać ról szekspirowskich! [*śmiech*]

No i w końcu ty, Bono. Zostałeś najlepszym agentem ubezpieczeniowym naszej firmy. Mamy zamiar mianować cię szefem nowego działu – ubezpieczeń *online*. Czy, zdaniem kumpli z zespołu i Paula McGuinnessa, to dobry pomysł? Co oni by na to powiedzieli?
Powiedzieliby: dlaczego mamy kupować ubezpieczenie od kogoś, kto sam nigdy nie był ubezpieczony?

4. KTO TU JEST ELVISEM?

Następna rozmowa z Bono jest kontynuacją listopadowego popołudnia spędzonego w Killiney w 2002 roku. Od razu widać, że nastrój stał się bardziej poważny. Na szczęście, nagrody MTV, pizza, Christina Aguilera i kilka lampek chablis nieco go ożywiły.

Na okładce tygodnika „Time" ukazało się ostatnio twoje zdjęcie z podpisem: „Czy Bono ocali świat?". Podjąłeś się dorywczego zajęcia jako światowy ambasador organizacji DATA założonej do spółki z Bobbym Shriverem. Zanim pomówimy o przyczynach twojego zaangażowania w działalność humanitarną, muszę zapytać: czy nigdy nie czujesz, że świat jest do kitu i nic na to nie poradzimy?

Czasami odczuwam przygnębienie, jestem trochę zły, że w tej sprawie idzie nam pod górę. Chociaż to, o czym w DATA mówimy, wywodzi się z wielkiej tradycji równości. Równość jest pojęciem, które tak naprawdę po raz pierwszy wyrazili Żydzi, kiedy Bóg im powiedział, że w Jego oczach wszyscy są równi. Myśl wówczas niedorzeczna, a nawet teraz trudna do przyjęcia. Możesz sobie wyobrazić chłopów w sandałach uwalanych odchodami owiec, jak stają przed faraonem? Faraon rzecze: „W y równi m n i e?". A oni zaglądają do księgi i mówią: „Tak tu stoi napisane". Po jakimś czasie ludzie to przyjęli, choć z oporami. Bogaci i biedni byli sobie równi w oczach Boga. Ale nie czarni! Czarnoskórzy nie mogą być równi. Nie kobiety! Chyba nie chcesz, żebyśmy to zaakceptowali?! Widzisz, w tradycji żydowsko-chrześcijańskiej musimy przyjąć, że wszyscy jesteśmy równi. Obecnie większość ludzi uznaje, że kobiety, czarnoskórzy, Irlandczycy i Żydzi są równi, ale tylko tyle. Nie jestem pewien, czy akceptujemy równość Afrykanów.

Nie bardzo rozumiem, co chcesz przez to powiedzieć.
W przypadku AIDS mamy na świecie do czynienia z największą pandemią w historii cywilizacji. Jest straszniejsza niż dżuma, a ta w średniowieczu zabiła jedną trzecią ludności Europy. Sześć i pół tysiąca Afrykanów umiera codziennie na chorobę, której można zapobiec i leczyć. Ale to nie jest priorytetem dla Zachodu: przecież to jak dziennie dwie tragedie z 11 września, osiemnaście jumbo jetów pełnych ojców, matek i rodzin spadających z nieba. A tu żadnych łez, żadnych kondolencji, żadnych salutów armatnich. Dlaczego? Ponieważ do życia Afrykanina nie przywiązujemy takiej samej wagi jak do życia Europejczyka czy Amerykanina. Bóg nam tego nie daruje, historia z pewnością nie puści płazem naszych wymówek. Tłumaczymy się, że nie jesteśmy w stanie dostarczyć leków przeciw retrowirusom do najdalszych zakątków Afryki, ale bez przeszkód docierają tam nasze napoje gazowane. Nawet w najmniejszej wiosce znajdziesz butelkę coca-coli. Wiesz, gdybyśmy naprawdę uważali, że życie Afrykanina jest warte tyle samo co Anglika, Francuza czy Irlandczyka, nie pozwolilibyśmy dwu i pół milionom ludzi umierać co roku z najgłupszego powodu: pieniędzy. Po prostu nie pozwolilibyśmy. Pewien bardzo prominentny szef państwa powiedział mi: „To prawda. Gdyby ci ludzie nie byli Afrykanami, po prostu byśmy na to nie pozwolili". W głębi serca tak naprawdę nie wierzymy w ich równość.

Kto tak powiedział?
Nie mogę powiedzieć... ale to był szef państwa, który się wstydził. Właściwie czuł się zgorszony. Spisaliśmy Afrykanów na straty. Zatem następny krok na drodze ku równości to akceptacja faktu, że nie możemy sobie wybierać sąsiadów. W globalnej wiosce dystans czy odległość nie decydują już o tym, kto jest bliźnim, a „miłuj bliźniego swego" to nie rada, tylko nakaz.

Pochodzisz z tego samego kraju co Jonathan Swift. Wiesz, że nie pokładał szczególnych nadziei w rasie ludzkiej...
*Eat the Rich** to klasyk. Świetnie powiedziane!

Czytałem *Podróże Guliwera*, kiedy miałem piętnaście lat, i przekonałem się, że dużo się tam mówi o złej stronie natury ludzkiej. Ale cóż, jestem większym pesymistą niż ty.
Dla Amerykanów pochodzących z Afryki zniesienie niewolnictwa wydawało się czymś niemożliwym! Nawet pięćdziesiąt lat temu bardzo trudno było pogodzić się z wizją, że kobieta ma prawo głosu, może szefować korporacjom i być premierem Anglii.

Rozumiem. Z pewnością jesteśmy świadkami zmian i być może okazujemy większą wielkoduszność niż nasi dziadkowie.
Nie byłbym tego taki pewny. Ale możemy powiedzieć, że w kwestii równości nastąpił znaczny postęp.

Z zastrzeżeniem, że nie wszystkie cywilizacje dotrzymują mu kroku. To pokazuje historia. Europa Zachodnia i Ameryka Północna żyją w świecie postmodernistycznym, podczas gdy Afryka tkwi w średniowieczu albo jeszcze głębiej. Bez względu na to, jak dobre są nasze intencje, przepaść jest nie do zasypania. Więc jak, twoim zdaniem, mamy się porozumieć?
A dlaczego Afryka tkwi w średniowieczu? Odpowiedź na to pytanie znajdziesz w historii, pozwól, że to udowodnię. [*Bono nagle wstaje i woła swoją córkę*] Jojo! Jordan! [*wychodzi z pokoju i idzie na górę. Wraca po minucie ze szkolnym podręcznikiem. Znowu siada i zaczyna przerzucać kartki*] Oto podręcznik do geografii piętnastoletniej uczennicy. Dziś do niego zajrzałem i poczytałem. [*Znajduje w końcu właściwy fragment i czyta na głos*] „Rozpiętość dochodów. Można przypuszczać, że dwieście lat temu między półkulą północną a południową istniały

---

* „Zjedz bogatego" - ang. Przekręczony cytat z *Modest Proposal* Swifta.

niewielkie różnice w standardzie życia. Obecnie rozpiętość dochodów przybrała ogromne rozmiary: Północ jest znacznie bogatsza niż Południe. Co spowodowało takie zróżnicowanie? Odpowiedzi należy szukać w kolonizacji, handlu i zadłużeniu". Tłumaczą piętnastoletniemu dziecku, że średniowieczu Afryki winni jesteśmy przede wszystkim my i nasza rabunkowa eksploatacja jej zasobów przez kolonie angielskie i francuskie, ale także współczesny wyzysk: zawieranie nieuczciwych umów handlowych i efekty starego zadłużenia. Nie możemy zaradzić wszystkim problemom, ale tym, którym możemy - musimy. Musimy naprawić szkody w takim zakresie, w jakim za nie odpowiadamy. Kiedy mówisz mi, żebym po prostu pogodził się z faktem, że cywilizacje znajdują się na różnym poziomie rozwoju, oto moja odpowiedź.

W porządku. Ale spróbujmy podejść do tego od innej strony. Wiesz, że pod koniec XIX wieku kolonizację uważano we Francji za pomysł lewicowy. Jej orędownikami byli humanitaryści.
[*śmiech*] Zapytaj lepiej Afrykanów! Czy ich zdaniem kolonizacja była humanitarna?

Ja ci tylko mówię, jakie poglądy panowały wtedy we Francji.
Jakie kolonie miała Francja? Algierię, Wybrzeże Kości Słoniowej... Ile? Jeszcze Wietnam... Francja była bardzo hojna dla wielu krajów. [*śmiech*]

Niektórzy chcieli przynieść tym ludziom bogactwo i rozwój. Dla nas, współczesnych, to nie do przyjęcia z powodu zła - ukrytego lub jawnego. Ale kiedy poczytasz literaturę tego okresu, przekonasz się, że niektórzy kolonizatorzy byli w gruncie rzeczy idealistami...
Ależ istnieje całe mnóstwo wymówek! Misje... żeby krzewić chrześcijaństwo na Czarnym Lądzie.

Jasne. I zaszczepić tam dobrodziejstwa zachodniej cywilizacji. Nie twierdzę, że musimy się pod tym dziś podpisywać.

Ale w zamian za to rdzenni mieszkańcy zostali ograbieni ze swoich bogactw naturalnych: złota, srebra, a na koniec z prawa do samostanowienia. Bez względu więc na to, jak to zrobiono i opisano, w ostatecznym rozrachunku kolonializm cofnął ten kontynent o całe setki lat w rozwoju. Cywilizacja wcale nie przyszła wraz z kolonizacją. To się rzuca w oczy.

Wszystkie szlachetne idee nieuchronnie niosą ze sobą zło.
Dlaczego?

Spójrz na przykład na komunizm. Albo to: często powtarzasz ludziom, że Stany Zjednoczone to doskonały pomysł, a popatrz na całe zło, jakie legło u podstaw powstania tego kraju. Uważam, że nie powinieneś postrzegać historii tylko w jasnych i ciemnych barwach. Wszystko, co dobre, ma swoją ciemną stronę.
Masz rację.

Niektórzy by powiedzieli, że Stany Zjednoczone winne są eksterminacji rdzennej ludności Ameryki.
Tak. Uważam, że większość ludzi przyznałaby, że Ameryka miała krwawe początki; nie chodzi o Ojców Założycieli, ale o to, co przyszło potem. A krew zabitych nadal woła. Nawet współcześnie poziom przemocy i przestępstw z bronią w ręku jest niebywały. Zastanawiam się, czy czasem nie ma to jakiegoś związku z brutalną przeszłością. Jednak pomijając początkowe ludobójstwo, narody, które uczyniły Amerykę swoim Nowym Światem, obstawały przy koncepcji, że każdy może być równy. Być może Amerykanie odziedziczyli jakąś złą karmę po tym, jak zniszczyli rdzenne kultury i ludy, ale kiedy przybijali do brzegów i portów Ameryki, bardzo mocno trzymali się jednej idei, a była to właśnie idea równości. Wydaje mi się, że pod względem politycznym idea ta zrodziła się we Francji i jest jedną z najtrudniejszych do realizacji. Szkoda, że zanim dotarła za ocean, przesłoniła ją przemoc, ale jednak to jej nie zniekształca. Idea jest czysta. Miejsce gdzie wcielono ją w życie, mogło takie nie być.

Napoleon również miał szlachetne ideały.
[*przerywając*] Lubię małych facetów z wielkimi ideami! [*śmiech*]

Jego kampanie doprowadziły do śmierci setek tysięcy osób! To odpowiednik ludobójstwa. Ale miał wielu zwolenników wśród ludów podbitych, bo szerzył ideały rewolucji francuskiej, takie jak wolność od tyranii. Szlachetne ideały dość często pociągają za sobą krwawe skutki. Często zło i dobro bywają ze sobą nierozerwalnie splątane.
To prawda. Zobacz: zło stopniowo wkrada się do każdej dobrej idei. Może ją zdominować, ale w ostatecznym rozrachunku na świecie przeważa światło. Pogodziłem się z tym, że Bóg wybiera sobie na współpracowników dość marny materiał. Bardziej zdumiewa mnie jednak to, do czego ludzie są zdolni, niż to, do czego nie są – innymi słowy, zło mnie nie zaskakuje.

Wydaje mi się, że nie doceniasz zła.
Dżungla czai się zawsze tuż pod skórą. Bardziej ekscytuje mnie to, do czego są zdolni ludzie – na plus. Mówię tu o dążeniu do równości. Nastąpił niesamowity postęp, ale zgodzę się, że regres był straszny. Masz rację. Z nauką przychodzi $E = mc^2$, z czego bierze się energia jądrowa. Znasz ten słynny cytat z Oppenheimera? W lipcu 1945 roku podczas pierwszych prób nuklearnych na pustyni Alamogordo w Nowym Meksyku, kiedy zdał sobie sprawę, do jakiego odkrycia doprowadziły jego badania, powtórzył słynny cytat z *Bhagavadgity*, świętej hinduskiej księgi: „Stałem się śmiercią wcieloną"*. Więc... błagam, błagam! Nie doszukuj się we mnie jakiegoś idealisty z szeroko otwartymi oczami, który widzi w ludziach tylko dobro. Może raczej idealisty zezowatego.

To bardzo ważne spostrzeżenie.
Widzę w ludziach dobro, ale widzę i zło – widzę je też w sobie. Mam świadomość, do czego jestem zdolny – i dobrego, i złego. Bardzo waż-

* J. Robert Oppenheimer powiedział: „Stałem się Śmiercią, niszczycielem światów". *Bhagavadgita* mówi: „Jestem śmiercią, potężnym niszczycielem świata".

ne, żebyśmy to sobie wyjaśnili. To, że często potrafię ominąć ciemność, nie oznacza, że nie wiem, że ona jest.

Jak odnajdujesz drogę w ciemności? Domyślam się, że tak jak wszyscy, od czasu do czasu się potykasz.
Staram się, żeby światło świeciło jaśniej.

I jak ci się to udaje? Daj mi jakiś przykład.
Jednym z moich wielkich bohaterów jest Harry Belafonte. Należy do starej szkoły lewicowców i trzyma się pewnych zasad, tak jak niektórzy trzymają się kurczowo życia. Opowiedział mi pewną historię o Bobbym Kennedym. Odmieniła moje życie i wyznaczyła polityczny kierunek, w którym obecnie podążam. Harry pamiętał spotkanie z Martinem Lutherem Kingiem, kiedy w latach sześćdziesiątych ruch praw obywatelskich został przyparty do muru [*naśladując chrapliwy głos Belafonte'a*]: „Mówię ci, kiedy Bobby Kennedy został prokuratorem generalnym, wszyscy byliśmy przygnębieni. Dla ruchu walczącego o prawa obywatelskie nastał bardzo zły dzień". Spytałem: „Dlaczego?". On na to: „Widzisz, zapomniałeś o czymś. Kennedy to Irlandczyk, a Irlandczycy to prawdziwi rasiści, nie lubią czarnoskórych. Na drabinie społecznej stali jeden stopień wyżej nad czarnym człowiekiem i dawali mu to odczuć. Byli jak policja, regularnie brali nas za jaja. Bobby, o czym się wówczas głośno mówiło, nie interesował się ruchem praw obywatelskich. Wiedzieliśmy, że tkwimy po uszy w kłopotach. Byliśmy przybici, zrozpaczeni, rozmawialiśmy z Martinem, jęcząc i narzekając na to, jak potoczyły się sprawy, kiedy doktor King uderzył pięścią w stół i kazał nam przestać biadolić: »Dość tego« - rzekł - »nie ma tu nikogo, kto powiedziałby chociaż jedno dobre słowo o Bobbym Kennedym?«. Odparliśmy: »Martin, o to właśnie chodzi! Nie ma nikogo. Nic dobrego nie można o nim powiedzieć. Ten facet to irlandzki katolicki konserwatywny dupek, jest do kitu«. Na to Martin: »W takim razie zakończmy spotkanie. Odłóżmy je do czasu, aż ktoś znajdzie choć jedną jego pozytywną cechę, ponieważ to, moi przyjaciele, jest brama, przez którą przejdzie nasz

ruch«. Zakończył spotkanie i kazał im się rozejść. Nie chciał więcej słyszeć żadnej krytyki pod adresem Kennedy'ego. Wiedział, że musi istnieć coś pozytywnego. A skoro istniało, ktoś to znajdzie.

Znaleźli jakąś pozytywną cechę Bobby'ego Kennedy'ego?
Okazało się, że Bobby utrzymywał bliskie kontakty ze swoim biskupem. Więc zaprzyjaźnili się z jedynym człowiekiem, który potrafił do niego dotrzeć, przemówić do jego duszy, i zmienili go w konia trojańskiego. Ci od praw obywatelskich poszli razem do biskupa i nakłonili go, żeby porozmawiał z Kennedym. Pod koniec opowieści Harry bardzo się wzruszył: „Kiedy Bobby Kennedy padł martwy na chodniku w Los Angeles, nie było większego sojusznika ruchu na rzecz praw obywatelskich. Nikomu nie zawdzięczaliśmy tak wielkiego postępu w naszej sprawie jak jemu", i zawsze tak uważałem. Chodzi o to, że Bobby Kennedy nadal jest dla mnie natchnieniem. I nieważne, czy przesadzał, czy nie, wiele się nauczyłem, bo Martin Luther King mówił: „Nie reaguj na karykaturę: lewica, prawica, postępowi, reakcjoniści. Nie osądzaj ludzi na podstawie plotek. Znajdź w nich światło, bo dzięki temu popchniesz naprzód swoją sprawę". I tej lekcji trzymam się kurczowo. Więc nie sądź, że nie rozumiem. Wiem, z czym się mierzę, tylko czasem po prostu na takiego nie wyglądam.

Uważam, że ktoś z twoją pozycją ma możliwość robienia rzeczy, których inni ludzie nie są w stanie się podjąć. Działacze organizacji humanitarnych nie docierają do Tony'ego Blaira. A jednak czy nie obawiasz się, że wykorzystają cię ci sami politycy?
Jestem do wykorzystania, taki jest układ. Pokażę się z każdym, ale randka ze mną nie należy do tanich. Wiem, że mnie wykorzystują, to tylko kwestia ceny.

Jaka więc jest cena?
No, na przykład do tej pory, dzięki współpracy DATA z innymi, pod koniec 2002 roku dostaliśmy dodatkowe pięć miliardów dolarów ze Stanów Zjednoczonych dla najbiedniejszych z biednych i zobowiąza-

nie wypłaty następnych dwudziestu miliardów przez kolejnych parę lat w połączeniu ze zwiększoną pomocą dla krajów walczących z korupcją i z AIDS. I to od konserwatywnej administracji - zupełnie nie do pomyślenia nawet rok temu [2004].

Czy byłoby to możliwe, gdybyś nie reprezentował tej organizacji?
Zaangażowało się w to wielu ludzi, ale sądzę, że większość zgodziłaby się, iż pomogliśmy przedstawić sytuację w nowej perspektywie - jako wyraz sprawiedliwości dziejowej, a nie akcję charytatywną, jako przedsięwzięcie, przy którym lewica może współpracować z prawicą, radykalni działacze studenccy z konserwatywnymi grupami kościelnymi. Gwiazdy rocka, ekonomiści, papieże i politycy śpiewali tę samą piosenkę.

Wszystko zaczęło się od ruchu Drop the Debt?
Rozmawiałem w Stanach o DATA, ale masz rację, model powstał w jubileuszowym roku 2000 w Europie, podczas kampanii na rzecz likwidacji zadłużenia Trzeciego Świata. Zwrócono się do mnie, żebym pomógł. Chodziło o to, żeby wykorzystać rok milenijny do umorzenia zadłużenia najbiedniejszych krajów na planecie u najbogatszych. Politycy szukali czegoś spektakularnego, żeby upamiętnić tę chwilę. Równałoby się to zniesieniu niewolnictwa gospodarczego. Niektóre kraje, jak na przykład Tanzania czy Zambia, na obsługę kredytów z okresu zimnej wojny wydawały dwa razy tyle co na ochronę zdrowia i oświatę swoich obywateli. To niemoralne.

W takim razie dlaczego pożyczali tak dużo?
Można to nazwać nieodpowiedzialnym braniem kredytów, ale także nieodpowiedzialnym dawaniem. W latach sześćdziesiątych i siedemdziesiątych Zachód wciskał pieniądze każdemu krajowi w Afryce, który nie trzymał z komunistami. Zimną wojnę toczono także na Czarnym Lądzie. Ludzie pokroju Mobutu, dyktatora ówczesnego Zairu, chowali pieniądze na kontach w bankach szwajcarskich, a swoim rodakom pozwalali umierać z głodu. Absolutnie nie do przyjęcia jest

obciążanie wnuków kosztami tych błędnych decyzji. Powtarzam, tutaj nie chodzi o akcję charytatywną, tylko o sprawiedliwość.

Ile udało się anulować?
Około jednej trzeciej wszystkich długów, co daje w sumie sto miliardów dolarów.

Walnie przyczyniłeś się do tego sukcesu...
Prawdę mówiąc, największy wpływ miałem chyba w Stanach Zjednoczonych. W Europie ruch działał już z rozmachem, zwłaszcza w Wielkiej Brytanii, ale w Stanach Jubileusz Roku 2000 rozkręcał się znacznie wolniej. Zaczęło nam brakować czasu na pobudzenie inicjatyw obywatelskich, więc musiałem pójść prosto do decydentów albo przynajmniej do ludzi, którzy ich znali.

Czyli do kogo?
Chyba najlepszą z moich - rozlicznych przecież - rozmów przeprowadziłem z najbardziej niesamowitą kobietą na świecie: z Eunice Shriver Kennedy, siostrą Johna F. Kennedy'ego, kobietą, która w wieku czterdziestu paru lat zmieniła świat, doradzając, aby wybrano JFK na prezydenta, a po raz drugi zmieniła go, organizując paraolimpiadę. Legenda i lekcja powinności obywatelskich. Tacy są wszyscy w klanie Kennedych i nie mówię tak tylko dlatego, że są dla Irlandczyków jak rodzina królewska, ale ponieważ widziałem, jak ciężko pracują.

Co ci poradziła Eunice Shriver Kennedy?
Powiedziała, żebym zadzwonił do jej syna Bobby'ego, co też zrobiłem. Z miejsca otworzył notes. Nie tylko dał mi numery, ale także dzwonił do tych osób i często towarzyszył mi w spotkaniach.

Czy członek najsłynniejszej rodziny amerykańskich demokratów dysponował wpływami wśród republikanów?
Tak, miał pewne wpływy. Ale było kilka spotkań, podczas których wolał schować się na korytarzu. Pamiętaj, że jego szwagier Arnold

Schwarzenegger ma wielu przyjaciół wśród republikanów. Zadzwonił do kongresmana z Ohio Johna Kasicha, który został moim kapitalnym przewodnikiem po republikańskim Kongresie.

Uważasz, że bez ciebie amerykańska część kampanii Drop the Debt nie byłaby tak skuteczna.

Beze mnie i bez Bobby'ego Shrivera. Myślę, że gdyby zapytać prezydenta Clintona, jak zdołał umorzyć sto procent dwustronnego zadłużenia dla dwudziestu trzech krajów, powiedziałby, że prekursor DATA, Jubileusz Roku 2000, bardzo się przydał. Gdybyś go zapytał, jak udało się przepchnąć inicjatywę przez Kongres, powiedziałby: „Parę osób sporo się nachodziło". Z pewnością jestem jedną z nich. Bobby Shriver, ja i Larry Summers - ówczesny sekretarz skarbu - utonęlibyśmy bez Johna Kasicha. Prezydent Clinton był zwolennikiem tej idei, ale musieliśmy zaciekle walczyć, żeby mógł postawić na swoim. To zabawne, ale myślałem, że prezydent Stanów Zjednoczonych to wódz wodzów, szef nad szefami, ale nie. W Stanach Zjednoczonych rządzi Kongres. Kiedy prezydent Clinton ogłosił poparcie dla całkowitego oddłużenia, sądziliśmy, że dopięliśmy swego, i skakaliśmy z radości. Ale wtedy rozdzwoniły się telefony: to nie przejdzie przez Kongres. I tak oto znalazłem się w samym środku świata polityki, usiłując odgadnąć, jak ten świat żyje, oddycha i zachowuje się - gwiazda rocka, błądząca po korytarzach władzy, zamiast stać z transparentem na zewnątrz. Dziwne. Co parę tygodni musiałem jeździć do Waszyngtonu na niespodziewane spotkania z różnymi osobami i próbować zdobyć poparcie dla anulowania długu przez Stany Zjednoczone. Było pod górkę. Ja i Bobby Shriver wchodziliśmy nie tyle w świat ideowych polityków, ile w świat bankierów i ekonomistów i swoistej elity stojącej na straży amerykańskiej świnki-skarbonki. Dla większości tych ludzi, zwłaszcza bankierów, darowanie długów jest jak zaparcie się wiary. Bobby znał się na finansach, ale ja byłem totalnie w lesie.

I co wtedy zrobiłeś?

Miałem jedną odpowiedź i dwa pytania.

Nie jestem zaskoczony, że zaczynałeś od odpowiedzi. Mógłbyś ją zacytować?
„Wróć do szkoły". Bobby umówił mnie z profesorem Jeffreyem Sachsem z Harvardu, co zupełnie odmieniło moje życie. Dodał mi śmiałości, zmienił matematykę w muzykę. Spędziłem z nim mnóstwo czasu na kampusie i nie tylko. To człowiek, który nie widzi przeszkód na drodze do realizacji wielkiej idei.

Spotkałeś ludzi myślących inaczej?
Tak. Pytałem i wreszcie dotarłem do bardzo konserwatywnych ekonomistów, jak na przykład Robert J. Barrow. Chciałem poznać ludzi przeciwnych temu pomysłowi.

Wrażenia?
Spodobał mi się. W końcu napisał artykuł dla „Wall Street Journal", wznosząc na naszą cześć „dwa wiwaty".

W porządku. Teraz powiedz mi o dwóch pytaniach.
Pierwsze właśnie wymieniłem. „Kto nas może zatrzymać?" Chciałem poznać ludzi, którzy mogli nam w tym przeszkodzić... żeby im w tym przeszkodzić.

A drugie?
Drugie brzmiało: „Kto tu jest Elvisem?". Gdziekolwiek byłem, chciałem wiedzieć, kto jest szefem, kto jest *capo di tutti capi*. „Kto jest Elvisem w bankowości?" - pytałem, a oni odpowiadali: „W sprawach rozwoju gospodarczego to Bank Światowy, to Jim Wolfensohn, to ludzie kierujący Międzynarodowym Funduszem Walutowym". Więc szedłem i spotykałem się z nimi. To Robert Rubin, sekretarz skarbu Stanów Zjednoczonych, jego podpis widnieje na każdym dolarze, to Paul Volcker - legendarny przewodniczący Rezerwy Federalnej, Alan Greenspan tamtych czasów. Po prostu szedłem wszędzie tam, gdzie się mnie nie spodziewali. Nie szedłem, bo chciałem, szedłem, bo musiałem, żeby to przepchnąć przez Kongres. Nie wystarczyło pogadać

z prezydentem Clintonem. Dziwna rzecz, ekipa Billa Clintona nazywała go właśnie Elvisem. Taką miał ksywkę. Pewnie przez południowy akcent. Ale okazuje się, że Elvis nie wystarczał. W Stanach to nie prezydent jest najpotężniejszy, lecz Kongres. Potrzebowaliśmy pułkownika Toma*, żeby przepchnąć nasz projekt ustawy. A pułkownikiem Tomem był Kongres.

No to odbyłeś intensywny kurs funkcjonowania władzy.
Zgadza się.

Jak wykorzystałeś tę wiedzę w praktyce? Co osiągnąłeś?
W kwestii umorzenia długów odnieśliśmy zwycięstwo. Niewiele brakowało, ale udało się z wydatną pomocą kilku osób, zwłaszcza Johna Kasicha. Był niesamowity. Z pasją przedstawił sprawę republikanom. W dyskusji w Izbie Reprezentantów zakrzyczał przeciwników ustawy i dopięliśmy swego. Zabrało to parę miesięcy jemu i mnie, bo latałem tam i z powrotem z Dublina. Na arenie międzynarodowej zwycięstwo było spore. Gdyby Stany nie zrobiły tego kroku, reszta krajów by się wycofała. Powtarzam, w grę wchodziła kwota stu miliardów dolarów i jestem bardzo dumny z naszej roli, jakkolwiek mała by ona była.

Czyli uważasz, że opłaciło się pozować do zdjęcia z tymi politykami.
W wyniku oddłużenia teraz w Ugandzie chodzi do szkoły trzykrotnie więcej dzieci. A to tylko jeden kraj. Wszędzie w krajach rozwijających się znajdziesz szpitale budowane za te pieniądze, zmienione życie, zmiany w społecznościach. Gdyby Kongres tego nie zatwierdził, Europejczycy mogliby się wymigać. Widzisz, oni działają *en masse*. Czy osiągnęlibyśmy to bez ludzi wychodzących na ulice, walących w pokrywy od kubłów i podnoszących temperaturę dyskusji? Nie. Potrzeba jednego i drugiego. Protestujący chcą wejść do środka. Kiedy więc dostajesz się do środka, zaczynasz okupację, dyskutujesz i nie wychodzisz, dopóki nie dostaniesz czeku.

---

* „Pułkownik" („Colonel") Tom Parker był menedżerem Elvisa Presleya.

To inny rodzaj władzy: władza gwiazd.
Wiesz, gwiazdorstwo jest śmieszne. Jest głupie, lecz w pewnym sensie stanowi walutę, więc musisz ją mądrze wydawać. Tyle się nauczyłem.

W Stanach przeszedłeś od przyjaźni z Billem Clintonem do znaku pokoju na zdjęciu z George'em Bushem... Proszę, wyjaśnij to, bo jestem zdezorientowany...
Znalazłem się na zdjęciu z prezydentem Bushem, bo przez trzy lata wyłożył na stół dziesięć miliardów dolarów w formie zdecydowanie zwiększonej pomocy zagranicznej pod nazwą Millennium Challenge Account*. To zabawne zdjęcie. Właśnie wróciłem ze spotkania w Inter-American Bank, podczas którego prezydent ogłosił swoją decyzję. Zachowałem kamienną twarz, kiedy przechodziliśmy koło reporterów, ale znak pokoju był całkiem zabawny. On też tak sądził. Nie zmieniając wyrazu twarzy, szepnął do mnie: „Zaraz będzie tytuł na pierwszej stronie: irlandzki gwiazdor rocka i Toksyczny Teksańczyk". [*śmiech*]

Co za zabawny i skromny facet! Trochę trudno to kupić, nie sądzisz?
Wiesz, moim zdaniem dumny krok i kowbojskie buty idą w parze z poczuciem humoru. To zabawny gość. Nawet w drodze do banku robił sobie jaja. Kawalkada kuloodpornych samochodów pędzi ulicami stolicy, ludzie machają głowie Wolnego Świata, a on im odmachuje. Mówię: „Jest pan tu dość popularny!". On na to [*z teksańskim akcentem*]: „Nie zawsze tak było...". „Naprawdę?" „Tak. Kiedy tu pierwszy raz przyjechałem, ludzie kiwali na mnie jednym palcem. Teraz znaleźli pozostałe trzy i kciuk". Czy to nie zabawne? [*śmiech*]

Polubiłeś go.
Tak. Uwierzyłem mu jako człowiekowi, kiedy powiedział, że czuje się poruszony i chce zrobić coś także w sprawie AIDS. Uwierzyłem mu. Posłuchaj: pod względem politycznym, społecznym czy geograficz-

---

* Fundusz Wyzwania Milenijnego – ang. (przyp. tłum.).

nym nie mogłem przybyć z bardziej odmiennego miejsca. Żeby się tam znaleźć, musiałem komuś zaufać. Przecież on wcale nie musiał mnie zapraszać. Ale wiesz, żeby z kimś się dogadać, niekoniecznie trzeba się zgadzać we wszystkim - wystarczy w jednym.

Zapomniałeś o innych kwestiach: o obniżkach podatków dla bogatych i zbliżającej się wojnie w Iraku?
Stajesz się rzecznikiem jednej sprawy. Reprezentujesz elektorat pozbawiony wpływów i głosu na Zachodzie, którego życie jednak w wielkim stopniu zależy od naszej polityki. Naszymi klientami są ludzie nieznajdujący się w centrum uwagi prezydenta. Moje usta należą do nich dlatego, że je mam. Naszymi klientami są ludzie, których egzystencja zależy od zachodnich leków, a życie radykalnie zmieni się dzięki nowym szkołom i nowym inwestycjom w ich krajach. Traktuję to niezwykle serio. Nie prosili mnie, żebym ich reprezentował. Jubileusz 2000 stał się panafrykańską, paneuropejską i panamerykańską operacją Północy i Południa. Oni właściwie nie zapytali: „Hej, Bono, zrobisz to dla nas?". Piłka sama jakoś tak upadła u moich stóp - oto cała prawda. A ja znalazłem sposób na ominięcie bramkarza. Co zamierzam zrobić? To, co będę mógł. Moja pozycja już i tak jest zupełnie dziwaczna. Zgodzę się, aby ktoś inny został obserwatorem wojennym.

Skoro mówimy o obserwatorach, czy w zespole zapanowało oburzenie, kiedy zobaczyli cię na tych zdjęciach?
Tak, ale wiedzą też, że taka strategia odnosi skutki. W przeciwnym razie zaczynają mnie męczyć. Interesuje ich wynik i dopingują mnie, żebym przedstawiał ostrzejsze argumenty.

Czyli gra w zespole przygotowała cię do tego, co teraz robisz.
Okazuje się, że wiele rzeczy, których się uczysz w zespole, przypomina politykę. I nie tylko - także tak zwany ohydny stary świat handlu, te wszystkie miejsca, w których musisz się przebić. O tych sprawach wiem znacznie więcej, niż myślisz, wystarczy po prostu dbać o intere-

sy U2. Lubimy powtarzać, że nasz zespół jest bandą czterech, ale korporacją pięciu. Rozumiem marki, orientuję się w korporacyjnej Ameryce, pojmuję ekonomię. To wcale nie takie trudne. U2 było szkołą artystyczną, szkołą biznesu. Zawsze zwycięża jedno podejście: wiara ponad strachem. Poznaj swoją działkę, poznaj przeciwnika. Nie rozpoczynaj sporu, którego nie jesteś w stanie wygrać. W kwestii Afryki nie możemy przegrać, bo otwieramy szerzej drzwi, które Bóg Wszechmogący już nam uchylił. Mamy za sobą coś istotnego - moralną wagę argumentów. To coś więcej niż osobistości biorące udział w dyskusji. Mogę wejść do ważnego biura, gdzie ludzie patrzą na mnie jak na jakąś egzotyczną roślinę. Ale po kilku minutach przestają mnie widzieć. Słyszą tylko argument, a argument ma pewnego rodzaju moralną siłę, której nie mogą zakwestionować. Jest większa niż ty, większa niż oni. Po jej stronie stoją historia i Bóg.

I tak stałeś się ekspertem w świecie polityki. Jestem pewien, że miałeś z góry ustalone poglądy na temat polityków. Okazały się błędne czy trafione?
No cóż, im bardziej się starzejesz, tym bardziej zmieniają się twoje wyobrażenia o dobrych i złych ludziach. Kiedy minęły lata osiemdziesiąte i nastały lata dziewięćdziesiąte, przestałem obrzucać kamieniami oczywiste symbole władzy i ich nadużycie. Zwróciłem się przeciwko własnej hipokryzji. W tym przedsięwzięciu chodziło po części o jedno - o przyznanie się do własnego ja. Postaci w piosenkach takich jak *The Fly* nie ukrywają noszonej w sercu hipokryzji, dwulicowości charakteru. Jest taka piosenka pod tytułem *Acrobat*, w której znalazły się słowa: „Nie wierz temu, co słyszysz, nie wierz temu, co widzisz / jeśli tylko zamkniesz oczy / poczujesz obecność wroga...". Nie pamiętam dokładnie, ale chodzi o to, że zaczynasz inaczej postrzegać świat i stajesz się częścią problemu, a nie tylko częścią rozwiązania! [*śmiech*]

Pewnie tak samo to wygląda, kiedy zakładasz zespół. Masz z góry ustalone wyobrażenia o etykietkach i zarządzaniu. A kiedy tylko znaj-

dziesz się po drugiej stronie, możliwe, że zaczynasz patrzyć na sprawy inaczej.

To precyzyjna analogia. No i kto tu jest diabłem? Biurokracja! To jak historia z Kafki. Labirynt biurokracji, która usprawiedliwia brak działania. Ale to nie jest usprawiedliwienie i trzeba znaleźć wyjście. Nawet jeśli w wielu wypadkach ci ludzie nie są źli, nawet jeśli są tylko zabieganymi facetami, trzeba od nich egzekwować odpowiedzialność, bo sprawują władzę. Kongresman Tom Lantos opowiadał, że kiedy był dzieckiem, wsadzono go do pociągu do obozu koncentracyjnego na Węgrzech. Zbierały się tłumy, żeby zobaczyć, jak ich pakują do wagonów, i to później go prześladowało: nie złe traktowanie w obozie śmierci, ale puste spojrzenia przechodniów. Często powtarzał sobie pytanie: „Czy nikt nie był ciekaw, dokąd te dzieci jadą?". Zapytałem go: „A czy teraz nie zachowujemy się tak samo wobec AIDS? Mamy leki, a l e...", a on na to: „Zgadza się. To dokładnie to samo. Przyglądamy się, jak są pakowani do pociągów".

A jaka powinna być reakcja?

Chcę znaleźć ludzi, którzy położą się na torach.

Więc politycy to maszyniści?

Nie, to nasza obojętność powinna stanąć przed sądem. Co do polityków, wielu ich spotkałem i poznałem. Zdumiewa mnie, jakim darzą mnie szacunkiem. Pracują dużo ciężej, niż przypuszczałem, nie są aż tak dobrze opłacani, najbardziej utalentowani z nich z pewnością zarobiliby furę kasy w biznesie, ale trwają w polityce z poczucia obywatelskiego obowiązku. Mówi się, że władza jest ich narkotykiem z wyboru, lecz w dzisiejszych czasach to dyrektor generalny wielkiej firmy ma prawdziwą władzę. Prawdą jest, że w Stanach Zjednoczonych grupy nacisku psują znaczną część polityki – to one rządzą, właśnie to jest zjawisko najbliższe czystemu złu w polityce. National Rifle Association* może sobie kupić zwycięstwo w dyskusji. Ilu Ame-

* Krajowe Stowarzyszenie Broni Palnej (przyp. tłum.).

rykanów uważa, że możliwość kupna broni w sklepie to dobry pomysł? Prawie nikt! Ale ci, którzy tak sądzą, zainwestowali w NRA tyle pieniędzy, że są w stanie przeforsować swoje stanowisko w Kongresie. To niesamowite! Dlaczego nie możemy traktować ludzi żyjących w skrajnym ubóstwie z taką polityczną siłą, jaka cechuje przemysł tytoniowy, gdzie wynajmuje się grupę lobbystów i oblega Waszyngton? Nie tylko mówią: „Palenie papierosów jest fundamentalnym prawem człowieka. Chcemy palić!". Nie. Walczą na śmierć i życie o ten kawałek tortu i swoich klientów, a ja czasami bywam jednym z nich...

Jak w takim razie DATA walczy „na śmierć i życie" w imieniu swoich podopiecznych, tych najbiedniejszych z biednych?

Teraz staramy się - ci z nas, którym leży na sercu bezsensowna śmierć ludzi i nierówność krajów rozwijających się - zgromadzić się pod jednym parasolem. Nazywamy to właśnie One Campaign. Nie jest to nawiązanie do piosenki U2, ale to też się przyda. Musimy skończyć z czapkowaniem i nieśmiałym dopraszaniem się okruchów ze stołu bogatych krajów. Musimy się zorganizować, no i nauczyć się rewanżować tym, którzy nas krzywdzą, którzy blokują ustawy konieczne do poprawy sytuacji. Chcemy emitować ogłoszenia radiowe w okręgach opornych polityków i wyjaśniać, że obcinając fundusze, eliminują istnienia ludzkie, matki, dzieci takie jak te, które widziałem na własne oczy w szpitalu w Malawi - po troje w jednym łóżku, dwoje leżących na jednym. Statystyka ma twarze, one żyją i oddychają - do chwili zapadnięcia negatywnej decyzji w Waszyngtonie, Londynie, Paryżu, Tokio czy Berlinie. Potem przestają oddychać.

Czy twoja strategia odnosi skutek?

Zrobiliśmy to już na małą skalę w przypadku kongresmana, który niech na razie zostanie bezimienny. Chciał zasłynąć obcięciem wydatków na pomoc dla biednych krajów, dopóki z każdego kościoła i szkoły w jego okręgu nie zaczęły dochodzić go głosy, że jego działania zabijają dzieci. Mieliśmy reklamy w radio. W końcu, trzeba mu przyznać, przeprosił. Widzisz, to się nazywa wpływem politycznym. Właśnie coś takiego ludzie są w stanie zrobić, jeżeli działają wspólnie i zainwestują w ruch. Politykom chodzi o „pieczeń": liczy się to, o czym ludzie rozmawiają przy grillu. Liczy się to, o czym rozmawiają ludzie chodzący do kościoła, matki dzieci w wieku szkolnym i studenci.

Co się stanie, jeżeli twoje rozmowy nie przyniosą prawdziwych zmian?
Kiedy gra toczy się o tak wiele ludzkich istnień, musimy chyba wziąć pod uwagę obywatelskie nieposłuszeństwo - gromadne wyjście na ulice na pewno wstrząśnie obecnym *status quo*. Jest znacznie więcej zwykłych ludzi, niż przypuszczasz, których te kwestie obchodzą i którzy są gotowi nie tylko pomagać, żeby bieda przeszła do historii.

W naszych rozmowach często odwołujesz się do moralności, ale jesteś na tyle przewidujący, żeby zdawać sobie sprawę, że to niekoniecznie moralność przyczyni się do powodzenia twojej akcji.
Moralność w końcu zwycięży, szczerze wierzę w jej moc. Ale aparat nie jest moralny. Wiodąca przez niego droga jest przesiąknięta cynizmem.

Powiedziałeś, że to labirynt. Czy znalazłeś z niego wyjście?
Istniały sposoby osaczenia trudnych ludzi lub dotarcia do nich. Jeżeli polityk ma twarde serce, to może osoba odpowiedzialna za ustalanie jego planu dnia ma miękkie. Personel stawał się naszym sprzymierzeńcem. W końcu to on rządzi. Politycy byli starsi, ale ludzie, którzy obsługiwali ich biura, to ludzie w moim wieku lub młodsi. Więc jeżeli sami nie przepadali za U2, to przynajmniej kogoś takiego znali. W wielu przypadkach przekonałem się, że ich idealizm pozostał nienaruszony.

Czasami spotykamy się z ludźmi w naszym wieku, którzy dokonali innych wyborów. Mówili ci: „Jestem tego samego zdania co ty, ale nie mogę ci pomóc, bo nie pozwala na to moje stanowisko". Zachowują się trochę schizofrenicznie. Jak do tego podchodzisz?

Muszę przyznać, że stosuję tę samą strategię, jaka sprawdziła się w przypadku naszego zespołu. Kiedy na początku lat osiemdziesiątych jechaliśmy do Stanów, Francji czy Niemiec, spotykaliśmy tam ludzi ze stacji radiowych - o szklistym spojrzeniu, ubranych w jedwabne marynarki. Pytałem ich wtedy, jak się tu znaleźli, a najbardziej zblazowani, zatwardziali szefowie branży muzycznej zaczynali opowiadać: „Wiesz, pracowałem w studenckiej rozgłośni radiowej" albo „Pojechałem zobaczyć Jimiego Hendriksa w Fillmore", „Widziałem Rolling Stonesów z Brianem Jonesem". - „Naprawdę? I jak było?" Sprawiałem, że przypominali sobie, skąd się tu wzięli, bo często o tym zapominali. Tak samo jest z politykami: wielu z nich miało dobre pobudki, ale po prostu o tym zapomnieli. No i oczywiście politycy są trochę jak księża albo policjanci. Zostają nimi albo z najlepszych, albo z najgorszych pobudek: służyć innym albo nadużywać władzy. [*śmiech*] Ale tych ostatnich jest mniej.

Tak jak w polityce – wygląda na to, że ludzie zaczynają działać w biznesie muzycznym z najlepszych albo z najgorszych pobudek. Czy miałeś tu do czynienia z korupcją?
W tym biznesie U2 miało i ma dobrą passę. Nasz menedżer Paul McGuinness ochronił nas przed wieloma rzeczami, był naprawdę lepszy od innych i wpoił nam przekonanie, że na biznes musimy być tak samo wyczuleni jak na sztukę. Tak, musieliśmy radzić sobie z paroma despotami na wysokim szczeblu w muzycznym biznesie, ale nie mam przecież na czole napisu „niewolnik", jak Prince na początku lat dziewięćdziesiątych. U2 jest panem własnego losu. Do nas należą taśmy-matki, prawa autorskie, rządzimy się sami, nie jesteśmy niczyją własnością.

Jesteście właścicielami całej swojej dyskografii. To prawie niesłychane, co?
Nie obyło się bez kosztów, jak to wyjaśniłem Prince'owi, kiedy mnie o to zapytał. Braliśmy niższe tantiemy, a w wypadku dużych albumów płacono nam mniej. Ale jesteśmy ich właścicielami. Zapytałem

Prince'a: „Czemu zostałeś niewolnikiem?". Odparł: „Nie jestem właścicielem moich nagrań, należą do nich. Jestem ich własnością". A potem zapytał mnie, jak ty teraz: „Jak wy to robicie? – Aha, niższe tantiemy". Wiesz, większość ludzi woli mieć pieniądze w garści, a nie dostawać je stopniowo. W XX wieku nie ma usprawiedliwienia dla inteligentnych ludzi, którzy podpisują umowę, nie rozumiejąc jej. Mimo wszystko Prince zasługuje na najlepszy kontrakt na świecie, ponieważ jest najlepszy na świecie. Dla mnie to drugi Duke Ellington!

Wróćmy na moment do polityki. Czy często słyszysz od polityków: „Chciałbym ci pomóc, ale nie mogę"?

Jeden kongresman nawet na mnie nie spojrzał. Decydował o przyznaniu lub nieprzyznaniu zagranicznej pomocy finansowej. Gruba ryba i spory problem. Rozmawiał ze mną jak przez tłumacza. Wydawał się niezadowolony, że on, ciężko pracujący człowiek, musi rozmawiać z jakimś gwiazdorem rocka z Irlandii. W pewnym sensie zgadzałem się z nim. Mówił: „Nie dostaniecie tych pieniędzy, bo wiem, co się z nimi stanie. Trafią do studni bez dna. Ci faceci od lat drą z nas kasę". Główny problem Afryki to nie klęski żywiołowe, to nie skorumpowane związki z Europą i Ameryką. To kwestie drugo- i trzeciorzędne. Jej główny problem stanowią skorumpowane władze. W końcu przekonaliśmy go, że pieniądze zostaną dobrze wydane. Później, kiedy wróciłem z Ugandy, zawiozłem mu zdjęcia ujęcia wody. Powiedziałem: „Oto są pieniądze. Nie trafiły do studni, ale do ujęcia wody!". Żywię dla niego sporo szacunku, ale był twardy. W końcu oczywiście to nie ja go przekonałem, tylko chórek głosów z tyłu – ruch. Ten niezwykły wachlarz potężnych głosów, począwszy od przywódców Kościoła, takich jak papież Jan Paweł II, do liderów sportowych i organizacji studenckich, co Bill Clinton określił później mianem Wielkiego Namiotu*. [*śmiech i naśladuje południowy akcent*] „Kiedy Papież zadaje się z gwiazdą rocka, ja to nazywam Wielkim Namiotem". Widzisz,

---

* Aluzja do ruchów odnowy religijnej na południu USA, skąd pochodzi Bill Clinton. Możliwe też odniesienie do Biblii w znaczeniu „wielkie zgromadzenie".

Jubileusz Roku 2000 potrafił ściągnąć tłum czterdziestu tysięcy ludzi, którzy towarzyszyli obradom szczytu G8 w Kolonii i wzięli się za ręce. A więc to nie tylko „zróbmy sobie zdjęcie z Bono i niech sobie idzie". Wiesz, że masz wsparcie, potężną siłę ognia.

Czy kiedykolwiek powiedziałeś sobie: „To bardziej skomplikowane, niż przypuszczałem. Oni mogą mieć rację, a ja mogę się mylić"?
O tak. Kiedy chodziło o zrozumienie ważnych kwestii - i pomijając to świetne powiedzenie: „Poznałem mojego wroga i częściowo miał rację" - zdałem sobie sprawę, że przez lata znaczna część pomocy została bardzo źle wykorzystana, a to doprowadziło do jeszcze gorszych sytuacji. Nie wystarczy tylko prosić o pieniądze. Przekonałem się, że sceptycy i cynicy mają naprawdę sporo racji i bez jasno postawionych warunków nie ma sensu pomagać. Właściwie czasami środki pomocowe służą wspieraniu najgorszych despotów.

Uważam, że najbardziej przydatni to ci, którzy są na miejscu, którzy tam pracują i znają miejscową społeczność. Nie zaliczam się do sceptyków ani do cyników, ale...
... ale z ciebie pesymista!

Kilka lat temu byłem na Tuvalu, maleńkim archipelagu gdzieś pośrodku południowego Pacyfiku. Tylko piasek i płaski ląd. Nie da się niczego uprawiać. Mieszkańcy archipelagu otrzymują pomoc od krajów europejskich. Rozmawiałem z Włochem, urzędnikiem służby cywilnej mieszkającym na Fidżi. Regularnie odwiedzał te wysepki, aby się upewnić, czy środki są dobrze wydawane. Powiedział, że mieszkańcy wyspy nie łowią już ryb - jedzą niezdrowe jedzenie, oglądają telewizję i wylegują się całymi dniami. Teraz gdy opowiadam, brzmi to tak, jakbym opisywał życie gdzieś na przedmieściach Paryża... Dostali pieniądze na budowę ogniw słonecznych. Wtedy zapytali: „Czy przez to nasze pralki będą chodzić?". Odparł: „Chyba nie". Więc oni na to: „To ich nie założymy". Potem dodali, że chcą mieć elektrownię atomową! Do tego cała armia urzędników, korzystających z darowa-

nych pieniędzy, którzy nie robią zbyt wiele dla swoich rodaków. Obawiam się, że bez oświaty udzielanie pomocy nie ma sensu.
To historia pomocy z ostatnich trzydziestu lat, ale tak już nie jest. To należy do przeszłości.

W tamtych regionach pieniądze to nie jedyny problem.
W przypadku AIDS - owszem. Do tego dochodzą jeszcze inne kwestie. Ale często prawdziwy kłopot to marnowanie zasobów, brak dobrego przywództwa.

Kiedy mówisz o problemach Afryki, odnosi się wrażenie, że uważasz, iż rozwiązaniem jest idealizm.
Przecież ja nie propaguję idealizmu! Moja praca ani trochę nie opiera się na idealizmie, to czysty pragmatyzm. No dobrze, anulowanie zadłużenia traktuję jako sprawiedliwość dziejową, a nie dobroczynność. Ale jeżeli chodzi o zajmowanie się Afryką, to szukam dla Afryki czegoś w rodzaju planu Marshalla*. To pragmatyzm!

Nic na to nie poradzę, ale pamiętam, co wcześniej powiedziałeś: „Dla Amerykanów afrykańskiego pochodzenia zniesienie niewolnictwa wydawało się niemożliwe". Ale nie tylko obywatele Zachodu odpowiadali za niewolnictwo, lecz także Arabowie i inni Afrykanie.
Moja odpowiedź brzmi: tak, ale nie rozmawiamy o Arabach ani o innych Afrykanach. Mówimy o nas, naszym odziedziczonym bogactwie pochodzącym z tamtych lat wyzysku.

Ale dlaczego Zachód nadal usiłuje rozwiązać problemy Afryki? Dlaczego nie robią tego sami Afrykanie?
Jeżeli postrzegamy niesienie pomocy jako inwestycję, a ciężar zadłużenia tych krajów jako niesprawiedliwy i zaproponujemy uczciwsze warunki handlowe, Afryka będzie w stanie wziąć odpowiedzialność

---

* Zob. rozdział 15.

za swój los. T oznaczające „*trade*"* w skrócie DATA znajduje się tu dlatego, że pomoc nie stanowi planu na przyszłość dla najbiedniejszych. Taką drogą jest handel. Powinniśmy się zgodzić, by najbiedniejsi mogli z nami handlować. A póki co, nie pozwalamy na uczciwą wymianę handlową. To jest właśnie jedyna droga dla Afryki: Afrykanie powinni przejąć kontrolę nad kontynentem. Tylko że teraz im na to nie pozwalamy! Chociaż obecnie umorzono długi dwudziestu trzech krajów, nadal są takie, które corocznie spłacają Bankowi Światowemu i Funduszowi Walutowemu kwoty większe, niż przeznaczają na ochronę zdrowia i oświatę. Ci ludzie mają swoją godność i chcą wstać z klęczek. A my przykuwamy ich do ziemi!

Dlaczego, w takim razie, żaden afrykański przywódca nie powiedział: „Nie potrzebujemy białych do rozwiązywania naszych problemów. Sami sobie poradzimy!".

Tym właśnie był NEPAD: New Economic Partnership and Africa's Development**. Tak właśnie postąpił Thabo Mbeki, kiedy zorganizował afrykańskich przywódców w swego rodzaju partnerskie stowarzyszenie, bez obcych wpływów. O tym mówimy, o nowym rodzaju relacji. Ale nie możesz sam decydować, kiedy dźwigasz ciężar tego rodzaju nierówności handlu i zadłużenia. Co ty na to? Gdyby Afryka o jeden procent zwiększyła swój udział w handlu światowym, stanowiłoby to równowartość trzykrotnej pomocy zagranicznej, a płynie tam co roku około dwudziestu jeden miliardów dolarów. Czyli za marny jeden procent do Afryki trafiłoby siedemdziesiąt miliardów gotówki. Oto droga do niezależności. Właśnie o to nam chodzi, o uniezależnienie Afryki od pomocy zagranicznej. Afrykanie mają dość ściskania czapki w garści. Zasługują na równy i sprawiedliwy dostęp do tortu, na równi z innymi. Nie jestem zwolennikiem paternalistycznego podejścia do Afryki, jestem mu przeciwny. Ale żeby do tego doprowadzić, musimy przerwać pewien łańcuch. W pewnym

---

* Handel - ang. (przyp. tłum.).

** Nowe Ekonomiczne Partnerstwo dla Rozwoju Afryki - ang. (przyp. tłum.).

sensie kolonializm nadal tam istnieje, tak samo niewolnictwo. Mówimy o zniewoleniu gospodarczym, gdzie ludzie wytwarzają dla nas tanie towary, ale nie otrzymują zapłaty.

Trwała obecność i zaangażowanie naprawdę się liczą, nie sądzisz?
No cóż, na przykład The Global Fund To Fight AIDS, Tuberculosis and Malaria* jest nowym i niezbędnym przedsięwzięciem założonym w Genewie do walki z AIDS, gruźlicą i malarią. Działa poza strukturami ONZ, ale Kofi Annan zwrócił się z prośbą o dziesięć miliardów dolarów rocznie. W tej kwocie mieści się jedynie cztery procent kosztów ogólnych i w ich ramach każdy kraj, który poprosi o pomoc, ma opłaconą firmę doradczą jak Pricewaterhouse i Stokes Kennedy Crowley. Firmy te sprawdzają, na co wydawane są pieniądze. To nowe podejście do pomocy zagranicznej. W przeszłości była powiązana z kontraktami handlowymi: dawali ci pięć dolarów, ale cztery musiałeś wydać na produkty lub konsultantów z Francji, Anglii czy z Niemiec. Taki układ był niemoralny i zepsuty. Ale te czasy należą już do przeszłości. Są ludzie, którzy pracują nad tym ciężej niż ja, poświęcając swoje życie reformowaniu systemu niesienia pomocy. Oni na to nie pozwolą. Zawsze będą nadużycia, lecz dodatkowe zagraniczne środki trafią do krajów, gdzie sposób ich wykorzystywania przebiega jasno i przejrzyście, gdzie władza funkcjonuje właściwie i gdzie widać, na co przeznacza się pieniądze. Gwiazdy, jeśli wolisz, będą lepiej traktowane. Stracą inne kraje, w których nie wprowadzono programów walki z ubóstwem, bez dobrych pomysłów na wydanie pieniędzy. Nie będą w stanie zdobyć dostępu do nowych funduszy, bo nie pozwolą im na to ludzie, którzy płacą na nie podatki. I słusznie.

---

* Globalny Fundusz na rzecz Zwalczania AIDS, Gruźlicy i Malarii – ang. (przyp. tłum.).

5. NAJKRÓTSZY ROZDZIAŁ W KSIĄŻCE

Bono nie kontaktował się ze mną aż do lutego 2003 roku, kiedy zadzwonił ktoś z Principle Management i zapytał o mój adres. Następnego dnia żandarm na motocyklu doręczył list mojemu oszołomionemu dwunastoletniemu synowi Antoine'owi z notatką: „*De la part de Monsieur Jacques Chirac*"*. Rozerwałem kopertę i przeczytałem bilecik:

> *Prezydent Republiki, Pan Jacques Chirac, uprzejmie zaprasza Pana Michkę Assayasa na uroczystość nadania tytułu Kawalera Legii Honorowej Panu Paulowi Hewsonowi, znanemu także jako Bono, w Pałacu Elizejskim w piątek 28 lutego 2003 roku o godzinie 12.15. Wymagany strój wizytowy.*

Ustanowiona przez Napoleona Legia Honorowa jest orderem przyznawanym osobom, które szczególnie zasłużyły się Francji. „Kawaler" (*Chevalier*) to pierwsza klasa orderu, zaś w dalszej kolejności można otrzymać tytuł „Oficera" (*Officier*), a nawet „Krzyż Wielki" (*Grand-Croix*). Co roku każde ministerstwo przedstawia własną listę kandydatów. Kandydaturę Bono wysunęło Ministerstwo Kultury, zgodnie z tradycją wyróżniające artystów z całego świata, czyniąc ich w ten sposób honorowymi obywatelami Francji, co bez wątpienia jest największym zaszczytem jakiego nie-Francuz może dostąpić.

Na jakiś czas pogrążyłem się w zadumie. Wkrótce jednak, i to zapewne jest mój sposób reagowania, gdy w głowie kołacze mi się za dużo myśli, skoncentrowałem się na szczegółach. Cóż, u diabła, oznaczał „strój wizytowy"? Kiedy się dowiedziałem, musiałem stawić czo-

---

* W imieniu Pana Jacques'a Chiraca.

ła straszliwej prawdzie: nie miałem spodni pasujących do marynarki. Mimo to poszedłem. Po raz pierwszy i prawdopodobnie ostatni w życiu zaproszono mnie na główny dziedziniec Pałacu Elizejskiego, tylekroć oglądany w telewizji. Gości było niewielu: państwo McGuinness z synem Maksem, ambasador Irlandii z małżonką, syn irlandzkiego malarza Louisa Le Brocquy z wietnamską przyjaciółką, którą Chirac wprawił w zdumienie swoją wiedzą na temat cywilizacji Azji, francuska prawniczka i przyjaciółka Bono oraz osłupiały pracownik Universal Records w Paryżu, który zastępował nieobecnego prezesa. Plus, oczywiście, sama pani Ali Hewson. Była też szkolna koleżanka Bono, dziewczyna o promiennym wejrzeniu piętnastolatki, Catriona – asystentka Bono, Lucy Matthew pracująca dla DATA (towarzyszyła mu w Afryce wraz z byłym amerykańskim sekretarzem stanu Paulem O'Neillem) oraz wspaniała kobieta zatrudniona w Genewie w ONZ, przygotowująca grunt dla licznych spotkań Bono z politykami.

Chirac wygłosił mowę, nawet nie najgorszą. Najwyraźniej osoba pisząca prezydentowi przemówienia była kiedyś fanem U2. Mimo wszystko musiałem powstrzymywać się od śmiechu, kiedy prezydent wymówił słowa: „*Zi... Edge*". „Ekstra!" – zaopiniował Bono, kiedy przemówienie dobiegło końca. Drań, przyszedł bez krawata, a mnie do tego zmusił. Oczywiście mrugnął szelmowsko, kiedy przedstawiał mnie mojemu własnemu prezydentowi, który kiedy spojrzy mu się z bliska w oczy – jak wszystkie VIP-y, z jakimi się w życiu zetknąłem – wygląda jak maszyna. Osobiście nic do niego nie mam, to samo wrażenie odniosłem po spotkaniu z jego rywalem Jospinem.

Bono rozmawiał z prasą i był pełen podziwu dla znajomości rzeczy, jaką wykazał się Chirac. Prezydent spędził w Afryce więcej czasu niż jakakolwiek inna głowa państwa i jak powiedział, naprawdę starał się zrozumieć tamtejsze problemy. Po jednym prywatnym spotkaniu w Pałacu Elizejskim zapytano Bono, czy rzeczywiście wierzy, że prezydent przejmuje się Afryką tak, jak to deklaruje. „Owszem", potwierdził Bono. „A moim zadaniem jest przekształcić to jego przejęcie w gotówkę".

Wszyscy – wyłączając Chiraca – zostaliśmy zaproszeni na uroczysty lunch w Hôtel de Crillon, z którego parę lat wcześniej kazano wynosić się U2 i ich ekipie, by zrobić miejsce dla głów państw afrykańskich przybyłych na spotkanie na szczycie. Bono wygłosił przemówienie. Podobnie Paul McGuinness, któremu ledwo starczyło czasu na zakup albumu z widokami Paryża. Pamiętam uśmiech na twarzy Bono, kiedy przeczytał napisane przeze mnie mądre słowa: „Gratulacje! Udało ci się sprawić, że Chirac mnie poruszył, a to niemały wyczyn". Potem poważny nastrój uleciał. Dziewczyny uparły się, żeby zostać na noc i świętować w Paryżu. Chciały się także wybrać na zakupy. Bono poszedł z nimi, z Legią Honorową zwisającą z klapy marynarki. Order wyglądał na jego piersi jak zbyt duża imitacja. Oświadczył, że jest niezwykle dumny, iż został „Maurice Chevalierem" państwa francuskiego. Zapytałem, czy wie, że Maurice Chevalier śpiewał stary przebój *Thank Heaven for Little Girls**. „I jest za co" brzmiała jego odpowiedź.

Całe towarzystwo zebrało się znów na kolacji w bardzo tradycyjnym bistro, L'Ami Louis, swego czasu ulubionym lokalu prezydenta Mitterranda. Wręczyłem Bono i przyjaciołom osobiste nagrody: szczoteczki do zębów (wraz z pastą), bo wcześniej nikt nie planował zatrzymywać się na noc. Bono przez cały wieczór trzymał ją jak trofeum w kieszonce na piersi. Bielizny im jednak nie podarowałem, mimo wszystko nie posunąłem się aż tak daleko. Zakończyliśmy wieczór wędrówką po modnych klubach, które znał gość ze studia nagrań (dlaczego do odkrycia takich miejsc w twoim rodzinnym mieście zawsze potrzeba obcokrajowca?). Co się tam działo? Piliśmy, Ali tańczyła, Bono z entuzjazmem rozmawiał z nieznajomymi. Dalej piliśmy i pamiętam, że zacząłem się zachowywać bardzo żywiołowo. W pewnym momencie zadałem Bono takie mniej więcej pytania: „A nasza książka? Co z książką? - To będzie najkrótszy rozdział w książce" - odparł.

Kilka dni potem napisałem do Bono list, raz jeszcze dziękując za tamten wieczór. Wspomniałem także, że nie mogę się do niego dodzwonić na komórkę. Po jakimś czasie dostałem e-maila:

---

* *Dzięki niebu za małe dziewczynki* - ang. (przyp. tłum.).

Michka,

Piszę maila, bo po tamtej nocy nie mogę mówić ze szczoteczką w gębie. Sacrebleu... *świetnie się było z tobą spotkać... poznać Claire* i próbować opróżnić Paryż do dna. Mój numer (+ 353 +++++++++) się nie zmienił, więc pewnie dalej jesteś pijany.*

Twój przyjaciel

Bono

* Moja żona ma właściwie na imię Clara, ale nieźle kombinował.

6. TATUAŻYSTA

Zimą 2003 roku w Stanach Zjednoczonych Bono był zajęty intensywnym, jak to nazywał, „wydeptywaniem ścieżek" w imieniu DATA. Działo się to tuż, zanim Stany Zjednoczone i ich sprzymierzeńcy rozwiali resztki wątpliwości co do zamiaru inwazji na Irak. Z tego, co zrozumiałem, w obozie Principle Management koledzy Bono przypomnieli mu z pewną stanowczością, że w U2 nadal pełni obowiązki solisty oraz autora tekstów i że w tym roku mają wydać album. Dowiedziałem się, że 25 maja 2003 roku Bono miał wystąpić na koncercie „Pavarotti i przyjaciele" podczas transmitowanej przez telewizję dorocznej imprezy charytatywnej organizowanej przez mistrza w jego rodzinnym mieście Modenie (w regionie Emilia-Romania), dla wsparcia jego fundacji na rzecz chorych dzieci. Wśród innych gości znaleźli się trzej żyjący członkowie zespołu Queen, Deep Purple, Eric Clapton, Lionel Richie i miejscowa gwiazda soulu Zucchero. Bono miał wystąpić w duecie z mistrzem. To nie była Lollapalooza*. Zaproponowałem, że przyjadę. Bono uznał, że to świetny pomysł i że może uda nam się spędzić ze sobą trochę czasu, poleciałem więc. Odbywał próbę chyba z pełnym składem orkiestry. Pavarotti siedział w pobliżu na krześle w jakimś jaskrawoczerwonym fartuchu z lekkiego materiału, owiniętym wokół szyi. Pamiętam, że fryzjer zakładał mi podobny w połowie lat sześćdziesiątych. Zwisał luźno na jego masywnej sylwetce, a całość sprawiała wrażenie wielkiego czerwonego balonu z uśmiechniętą brodatą głową na górze. Bono nosił swoją czapkę w kolorze khaki *à la* Fidel Castro. Próbował dwie piosenki: pierwsza była wersją *One* z towa-

---

* Jeden z największych amerykańskich „objazdowych" festiwali muzycznych, prezentujący zróżnicowane style muzyczne (przyp. tłum.).

rzyszeniem gitary akustycznej i orkiestry. Ale najważniejszym punktem było *Ave Maria* Schuberta w duecie z Pavarottim. Bono napisał nowy tekst: „Ave Maria / gdzie jest sprawiedliwość na świecie? / Okrutni sieją zamęt, Ma / Szlachetni stoją dziwnie z boku / Pozbawieni mądrości, wszystkie bogactwa na świecie dziś nas zubażają / A siła nie jest pozbawiona pokory / To słabość, niewypowiedziana choroba / A wojna jest zawsze wyjściem / Wybranych, którzy nie będą musieli walczyć". Dzień po występie tekst zmienionego przez Bono *Ave Maria* przedrukowały wszystkie gazety we Włoszech.

Gdy tylko Bono wraz z ekipą wyszli za próg garderoby, można było odnieść wrażenie, że zgromadzili się tam wszyscy przedstawiciele mediów we Włoszech. Bono zatrzymywał się co krok, udzielając wypowiedzi przed kamerami. Następnie w namiocie zorganizowano konferencję prasową. Bono bardziej przypominał członka rodziny królewskiej niż gwiazdora muzyki – wszyscy uprzejmie śmiali się za każdym razem, kiedy powiedział coś zabawnego. Wrażenie to potwierdziło się wieczorem. Kolację zorganizowano w podmiejskiej restauracji należącej do Pavarottiego. Atmosfera przypominała beatlemanię, z tą różnicą, że na widok Bono krzyczały nie dziewczęta, ale kobiety. Przysięgam, że sam widziałem kilka, jak wykręcały obcasy na żwirowym podjeździe tylko po to, żeby go przelotnie zobaczyć.

Na piętrze restauracji zarezerwowanym dla naszego towarzystwa tłoczyli się reporterzy spragnieni słów mądrości z ust wielkiego człowieka. Nagle okazało się, że siedzę obok Gandhiego – niezły awans, pomyślałem, jak na faceta, który na własnych koncertach wspinał się na stosy głośników. Po fantastycznej kolejce deserów i grappy znowu zeszliśmy na dół i minęliśmy miejscową kapelę. Grali akurat *Unchain My Heart*. Zainspirowany grappą Bono wziął mikrofon. Nie jestem pewien, czy znał piosenkę, lecz goście i tak wiwatowali. Gdy wyszliśmy, kobiety nadal szły za nami. Na tym się wcale nie skończyło. Kiedy kawalkada samochodów zatrzymała się w Bolonii przed hotelem Bono, powitał go stuosobowy tłum ekstatycznie wiwatującej młodzieży. Ktoś wywijał gitarą akustyczną, ktoś inny wymachiwał okładką albumu *War*. Miało się wrażenie, że Bono został raczej wessany do środka, niż wszedł o własnych siłach. Ja poszedłem do swojego hotelu. Nagła cisza i samotność zdawały się dziwne, niemal niesamowite. Czułem się, jakby ktoś w zupełnie przypadkowym miejscu wypchnął mnie z międzygwiezdnego pojazdu kosmicznego.

Następnego dnia było inaczej. W południe miałem się spotkać z Bono w holu Grand Hotel Baglioni, skąd mieliśmy odjechać samochodem i zjeść razem lunch. Tłumek nadal stał, powstrzymywany przez barierki i tradycyjnego faceta w czarnym garniturze. Po pięciu minutach w lobby pojawił się Bono w towarzystwie Sheili Roche i menedżera *tournée* Dennisa Sheehana, który powiedział, że musimy skorzystać z innego wyjścia, inaczej nie uda się nam przebić przez tłum. Znów pośpiech. Kiedy szliśmy po schodach, Bono mamrotał do siebie, że to nie było w porządku, że takie zachowanie jest za bardzo „gwiazdorskie". Znów weszliśmy na górę. Próbowaliśmy wyjść głównymi drzwiami. Kiepski pomysł. Rozradowany tłum jeszcze ciaśniej się skupił, zablokował wyjście i nie mogliśmy zrobić ani kroku. Wreszcie Bono musiał przystać na gwiazdorstwo i wyjść tylnymi drzwiami.

Szybko dotarliśmy na wąską uliczkę bolońskiego Centro Storico. Pusta restauracja, gdzie mieliśmy rezerwację, była tak ciemna, że początkowo myślałem, że w tym dniu jest nieczynna. Bono postanowił, że zamiast tego pójdziemy do sąsiedniej kafejki, nijakiej i równie pustej, gdzie usiedliśmy przy stoliku na zewnątrz. Zamówiliśmy makaron oraz talerz miejscowej szynki i salami. Ze strony Bono wybór miejsca był odważny i w końcu zaczął mnie irytować (choć tego nie okazałem), ponieważ co chwilę nam przerywano. Podjechała do nas dziewczyna na rowerze i chwyciła Bono za rękę, wołając z wypiekami na twarzy „*Che fortuna!*"*. Potem dwóch policjantów poprosiło o autograf. W pewnej chwili jeden z okolicznych mieszkańców wpadł, jak mu się wydawało, na świetny pomysł i puścił na cały głos *Pride (In the Name of Love)*. Muszę przyznać, że to ja byłem zdenerwowany. Przez cały czas Bono zachował spokój, jakby siedział we własnym ogrodzie. Zapewne znajduje to odbicie w rozmowie, podczas której nastrój stawał się coraz bardziej – ośmielę się powiedzieć – „duchowy".

---

* Co za szczęście! – wł. (przyp. tłum.).

Pamiętasz, co mówiłeś w Killiney? „Powinieneś kiedyś poprosić, żebym narysował drzewo". [*Bono śmieje się na głos*] Może powinieneś się przedtem dwa razy zastanowić, bo chciałbym, żebyś narysował drogę, którą szedłeś z domu do szkoły.
To długa droga, bo chodziłem do centrum miasta i z powrotem. [*zaczyna rysować mapę na odwrocie zapisanej kartki*] To tutaj to North Side, wiesz? Jest takie miejsce Ballymun, półtora kilometra od Tower Blocks. Właściwie to Seven Towers. Zaznaczę je. [*rysuje z nieukrywaną przyjemnością*] To była strasznie długa droga, pięć mil do centrum Dublina. A dalej jechałem autobusem, bo inaczej nie dało się dostać do Mount Temple [jego szkoły]. To ważne, bo większość dzieciaków nie mieszka w mieście, tylko na przedmieściach. Kiedy miałem dwanaście-trzynaście lat, BYŁEM MIESZCZUCHEM. [*zapisuje to drukowanymi literami*] I kręciłem się po sklepach z płytami.

Pamiętasz nazwy tych sklepów?
Tak, Golden Discs. I jeden świetny: Pat Egan's w suterenie. Ultrafiolety. Później królował tam punk rock. [*robi na kartce notatki*]

Wygląda na to, że sporo się tam działo.
Sporo. Hazard. [*nadal kreśli*] Bardzo ważne miejsce. Jedna z najważniejszych instytucji w moim życiu: „Biuro rzeczy znalezionych", CIE – przedsiębiorstwo komunikacyjne. Znali mnie tam z nazwiska, bo co tydzień coś gubiłem. Gubiłem wszystkie książki. Gubiłem wszystko, co miałem, bez przerwy. I nadal to robię. Na przykład co tydzień zapodziewam gdzieś telefon. Wygląda na to, że nie mam dobrej pamięci krótkotrwałej. Zwłaszcza teraz, kiedy podróżuję po całym świecie i wożą mnie taksówkami, z szoferami i tak dalej. Wiem, że nie muszę zapamiętywać tych informacji, bo to nie są moje rodzinne miasta. Nie mam pojęcia o stronach świata. Nawet teraz w moim mieście, w którym dorastałem, zaczynam zapominać, dokąd idę. [*zaczyna znów rysować*] Dalej, przy ulicy Glasnevin, znajdowała się szkoła podstawowa Ink Bottle. Pierwszy pocałunek. I ogród botaniczny, piękny ogród botaniczny. Rzeka Tolka. Wylegiwałem się na jej brze-

gu wśród kwiatów - maków - i po prostu marzyłem. Szkoła była protestancka. W mojej okolicy nie mieszkało wielu protestantów, musiałem więc chodzić dalej, żeby się w niej uczyć. Był to nieduży budynek z małym dziedzińcem. Dyrektor był dla mnie bardzo dobry, dobry dla nas wszystkich. Wykopywaliśmy piłkę za ogrodzenie do rzeki, a potem musieliśmy się urywać ze szkoły, przełaziliśmy przez ogrodzenie i goniliśmy piłkę brzegiem, żeby ją odzyskać. Biegaliśmy tak całymi milami. W słoneczne dni odwracał się tyłem i czekał, żebyśmy wykopnęli piłkę za ogrodzenie, bo chyba też to lubił. Z tej szkoły mam bardzo miłe wspomnienia. Chociaż pierwszego dnia w szkole ktoś ugryzł mojego kumpla. Więc walnąłem jego głową o ogrodzenie. Pamiętam, że bardzo szybko znalazłem się tam, gdzie nikt nie mógł mnie ugryźć. [*śmieje się*]

Pierwsza rzecz, jaką narysowałeś na mapie, to Tower Blocks.

Wówczas bardzo mocno to odczułem, bo pamiętam, jak ścięli drzewa, wyrównali pola i zaczęli wznosić osiedle. Miał to być pierwszy w Irlandii eksperyment z budownictwem wielopiętrowym. Bawiliśmy się między fundamentami. Potem dowiedzieliśmy się, że mają tam windy. Pomyśleliśmy: o, super, będzie nowocześnie i w Dublinie będzie tak jak gdzie indziej. Kiedy wszędzie w Europie dochodzono do wniosku, że wieżowce nie zdają egzaminu, my w Irlandii właśnie zaczynaliśmy je stawiać. Całe społeczności przenoszono do wysokościowców, odcinając je od samorządności, przestrzegania zasad współżycia oraz pozbawiając prawdziwego ducha wspólnoty. Bardzo szybko zaczęło się tam robić niebezpiecznie. Windy się psuły, ludzie zaczynali się więc złościć, że muszą chodzić po schodach. Pamiętam, jak musiałem się wspinać, idąc w odwiedziny do kolegów. Po schodach lał się mocz, wszędzie cuchnęło. To były naprawdę miłe, dobre rodziny mieszkające obok socjopatów wkurzonych z powodu swojego nowego adresu. Kiedy więc włóczyliśmy się po polach, trafialiśmy na gangi z Seven Towers, a to była dzicz. Mówiłem ci już, że z okresu kiedy miałem naście lat i wcześniej, najlepiej pamiętam przemoc. Mieszkaliśmy w takiej niemal robotniczej dzielnicy - klasa robotnicza, niższa klasa średnia - ale wiesz, różnice w dochodach tych, którzy mieszkali tutaj, a tych, którzy mieszkali tam, były czasami minimalne. To mógł być samochód. Mój staruszek miał samochód, byliśmy więc bogaci. I to wystarczyło za pretekst do znęcania się.

Czyli nie lubiły cię inne dzieciaki, które tam mieszkały?
Jasne. Dublin tonął w przemocy. Potem, około roku 1978, pojawiły się narkotyki, bardzo tania heroina. Ludzie, którzy popalali trawkę, skończyli, ćpając heroinę, bo dostawali ją za friko. No i kiedy nałóg wciągnął ich na całego, zrobiło się tam straszliwie niebezpiecznie.

W tamtych czasach nastolatki zdawały się odczuwać, że stary świat się sypie. Czy nie uważasz, że punk rock był odpowiedzią na taki stan rzeczy?
Uważam, że punk rock dał nam wrażenie, iż można wszystko zburzyć i zacząć od początku albo zdecydować, kim chce się zostać: nowe nazwisko, nowa para butów, nowy sposób patrzenia na świat. Wszystko było możliwe, a jedynym ograniczeniem była wyobraźnia. Sprawdziło się to później na przykładzie kultury didżejów. Nie musiałeś nawet na niczym grać - wystarczyło po prostu mieć wyobraźnię.

Może punk rock pojawił się jako reakcja na nowo powstający ohydny krajobraz architektoniczny, sam w sobie i z siebie bliski nihilistycznej deklaracji.
O tak. Przemoc przedmieść zaczyna się od ich brzydoty. Wygląd i charakter podupadłych części śródmieścia, budynki z czerwonej cegły właściwie miały w sobie coś atrakcyjnego jak te maleńkie domki, w których wychowali się moi dziadkowie. Było w nich coś więcej niż w nowoczesnych przedmieściach. Wiesz, w Irlandii w latach siedemdziesiątych wiele z tych miejsc zbudowali nieuczciwi przedsiębiorcy budowlani. Nie zaplanowali sklepów ani obiektów komunalnych, tylko osiedla na jedno kopyto. W pewnym sensie ci przedsiębiorcy oszpecili Dublin. A z przemocą, która pojawiła się tam w następnym pokoleniu, to my musieliśmy żyć. Po osiedlach takich jak Tallaght co

wieczór włóczy się jakieś dwadzieścia siedem tysięcy młodych ludzi w wieku od dwunastu do osiemnastu lat. Cała armia. Ludzie nie mieli gdzie się podziać, nigdzie. Kobiety pchały wózki przez całe mile. To jest przykład wyrządzonej im krzywdy. W porównaniu z tym, co było kiedyś, teraz miejsce to wygląda wspaniale.

Czytałem kiedyś wywiad z Mickiem Jaggerem, w którym powiedział: „Kiedy miałem dwanaście lat, uwielbiałem strugać z siebie wariata przed kolegami". Rozumiem, że ty taki nie byłeś, domyślam się, że byłeś poważniejszy.
No, nie. Gdzieś do czternastego roku życia nie trzeba mnie było dwa razy namawiać do psot i zabawy. Myślę, że wszystko się zmieniło, kiedy zmarła moja matka, a nasz dom stał się pustym domem, naładowanym agresją między moim ojcem, moim bratem a mną. Ale wcześniej tryskałem radością.

Tak, wspominałeś o tym.
Chcę powiedzieć, że przeżyłem różne rzeczy. Później znów odnalazłem tę radość i skłonność do kawałów razem z kumplami z Village, jak wtedy siebie nazywaliśmy. Wymyśliliśmy Lypton Village, która stanowiła alternatywną społeczność, i kiedy mieliśmy szesnaście-siedemnaście lat, organizowaliśmy instalacje artystyczne: szalone musztry i akrobacje na drabinach. Widzisz, poziom alkoholizmu w naszej dzielnicy był bardzo wysoki, ludzie często chodzili do pubów, a my - młode, aroganckie i pewnie bardzo denerwujące dzieciaki - nie chcieliśmy iść taką drogą. Pub zdawał się zapadnią wiodącą w bardzo przewidywalne miejsce, więc nie piliśmy. Oglądaliśmy *Monty Pythona*. Wymyśliliśmy własny język, nadaliśmy sobie imiona i inaczej się ubieraliśmy. Zrobiliśmy niejedno artystyczne performance i w końcu założyliśmy dwa zespoły: Virgin Prunes i U2. Miałem jednak w sobie to, co wy Francuzi nazywacie *joie de vivre*, umiałem się bawić. Wiesz, co dziesięć lat temu powiedziała Ali? Powiedziała: „Zakochałam się w tobie, bo z oczu patrzyła ci przekora. Byłeś wyjątkowo bezczelny i nieustraszony, ale potrafiłeś mnie rozśmieszyć. A teraz

bardzo spoważniałeś". Tak to wyglądało pod koniec lat osiemdziesiątych. Wtedy zacząłem rezygnować z powagi i podkładać ogień pod... [*pauza*] samego siebie!

Czy wtedy w Dublinie był ktoś, kogo podziwiałeś? Barwne postacie, które miały na ciebie wpływ?

Nie. Nie niczego takiego nie odczuwałem. Naprawdę wielki wpływ miał na mnie mój przyjaciel Guggi. Był swego rodzaju geniuszem. Nie posłano go do tej samej szkoły co mnie. Poszedł do technikum, bo umiał rysować, wiesz? I od najwcześniejszych lat miał bardzo wyjątkowy punkt widzenia. Dalej: Gavin Friday - znaczy Fionan Hanvey - miał niesamowity zmysł estetyczny. Odgadywał twój charakter, patrząc na twoją kolekcję płyt. Lubił Briana Eno i Roxy Music. Z tymi ludźmi czułem się normalnie i nie podziwiałem nikogo innego. Na poziomie czystej przyjaźni byli to Reggie Manuel, elegant, i Maeve O'Regan, która nauczyła mnie miłości do książek.

Kto to jest Maeve O'Regan?

Zawsze miałem koleżanki, w odróżnieniu do dziewczyn-sympatii. Nawet kiedy zacząłem chodzić z Ali, Maeve O'Regan i ja byliśmy sobie bardzo bliscy. Miała chłopaka - bystrego, chudego Amerykanina z długimi włosami, grającego w koszykówkę fana Neila Younga. Zawsze wzbudzał we mnie poczucie niższości. Czułem się staroświecki przy mojej koleżance hipisce, która paliła staniki i jadła niełuskany ryż. Wyprzedzała mnie. Rówieśnice są zawsze znacznie bardziej do przodu.

Twoi przyjaciele Gavin i Guggi zostali poważnymi artystami: jeden jest malarzem, drugi awangardowym artystą konceptualnym. Ty postanowiłeś robić coś bardziej popularnego. Wygląda na to, że wybraliście dwie różne drogi.

Jednocześnie uznali, że to dwie różne drogi, ale nie zgadzam się z tym. Myślę, że chodzi po prostu o komunikację. To zwykły przypadek, że tym, co robię, zajmuje się akurat wielu ludzi. To waluta.

Śpiewanie, pisanie tekstów i bycie w zespole rockowym jest drogą do kultury masowej, malowanie zaś i sztuka performerska mają bardzo ograniczoną liczbę odbiorców.

Daj spokój, już wtedy musiałeś wiedzieć... Takie rzeczy nie dzieją się przypadkiem.
Nic nie dzieje się przypadkiem. Nie lądujesz na scenie przed dwudziestotysięczną publicznością ot tak sobie.

No więc jak to się stało, że wygłupiasz się przed dwudziestotysięczną publicznością?
Miałem większą pustkę do wypełnienia.

Co masz na myśli?
Gwiazda rocka to ktoś z pustką w sercu wielkości własnego ego.

Wczoraj półtorej godziny po próbie nadal otaczały cię grupki fanów. Gdy jedliśmy kolację w restauracji Pavarottiego, ludzie bez przerwy do ciebie podchodzili. Wyglądało to prawie jak prześladowanie. Pomyślałem sobie: kiedy ten facet ma spokój? Twoje życie z pewnością różni się od życia samotnego artysty pokroju twojego przyjaciela Guggiego.
Spędza bardzo dużo czasu w samotności. Zazdroszczę mu.

Takie ego musi być czasami sporym ciężarem. Nie kusiło cię nigdy, żeby się go pozbyć?
O, myślę, że jakoś to znoszę. Ledwie... [*śmieje się*]

Zawsze byłeś w zespole, zawsze polegałeś na innych. Może brakuje ci tej prawdy, którą znajduje się w samotności.
Ale niewykluczone, że ja ją znam. Może szukam drugiej połowy? Może jedną połowę poznałem instynktownie i dlatego nie potrzebuję poświęcać jej długich godzin? Albo otarłem się o to, kiedy byłem młodszy? Wydaje mi się, że kiedy jestem sam, dzieje się kilka rzeczy.

Po paru godzinach zaczynam się głośno śmiać. Naprawdę. Po kilku dniach czuję się super. Idę na spacer i czytam, bo to mnie odświeża. Potem wracam, ale nie do świeżego spojrzenia na świat, tylko do tego, co już wiem. Hałas oddziela mnie od instynktu. Widzisz, zawsze wierzyłem w instynkt górujący nad intelektem. Instynkt to coś, co zawsze wiedziałeś, intelekt to coś, do czego dochodzisz. A dla mnie to nie jest kwestia siedzenia i dochodzenia do czegoś. Rozumiesz? To mi tak naprawdę nie pomoże. Potrzebuję ciszy, żeby znów odnaleźć mój własny głos. Właściwie zdaję sobie sprawę, co chcę powiedzieć, tylko potrzeba mi czasu. Nie chodzi o to, że czuję, co chcę wyrazić jako „Wiem, co chcę powiedzieć, więc teraz to napiszę", ale mam pewność, że kiedy zaczynam pisać, to i tak to powiem. Mój intelekt to po prostu redaktor porządkujący rumowisko. Nie próbuję do niczego dochodzić, na tym polega różnica. To powieściopisarz stara się do czegoś dojść.

Nie sądzę... Moim zdaniem pisarz nie ma pojęcia, co próbuje uchwycić. Zawsze cytuję wspaniałe powiedzenie francusko-amerykańskiego pisarza Juliana Greena: „Piszę książki, bo muszę się dowiedzieć, co w nich jest". To nie tak, że szkicujesz mapę, robisz wielki plan, a potem wypełniasz luki. Powiedziałbym, że tak postępują marni pisarze.
Ale mówisz teraz o odkryciu, o próbie dotarcia do tego, czym jest prawda. Tymczasem ja jej nie szukam. Jeżeli nad czymś się zastanawiam, to nad przeszkodami w drodze do prawdy.

Myślę, że to dlatego jesteś „artystą wspólnotowym". Dlaczego wybrałeś drogę, na której nigdy nie jesteś sam? Nigdy nie zastanawiałeś się nad karierą solową?
Tutaj wszystko mi się przytrafia. Kojarzysz ludzi, którzy szukają wody, różdżkarzy? Mają takie rozwidlone drewniane gałązki. Trzymają je i chodzą w poszukiwaniu wody. Kiedy są blisko, gałązka zaczyna drgać. Słyszałeś o tym? Różdżkarstwo. No i ja właśnie idę w to miejsce, gdzie coś drży. Postępuję tak prawie we wszystkim, co robię. I chcę być wszędzie tam, gdzie czuję się bardziej sobą, gdzie czuję

natchnienie. Jeśli chodzi o mnie, w zespole czuję się w pełni wolny. Właśnie tam kopię studnię. Trochę jak w tej dziecinnej zabawie w ciepło-zimno. Kiedy mówią „ciepło", „bardzo ciepło", „zimno", idziesz tam, a potem wsadzasz bratu palec w oko! [*śmieje się*] Ale to ślepy traf. Tak to u mnie wygląda. Po prostu idę „tam". Tak samo kiedy piszę, to bardzo silny odruch. Oto odpowiedź, dlaczego wylądowałem w zespole. Nie wykombinowałem tego, po prostu tam mi lepiej szło. Dlaczego nie wybrałem kariery solowej? Jako dziecko dużo czasu spędzałem sam, może to kolejny powód, żeby być w grupie. W tamtych czasach nie lubiłem samotności, bo chciałem mieć większą rodzinę. Zawsze zazdrościłem rodzinom z sąsiedztwa. Guggi miał dużą rodzinę. I Gavin. Wszyscy moi kumple mieli duże rodziny. Po prostu u nich przesiadywałem i jestem pewien, że tak samo jest u ciebie. Czy ty jako dziecko miałeś dużo ludzi wokół siebie?

Niezupełnie. Wychowała mnie stara węgierska niania na wsi pod Paryżem. Nosiłem okulary, byłem niezdarą, byłem grzeczny. Mój starszy brat był przystojniejszy. Bardzo lubiany, miał zdolności artystyczne i pełno przyjaciół, a ja go ubóstwiałem. Pomyślałem, że koniecznie muszę sobie znaleźć własny trick.
[*śmieje się*] Podoba mi się zwrot: „własny trick".

Zawsze podziwiałem cierpliwość ludzi takich jak ty, którzy występują w zespołach, udzielają się społecznie i nieustannie polegają na innych. Ja tam bym wolał sobie popatrzeć przez okno albo raczej skorzystać ze współczesnego odpowiednika okna – surfowania po Internecie i nic nie robić... W końcu nuda rozpala we mnie iskrę. Zawsze się zastanawiam: czego potrzeba, żeby użerać się z biurokracją tak jak ty?
Żeby zależeć od innych, potrzeba z pewnością mnóstwa pokory. Przez większość czasu musisz stawiać siebie na drugim miejscu albo trzecim, albo czwartym. To, jak funkcjonujemy jako zespół, jest prawdziwym fenomenem, w pewnym sensie znaczącym więcej niż muzyka. To nie organizacja, to – jak mówią – organizm. Ale też rodzina. Rodzina daje ludziom ogromnie dużo siły. Ja nie czułem, żebym miał

rodzinę. To znaczy zawsze zazdrościłem ludziom posiadającym silne poczucie więzi rodzinnej i wspólnoty. Oni są zawsze silni.

Twoje życie jako gwiazdy rocka zaskakuje mnie i zadziwia. W jednym związku małżeńskim trwasz od dwudziestu pięciu lat.
Nie czułem się stworzony do małżeństwa. Nie byłem osobnikiem, o którym kumple powiedzieliby: „Ma zadatki na żonkosia". Ale poznałem najbardziej niezwykłą kobietę na świecie i nie mogłem pozwolić jej odejść. Mam kogoś w życiu i po tak długim czasie nadal czuję, że jej nie znam. Zachowujemy między sobą pewien niemal twórczy dystans, którym steruje Ali. Związki potrzebują sterowania. Niesamowicie szanuje moje życie i sama jest bardzo niezależna. Nie wiem, jak innym udało się osiągnąć taki staż w życiu małżeńskim, ale u mnie tak to właśnie wyglądało. Nie wiem, jak ty czy ktokolwiek inny sobie z tym radzicie, ale uważam, że to na tym polega. Do tego oczywiście szacunek i miłość. Ciągle jestem zakochany.

Przecież każdemu zdarza się w kimś zakochać. Jestem pewien, że i tobie się przydarzyło. Jaka siła wewnętrzna powstrzymała cię od rozbicia małżeństwa?
Rozbicia małżeństwa? Może silne poczucie przetrwania. Nie pamiętam dokładnie tego cytatu, ale Jean Cocteau napisał kiedyś, że przyjaźń stoi wyżej niż miłość. Czasami jest mniej atrakcyjna albo mniej namiętna, ale moim zdaniem jest głębsza i chyba mądrzejsza. U podstaw mojego związku leży wielka przyjaźń. Ona faktycznie i pod wieloma względami stanowi klucz do wszystkich ważnych drzwi w moim życiu: czy w grę wchodzi zespół czy moje małżeństwo, czy też społeczność, w której nadal mieszkam. To prawie jak dwa rodzaje sakramentów: muzyka i przyjaźń.

Jednak jesteś piosenkarzem i liderem zespołu, i to nie byle jakiego. Jestem pewien, że cię kusiło. Nigdy nie miałeś poczucia, że bez względu na wszystko miłość musi przybrać postać cielesną?
Chińczycy by tak nie powiedzieli.

Nigdy nie słyszałem, żebyś wspominał o swoich azjatyckich korzeniach.
„Brakujące" lata spędziłem w Chinach, stałem na głowie i byłem uczniem Mistrza Wielkiej Kluchy.

No dobrze, powiem inaczej. Dla mnie muzyka zawsze miała charakter seksualny. Z pewnością było tak podczas ostatniego, jakie widziałem, show U2, „Elevation", w 2001 roku. Zwłaszcza pierwsza piosenka *Elevation*, którą śpiewałeś przy pełnym świetle. Koncert rockowy to nie tylko uwolnienie z napięcia seksualnego, może także rozbudzić twój popęd. Pomyśl o *groupies*, fankach, jeżdżących za zespołami.
Nigdy nie popieraliśmy tego środowiska. Jeżeli chodzi ci o *groupie* w znaczeniu, w jakim ja je znam, gdzie w grę wchodzą względy seksualne w zamian za bliskość z zespołem, to według mnie odrażające. Kiedy w związku brakuje równości, od razu staje się mniej ciekawy. Należy unikać wykorzystywania fanek czy seksualnego zastraszania. Muzyka faktycznie bywa namiętna, coś takiego rzeczywiście mają w sobie nasze utwory. To jak kłótnia kochanków, jak jedna tocząca się rozmowa i sprzeczka. A piosenki śpiewane w pierwszej osobie - dopiero są niesamowite. Czasami kończy się na tym, że walczysz sam ze sobą albo miłość erotyczna przekształca się w coś o wiele wyższego i staje się ucieleśnieniem potężniejszego pojęcia miłości, Boga, i rodziny. Wydaje mi się, że z łatwością poruszam się między nimi.

A kiedy jesteś na scenie, czy w pewnej chwili myślisz o jakiejś twarzy, czy podoba ci się jedno ciało lub jedna dziewczyna?
Zwykle walczę, żeby czysto zaśpiewać, albo skupiam się na piosence. To nie jest - jak by to określił aktor - technika ani metoda, którą stosujesz. Ale powiem jedno, kiedy naprawdę się udaje, masz wrażenie, że tkwisz w piosence i że ona rzeczywiście dominuje na sali; znikają w niej wszyscy, słuchacze i wykonawcy. To naprawdę niesamowite. Moim zdaniem, ludzie przychodzący na koncert rockowy, szczególnie na nasz, po prostu przeobrażają się w publiczność doskonałą. Nie wiem, kim są. Mówię tylko, że dla mnie nie stanowią amorficz-

nej masy. Myślę, że w wielu wypadkach wykonawcy nie występują dla publiczności. Mimo tego, co sądzą ludzie, wielcy artyści potrzebują tłumu, i to bardziej niż ci mniej wybitni. Nie chodzi o dwadzieścia albo sto pięćdziesiąt tysięcy osób na sali. Myślę, że oni wszyscy zwracają się ku jednej osobie, taka jest chyba prawda. W moim przypadku może się okazać, że jedną z tych osób jest ojciec lub ukochana. Ale chyba rzeczywiście dla ludzi, których wcześniej nie spotkałeś, to, co śpiewasz, jest nowatorskie i odkrywcze.

Słuchający waszej muzyki mają wrażenie, że znają was lepiej niż najlepsi kumple. Tak mi kiedyś powiedziałeś.
Jedną z wielkich ironii tych koncertów jest to, że nasze piosenki są bardzo osobiste: niesamowita bliskość dzielona z ludźmi, których się nigdy nie poznało. Nie ufałbym temu. Ty byś zaufał? Bardzo dziwnie jest w ten sposób żyć.

Co przez to rozumiesz?
Nie zaufałbyś ludziom, którzy na pierwszej randce są pozornie bardzo otwarci i szczerzy, no nie? [*śmieje się*] Chodzi mi o to, że wchodzisz do baru, spotykasz kogoś, a ten w dziesięć minut opowiada ci historię swojego życia. Staram się tego unikać. W pewnym sensie możesz popatrzeć na te koncerty i powiedzieć: Boże, to jak nocne wiece Hitlera.

Coś takiego zaświtało mi w głowie.
No, tak, chyba nawet wykorzystaliśmy pomysł. Wiesz, właśnie „Zoo TV" korzystała z pomysłu nocnego wiecu. Ale w końcu okazuje się, że ludzie są o wiele bardziej świadomi, niż przypuszczasz, i tak naprawdę nie masz na nich wpływu. Gdybyś spróbował ich nakłonić, żeby rzucili się na osobę stojącą po ich prawej stronie, nie zrobiliby tego.

Chyba wielu ludzi przychodzących na koncert rockowy przeżyło coś takiego. To tak samo jak dziecko oglądające w telewizji niebezpiecz-

ną sztuczkę cyrkową. Kiedy akrobata idzie po linie, coś w podświadomości dziecka chce, żeby spadł, wiesz? [*Bono się śmieje*] Może nie powinienem ci tego mówić, ale podczas tamtego występu miałem przerażającą wizję, że wśród publiczności znajduje się ktoś z bronią. Pomyślałem, że mogło się zdarzyć coś w stylu Marka Davida Chapmana*. Czy nie przyszło ci to do głowy?

Tak, przeżyliśmy to. Jak wiesz, nie korzystam z ochrony. Wychowywałem się w środowisku mocno naznaczonym przemocą. Zawsze czujemy się tak, jakby sprzeczka, kłótnia czy skarga w Irlandii lub Francji mogły skończyć się rozbiciem butelki na twojej głowie. Broń nie jest tak rozpowszechniona. W Ameryce każdy świr może ją zdobyć, a przez lata mieliśmy niemało świrów. Pod koniec lat osiemdziesiątych prowadziliśmy kampanię na rzecz Dnia Martina Luthera Kinga. Pamiętam, że w Arizonie wpadliśmy w tarapaty i grożono nam śmiercią. Takie rzeczy normalnie się zdarzają. Ale od czasu do czasu dostaje się pogróżkę, którą policja i FBI traktują poważnie. Groźba była konkretna: „Odpuść sobie koncert. A jak nie odpuścisz, nie śpiewaj *Pride (In the Name of Love)*. Jeśli zaśpiewasz, rozwalę ci łeb i mnie nie powstrzymasz". Oczywiście, wychodzisz na scenę i wylatuje ci to z głowy. Ale właściwie pamiętam, że w trakcie *Pride* pomyślałem przez sekundę: „Boże! A jeśli ktoś tylko czeka albo czai się w gdzieś w budynku, albo któryś z widzów ma broń?". Zamknąłem oczy i zaśpiewałem środkową zwrotkę z zamkniętymi oczami, usiłując się skupić, zapomnieć o brzydocie i trzymać się piękna, o którym mowa w piosence. Pod koniec zwrotki podniosłem wzrok, a przede mną stał Adam. Jedna z takich chwil kiedy wiesz, co to znaczy być w zespole.

Sugerujesz, że były chwile, kiedy w U2 czułeś się niepewnie?

Kiedy miałem dwadzieścia kilka lat, był taki okres, że prawie postawiliśmy zespół na głowie. Niemal daliśmy sobie spokój.

---

* Morderca Johna Lennona.

Kiedy to było?
W 1982 roku.

Aha, chodziło o tę sprawę z ruchem Shalom Christianity*?
No wiesz, to nie była „sprawa"! To była dobrze przemyślana, ale chybiona próba powalenia świata na ziemię i zmierzenia się z niektórymi jego bolączkami i złem. Wtedy prawie stałem się [*śmieje się*] pełnoetatowym, a nie dorywczym aktywistą. Byliśmy wściekli. Poruszała nas nierówność w świecie i brak życia duchowego. Nie tylko mnie, Edge też taki jest.

Czy wiara Edge'a przypomina twoją?
Edge jest mądrzejszy ode mnie, ma bardziej kontemplacyjne usposobienie. Niezmiernie podziwiam jego umiejętność panowania nad uczuciami, ego i tak dalej, a jednocześnie z tego powodu najbardziej się o niego martwię.

W języku francuskim mamy określenie „zżerany od środka".
Nie. Ale nie lekceważyłbym mocy wściekłości, ukrytej po tymi słodkimi dźwiękami, jakie wygrywa. Potrafi nieźle przywalić. Kiedyś o mało mnie nie znokautował.

Naprawdę? Co się stało?
To stało się na początku lat osiemdziesiątych. Na scenie wszystko się źle potoczyło i zamiast publiczności zaczął szaleć zespół. Rzuciłem perkusją w tłum. To chyba było w Newhaven i Edge wypalił z prawym sierpowym.

Co było powodem kłótni?
To była ostatnia z długiego łańcucha przyczyn. Zbyt wiele kilometrów w jednym autokarze, bolące gardła, do tego serca obolałe z tęsk-

---

* Grupa chrześcijańska, do której w 1981 r. przyłączyli się Bono, Edge i Larry Mullen. Jej celem było studiowanie Pisma Świętego.

noty za domem. Kiedy zapowiedziałem piosenkę, licząc raz, dwa, trzy, cztery, zespół mnie zignorował. Nie pytaj więcej.

Wtedy też uważałeś, że musisz stawić czoła całemu złu na świecie? Sądzisz, że wzięło się to z czytania Biblii w dzieciństwie?
Widzisz, musiałem odkryć, że u samych podstaw leży poczucie sprawiedliwości, a nie dobroczynność. Oczywiście, dobroczynność jest w porządku, interesuje mnie. Wszystkich powinna interesować, zwłaszcza bogatych, ale bardziej pociąga mnie sprawiedliwość. Kampania Drop the Dept była kwestią sprawiedliwości. Zmuszanie dzieci do spłaty zadłużenia ich dziadków jest kwestią sprawiedliwości. Albo niedopuszczanie produktów najbiedniejszych krajów na nasze rynki, podczas gdy w tym samym czasie wychwala się wolny rynek – to dla mnie jest kwestia sprawiedliwości. Świadomość tych spraw wynika z lektury Pisma Świętego. Wydaje mi się, że tak jak wielu ludzi świat po prostu przechodzi do porządku dziennego nad brakiem nadziei, iż można cokolwiek zmienić lub poprawić. Kiedy sprzedało się mnóstwo płyt [*śmieje się*], łatwo popaść w megalomanię i uwierzyć, że m o ż n a s a m e m u coś zmienić. Jeśli pchniesz drzwi, może się otworzą, zwłaszcza gdy reprezentujesz jakiś większy autorytet niż własny. Nazwij to miłością, nazwij to sprawiedliwością, nazwij to jak chcesz. Dlatego nigdy się nie denerwuję, kiedy spotykam się z politykami. Uważam, że to oni powinni się czuć podenerwowani, bo ja reprezentuję ubogich i pokrzywdzonych tego świata. I daję słowo, historia surowo oceni te czasy. Cokolwiek myślimy o Bogu, kim jest albo czy istnieje, większość zgadza się co do tego, że jeśli jakiś Bóg istnieje, to ma dla ubogich specjalne miejsce. Ubodzy są tam, gdzie mieszka Bóg. Więc to politycy powinni czuć się nieswojo, nie ja.

Zaskakuje mnie, jak łatwo – bez względu na pytanie – pojawiają się w twoich wypowiedziach wątki religijne. Jak to się dzieje, że zawsze cytujesz Pismo Święte? Czy to dlatego że uczono go w szkole? A może twoi rodzice chcieli, żebyś je czytał?

To dziwne, nie mam pojęcia. Kiedy słyszę ludzi nawiązujących do Pisma Świętego, zawsze potrafię przejrzeć ich osobowość, wznieść się ponad trudności otoczenia, w którym się znajduję, i słuchając ich, zdemaskować ich hipokryzję. Zawsze udaje mi się dotrzeć do ukrytych treści.

Kiedy po raz pierwszy zdarzyło się coś takiego, że pomyślałeś o cytacie z Pisma? Kiedy powiedziałeś sobie: tak, widzę dalej i rozumiem, jak to się odnosi do takiej a takiej sytuacji?

Pozwól, że ci coś wyjaśnię, co – mam nadzieję – nada sens całej rozmowie. Choć może to nieco zbyt optymistyczne. [*śmieje się*] To nie był pierwszy raz, ale pamiętam, że wracałem do domu po długiej trasie koncertowej. Dotarłem do domu na Boże Narodzenie, cieszyłem się, że jestem w Dublinie. Dublin w Boże Narodzenie jest chłodny, ale oświetlony, coś w rodzaju karnawału na chłodzie. W Wigilię poszedłem do katedry Świętego Patryka. Przez rok chodziłem tam do szkoły. Właśnie tam Jonathan Swift był dziekanem. W każdym razie szło kilku moich przyjaciół z Kościoła Irlandii. To taka tradycja wigilijna, ale ja nigdy nie chodziłem. Poszedłem, usiadłem. Trafiło mi się naprawdę złe miejsce za jednym z wielkich filarów. Nic nie widziałem. Siedziałem tam po powrocie z Tokio czy skądś tam. Poszedłem ze względu na śpiew, bo uwielbiam śpiew chóralny. Sztuka wspólnoty! Ale zacząłem zasypiać: od paru dni na nogach, bez przerwy w podróży, nabożeństwo było trochę nudnawe i zapadłem w drzemkę, poza tym nic nie widziałem. Po chwili starałem się nie zasnąć i zacząłem czytać modlitewnik. Po raz pierwszy olśniło mnie naprawdę. To zresztą przytrafiło mi się już wcześniej, ale teraz naprawdę zaczynało to do mnie docierać: opowieść o Bożym Narodzeniu. Myśl, że Bóg – jeśli istnieje we wszechświecie siła Miłości i Logiki – stara się odsłonić swoją obecność, jest niesamowita. Że stara się siebie wyjaśnić i opisać, stając się dzieckiem narodzonym w nędzy stajenki, pośród łajna i siana... dziecko... Pomyślałem sobie: Boże! Przecież to poezja... Niepoznawalna miłość, niepoznawalna potęga, okazuje siebie jako coś najbardziej bezbronnego. To było coś. Siedziałem tam i nie żeby wcześniej mnie to nie uderzyło, ale właśnie wtedy rozpłakałem się. Dostrzegłem geniusz, absolutny geniusz wybrania konkretnego punktu w czasie i decyzję rozpoczęcia misji. Właśnie o tym rozmawialiśmy wcześniej: miłość potrzebuje znaleźć formę, intymność wymaga szeptu. Ja dostrzegam w tym sens. To czysta logika. Istota chce się objawić, to nieuniknione. Miłość musi się przerodzić w czyn albo w coś konkretnego. To było nieuniknione. Wcielenie musiało się wydarzyć, a miłość stać się ciałem. Czy nie o to ci wcześniej chodziło?

Właśnie tak. Ale widzisz, czasami myślę sobie, że jestem religijny, nie wiedząc o tym.
[*śmieje się*] A, to bardzo ciekawe. Jesteś jak jeden z trzech króli, mędrców, którzy wpatrywali się w gwiazdy bez religijnych podtekstów! Patrzysz w swoje mapy, mówisz [*zaczyna żartować*]: „O, tutaj jest, w porządku, to powinno być tutaj... O, a tam dzieje się coś dziwnego... Czy to zorza polarna? Nie, to samotna gwiazda. Zgodnie z moimi współrzędnymi musimy udać się tą drogą. Dobrze, coś nadzwyczajnego dzieje się chyba... [*zawiesza głos dla wywołania dramatycznego efektu*] tam. O cholera, co to jest? Dzieciątko! Ach, wdepnęliśmy w historię Bożego Narodzenia, a myślałem, że zajmuję się astronomią".

Zadam ci bardzo naiwne pytanie. Dlaczego tak wielu ludzi jest religijnych, ale się do tego nie przyznaje? Myślisz, że masz jakieś wyjaśnienie?
Nie wiem. Ale instynkt religijny objawia się jako hazard, czytanie horoskopów, joga. Jest wszędzie. Niby mamy społeczeństwo świeckie, ale patrzę dookoła i wszyscy są religijni. Są zabobonni, modlą się, kiedy podejrzewają, że mają raka. Duchowość mieszka tuż pod powierzchnią. Minęło dwieście lat od oświecenia, ale nauka znów musi ustąpić pola wierze.

Tak, ale niektórzy ludzie nie chcą używać słowa „Bóg".
Zgadza się. No cóż, bo od zawsze trzeba było wszystko udowadniać, inaczej nie istniało. Takie rozumowanie wprowadzili ludzie myślący,

pooświeceniowi: „Bóg jest martwy". Ale jak ci już raz mówiłem, widziałem w Dublinie świetny napis na murze. Brzmiał: „Bóg nie żyje. Nietzsche". A pod spodem sprejem ktoś dopisał: „Nietzsche nie żyje. Bóg". [*śmieje się na głos*] Świetne! Jestem przekonany, że teraz, na początku XXI wieku, ludzie znów stoją u progu przygody. Mamy w sobie gen Ewy, mamy naukę mówiącą o wielkim wybuchu, a w niej tak wiele szczegółów, które są sprzeczne, a które stają się mniej sprzeczne ze względu na myśl, że Bóg istnieje. Różne dyscypliny pracują nad różnymi fragmentami łamigłówki. Pamiętaj, że nie jestem naukowcem, chociaż z jednym takim gram w zespole. Nie jestem zakonnikiem, to oczywiste, jestem artystą. Szukam wskazówek poprzez muzykę. Znów zbaczam z tematu?

Owszem. Właściwie sam zamierzałem zboczyć, ale chyba nie odchodzę aż tak daleko. Powiedziałeś: „intymność wymaga szeptu". A co z szeptem w piosence *She's a Mystery to Me*, którą napisałeś dla Roya Orbisona? Co ją zainspirowało? Czy to ty szepczesz, czy ktoś szepcze do ciebie? Dla mnie ta piosenka jest formą wcielenia Boga – jedną z niewielu, w które gotów bym uwierzyć. Dla mnie to piosenka religijna, mistyczna. Melodia, jaką słyszysz w katedrze. Tego nie da się powiedzieć o wielu innych piosenkach U2.
Wiesz, pewno stoją za tym jakieś techniczne względy. Na przykład bardzo pociągają nas zawieszone akordy kwartowo-kwintowe. Właśnie tak Edge gra na gitarze. Takie rozwiązania często można usłyszeć w muzyce religijnej, na przykład u Bacha, wprowadzają taki wesołosmutny nastrój. Połączenie katuszy z ekstazą. Właśnie ta dwoistość składa się na moje ulubione piosenki popowe.

Jednym z powodów, dla których tutaj dziś siedzę, jest to, że razem z Edge'em napisaliście tę piosenkę. Właśnie ją ciskam w twarz ludziom, którzy mówią, że nie „chwytają" U2 – bo kiedy jej słuchają, opadają im szczęki. Dla mnie razem z *God Only Knows* Beach Boysów należy do panteonu wielkich utworów. I nie odejdę stąd, dopóki mi nie powiesz, jak powstała.

To zabawna historia. Żona Edge'a Aislinn była najbardziej niesamowitą dziewczyną na świecie i zaskakiwała uprzejmością, kiedy najmniej się tego spodziewałeś. Dała mi w prezencie ścieżkę dźwiękową do filmu *Blue Velvet* Davida Lyncha. Graliśmy wtedy koncert w Londynie. Nastawiłem taśmę w trybie odtwarzania ciągłego i zasnąłem. Kiedy się obudziłem, miałem w głowie tekst i muzykę. Podejrzewałem, że nucę coś ze ścieżki dźwiękowej, ale zdałem sobie sprawę, że tak nie jest. Zapisałem ją. Na rozgrzewce tego dnia zagrałem piosenkę innym i zacząłem nawijać o Royu Orbisonie, jaki to geniusz, i tak dalej. Powiedziałem im, że to mogłaby być piosenka dla niego, że powinniśmy ją dla niego skończyć. Po próbie dźwięku dalej nad nią pracowałem. Po koncercie wciąż gadałem w kółko o Royu Orbisonie i tej piosence, kiedy stało się coś dziwnego. Ktoś zastukał do drzwi. John, nasz ochroniarz, przedstawiał gości tego wieczoru: powiedział mi, że czeka na mnie Roy Orbison i chciałby zamienić parę słów.

Co? To znaczy, że nie miałeś pojęcia, że przyjdzie?

Nie miałem pojęcia, że tam jest, nie miałem pojęcia, że przyjdzie, i zespół też o tym nie wiedział. Popatrzyli na mnie, jakbym miał dwie głowy. W ogóle to właśnie zaczęła mi puchnąć jak balon, [*śmieje się*] kiedy poczułem, że w jakiś sposób Bóg zgodził się ze mną co do Roya Orbisona! Wszedł, ten wspaniały, skromny człowiek. Powiedział: „Wasz koncert naprawdę bardzo, bardzo mi się podobał. Nie potrafię teraz wyjaśnić dlaczego, ale bardzo mnie poruszył. Tak się zastanawiam: nie mielibyście czasem dla mnie jakiejś piosenki?".

Sam nie wymyśliłbym lepszej historii.

Później skończyłem z nim piosenkę, poznałem jego żonę Barbarę, rodzinę, a tytuł utworu stał się tytułem jego ostatniego albumu. Nagranie z nim było niesamowitym przeżyciem. Stałem obok niego przy mikrofonie, demonstrując mu piosenkę. Nie słyszałem, jak śpiewa, bo ledwo otwierał usta. Wróciliśmy do pokoju nagrań i wszystko było jak należy. Nie tylko miał anielski głos, ale i sposób bycia.

Ale słowa są też niezwykłe.
[*starając się przypomnieć sobie, szepcząc po cichu, brnąc przez słowa ku zapomnianej modlitwie*] Nie umiem powiedzieć, o czym były. Przypominały niespokojny sen. Temat piosenki jakby mnie prześladował. Nie wiem, dlaczego zawsze pociągają mnie tematy, których nie można naprawdę uchwycić - jak seks albo Bóg. [*zastanawia się przez chwilę*] Wydaje mi się, że czasami mylę te sprawy!

***She's a Mystery to Me* to nie tylko „bardzo dobra piosenka". Wydaje się, że pochodzi z innego miejsca.**
Dobre pytanie: jaka jest różnica między bardzo dobrą piosenką a świetną piosenką? Odpowiedź: moim zdaniem, za bardzo dobre piosenki zasługę można przypisywać sobie. Ale za świetne - nie. To takie odczucie, jakbyś się na nią po prostu natknął. Oczywiście, istnieją też złe piosenki. Szkoda, że za nie też trzeba brać odpowiedzialność. Denerwuje mnie to, że w ramach rzemiosła jesteś w stanie nauczyć się tylko tyle, i kropka. Muza bywa krnąbrna, lecz uważam, że trzeba bywać w miejscach, w których się pojawia. Dla niektórych ludzi takim miejscem będzie chaos, dla innych - zakochanie się. Dla innych - wściekłość. Dla jeszcze innych - pomstowanie na świat. A dla innych - poddanie się światu.

A dla ciebie?
Wszystkie wyżej wymienione. [*śmieje się*]

Pewnie w zależności od etapu życia.
Tak. Nie wiem, czy już to gdzieś mówiłem, ale w rzeczywistości sprowadza się to do pewnej szczerości wobec siebie. Mówiliśmy już o tym?

Nie. Sądzę, że to zrozumiałe samo przez się.
To właśnie czyni cię wolnym. Opisujesz sytuację, w której się znajdujesz. Nawet jeśli nie masz nic do powiedzenia, zrób z tego pierwszą linijkę.

Jestem przekonany, że kiedy usłyszałeś, jak Roy Orbison śpiewa tę piosenkę, poczułeś, że wydarzył się jakiś cud.
Nie mogłem w to uwierzyć. Nie mogłem uwierzyć, że poprosi nas o piosenkę, bo jego utwory są w „księdze pop" najbardziej dopracowane. *In Dreams* to chyba najwspanialsza kiedykolwiek napisana piosenka pop, bo nie przypomina strukturą żadnej innej. Większość ma układ A-B-A-B-C-D - zwrotka, refren, zwrotka, refren, łącznik i tak dalej. A kiedy posłuchasz tej piosenki, okazuje się, że części się nie powtarzają. Idzie tak: A-B-C-D-E-F-G. Łamie wszelkie zasady. Spróbuj ją kiedyś zaśpiewać.

Boże broń! Który tekst piosenki jest twoim ulubionym?
Help Me Make It Through the Night Krisa Kristoffersona.

Jak to idzie?
[*śpiewa*] „Nie dbam, kto ma rację, a kto nie / Nie staram się zrozumieć / Niech diabli wezmą jutro / Panie, potrzebuję dziś przyjaciela". Znasz to? „Wczoraj umarło i minęło / (Bom-Bo-bo-bom) / A jutra nie widać / (Bom-bo-bo-bom) / I smutno być samemu. / Pomóż mi przetrwać noc". Mogę powiedzieć, że to moja ulubiona piosenka country.

A jaka jest twoja ulubiona pieśń religijna?
Amazing Grace.

A twoja ulubiona piosenka U2?
Jeszcze jej nie napisaliśmy.

Może coś tak oczywistego jak *One*?
Stay (Faraway, So Close) to jedna z ulubionych. Lubię też *Please* z albumu *Pop*.

Ciekawe, że to najbardziej operowe utwory, jakie mogłeś wybrać, takie, które...

... zabierają cię w podróż do miejsca, którego wcześniej nie mogłeś sobie nawet wyobrazić.

Rozmowa niespodziewanie dobiegła końca. Zanim Bono odszedł, kelner ze śpiewnym włoskim akcentem poprosił o szczególną przysługę: „Panie Bono, czy mogę pana o coś prosić? Czy może pan napisać mi swoje imię, swoje wspaniałe imię, na mojej koszuli?". - „Kurczę, jest pan pewien?" - „Dla Paolo!" [*Bono spełnia prośbę*] „Dziękuję. Jest pan wspaniały! Jest pan najwspanialszy ze wszystkich!" Wtedy Bono z przekornym błyskiem w oku dodał: „Wie pan, umiem też robić tatuaże...".

7. NA DNIE SZKLANKI

Przez cztery miesiące Bono nie dawał znaku życia. Dochodziły mnie wieści, że jest „bardzo zajęty", co niekoniecznie stanowiło dla mnie nowość. Przez ten czas Bono, występując w imieniu DATA i kampanii Keep America's Promise to Africa*, zdobył 289 milionów dolarów dotacji od Senatu Stanów Zjednoczonych, otrzymał tytuł doktora *honoris causa* Trinity College w Dublinie, zilustrował książeczkę do współczesnej wersji baletu Prokofiewa *Piotruś i wilk*, wyprodukowanej i opowiedzianej przez swojego starego przyjaciela Gavina Fridaya. Wszystkie tantiemy ze sprzedaży książeczki przekazał na rzecz Irish Hospice Foundation, okazując w ten sposób wdzięczność ludziom, którzy opiekowali się jego ojcem (a którego rysy stały się inspiracją dla postaci dziadka Piotrusia). Z zapałem pracował także nad nowym albumem U2. „To musi być potwór, prawdziwy smok, i jest!" - twierdził.

Dojrzewanie smoka okazało się cokolwiek bolesne. Odniosłem wrażenie, że zespół, zmęczony niekończącymi się podróżami Bono i jego drugą posadą w DATA, przetrzymuje go jako zakładnika, żeby przyspieszyć proces powstawania albumu. Pod koniec września redakcja wysłała mnie do Dublina, żebym napisał krótki reportaż. W tym czasie Bono przebywał w swoim domu w Nicei. Catriona umówiła się ze mną na spotkanie w Ocean Bar, zaraz naprzeciwko należącego do U2 Hanover Quay Studios (mówi się, że zespół i cała ekipa często przypływają tu małą motorówką, żeby coś szybko przekąsić). W pewnym momencie zadzwonił jej telefon. „To szef" - powiedziała. „Nasza następna rozmowa odbędzie się przez telefon" - ostrzegł Ojciec Chrzest-

---

* Dotrzymać Obietnicy Ameryki dla Afryki - ang. (przyp. tłum.).

ny, opisawszy wcześniej w lirycznych barwach zachód słońca nad Morzem Śródziemnym.

Kilka tygodni później czekałem na umówiony telefon. Byłem wtedy na wsi pod Paryżem, w domu, w którym się wychowałem. Dziwnie się czułem, rozmawiając z Bono w miejscu nadal przepełnionym moimi dziecinnymi wspomnieniami i skąd świat, widziany moimi oczami, wydawał się bardzo mały. Na ulicy mój syn bawił się z kolegą. Siedzieli w kucki na starym wozie, używanym dawniej do transportu drewnianych bali. Ich pełne podniecenia okrzyki co jakiś czas przerywały nagranie. Ponownie uderzył mnie radosny ton głosu Bono w niedzielny poranek.

Może pamiętasz odręcznie napisany list, jaki do ciebie wysłałem zaraz po powrocie z Bolonii? Nie wiem, czy go dostałeś.
Na pewno go dostałem.

Przypomnę ci, co w nim było: „Po dniu spędzonym wraz z Tobą we Włoszech dostrzegłem zupełnie nowy wymiar Twojego charakteru. Jesteś taki, jakiego widzą cię ludzie: znalazłeś się tutaj po to – jak mówisz – żeby inni mogli z tego skorzystać. Moim zdaniem, starasz się wydobyć to, co w nich najlepsze. Niektórzy mogą jednak spróbować nadużyć Twojej dobroci, chcąc osiągnąć własne zwariowane lub nikczemne cele. Przeczucie podpowiada mi, że bardzo dobrze potrafisz się obronić przed kimś takim. Mam wrażenie – nie wiem dlaczego – że nie chciałbym widzieć, jak ktoś wchodzi Ci w drogę. Dlaczego żywię tego rodzaju odczucie wobec tak spokojnego człowieka? Życie zapewne nie szczędziło Ci sytuacji, w których mogłeś pokazać oblicze »potwora«". Co byś na to powiedział?
No cóż, gardzę przemocą, ale trochę ją znam z własnego doświadczenia. [*długa pauza*] Przepraszam, twoje ostatnie pytanie na chwilę mnie zaskoczyło, jednak wcale nie jest bezsensowne. Wydaje mi się, że chwila kiedy zdałem sobie sprawę, iż jestem zdolny do wszystkich rzeczy, których nienawidzę u innych, miała – co dziwne – związek

z jednym z najbardziej radosnych przeżyć: z narodzinami naszego pierwszego dziecka. Dopiero co poczułem miłość do ślicznej dziewczynki, tak kruchej i tak bezbronnej. Mniej więcej wtedy zaczęło do mnie docierać, dlaczego toczono wojny. Pojąłem, czemu ludzie są zdolni do okrucieństwa w obronie siebie i bliskich, a gdy zdałem sobie z tego sprawę, nabrałem pokory.

Co się właściwie stało?
Nie pamiętam. Dla mnie to jedna z największych i najbardziej zadziwiających rzeczy: im bardziej doświadczasz miłości, tym bardziej powinna cię przepełniać, a przecież czasem, kiedy boisz się utraty życia, dzieje się coś zupełnie przeciwnego. Boisz się bezbronności, która może ci odebrać całą związaną z nim radość. Może tak się stało, bo jako dziecko odkryłem, że wraz ze śmiercią w rodzinie całe życie człowieka ulega zmianie. Czasami ludzie mówią – przynajmniej ja tak mówię – że dopiero po utracie pieniędzy potrafimy je docenić. Wiesz, ludzie dbający o pieniądze to nie ci, którzy dużo zarobili, tylko ci, którzy wiele stracili. Uważam, że to samo można odnieść do związków emocjonalnych: jeśli wcześnie straciłeś kogoś bliskiego, kogoś ważnego, przez resztę życia żyjesz w strachu. Jest to chyba coś, czego się obawiam, i chyba tłumaczy wściekłość, o której mówiłeś wcześniej. Siedzi we mnie, a chwilami naprawdę przeraża. Przyznaję się do czegoś dziwnego, ale wiem, że to prawda.

Poznaję to czasem po twoim spojrzeniu.
Jeszcze nie wszedłem w okres autoanalizy, niewystarczająco zagłębiłem się w siebie.

Czy kusiło cię kiedyś, żeby poddać się psychoanalizie albo psychoterapii?
Może dlatego rozmawiam z tobą? A na poważnie, zaczynasz rozmawiać z kimś, komu ufasz, z kim możesz rozmawiać o motywach swoich poczynań. [*śmiech*] Zanim w ogóle bym się na to zdecydował, musiałbym wiedzieć, że to część pracy twórczej. Gdybym tak siedział

i rozmawiał z psychiatrą czy kimś podobnym, pomyślałbym: „Boże, mógłbym przecież tę godzinę spędzić inaczej. Mógłbym zabrać dzieci na spacer". Ale jeżeli siadam z tobą, starym przyjacielem, i zajmuję się czymś, co być może przeczytają kiedyś moje dzieci, czuję się usprawiedliwiony. Tak to właśnie jest, Michka. Twoje pytania są jak wielkie przyciski, ale nie znam odpowiedzi na wszystkie. Skąd bierze się ta wściekłość? Częściowo z poczucia, że życie może ci zostać odebrane szybko, w jednej sekundzie z najgłupszej przyczyny. To powoduje, że jestem wściekły, ostrożny i opiekuńczy.

Co prowadzi mnie do kolejnego pytania. W swoich tekstach często przywołujesz motyw samobójstwa. Jedna z pierwszych piosenek, jaką nagrałeś z U2, *A Day Without Me*, opowiadała o samobójstwie przyjaciela. Jedna z najbardziej popularnych najnowszych piosenek, *Stuck in a Moment You Can't Get Out Of*, traktuje o samobójstwie twojego przyjaciela Michaela Hutchence'a. Czy na jakimś etapie życia rozważałeś targnięcie się na własne życie i obrócenie przemocy przeciwko sobie samemu jak Ian Curtis z Joy Division czy Kurt Cobain?
Wydaje mi się, że w wieku kilkunastu lat każdemu coś takiego przychodzi do głowy, więc z pewnością mnie też to spotkało. Pamiętam, że jako nastolatek bywałem bardzo przygnębiony, wręcz rozbity. Nie wiedziałem, kim i gdzie jestem. Ale kiedy przybyło mi lat, przestałem pieścić się z takimi myślami. Kusi mnie, żeby samobójcze myśli uznać za pobłażanie samemu sobie. Kiedy Michael targnął się na swoje życie, bardzo to przeżyłem, bo wiem, że ludzie czasami wpadają w czarną dziurę i nie potrafią się stamtąd wydostać. Im bardziej próbują – jak mówi porzekadło: kiedy jesteś w dołku, przestań kopać – im bardziej roztrząsają całą sytuację, gubiąc się we własnym życiu, tym dziura staje się głębsza. Z Michaelem było podobnie. Często myślę: „Boże, gdyby odłożył to na pół godziny, poczekał, aż rozpacz odejdzie, nadal by tu był". Kiedy w Afryce, gdzie sporo pracuję, widzę tak wielu ludzi walczących o swoje miejsce na świecie, o pożywienie i patrzę, jak pragną żyć, tolerancji tej mam jeszcze mniej, wręcz wściekam się, gdy pomyślę o tych, którzy marnują własne życie.

Jednak kiedy ktoś czuje się beznadziejnie i rozpacza, a ty mu mówisz: „Tak, ale spójrz na to z perspektywy prawdziwego bólu i prawdziwego cierpienia ludzi w Afryce", niekoniecznie...
[*wchodząc w słowo*] Naprawdę uważam, że zmiana perspektywy pomaga. [*śmiech*]

Niestety, bardzo często po prostu nie działa. Można mieć świadomość i dostęp do mnóstwa informacji za pośrednictwem mediów, ale świadomość istnienia ludzi cierpiących głód albo AIDS w Afryce nie pomoże przygnębionym w rozwiązywaniu ich problemów. Depresja to rzeczywiście bardzo realna choroba. Rozumiem brak chemicznej równowagi w mózgu i te sprawy, ale uważam, że jej coraz częstsze występowanie ma wiele wspólnego z brakiem perspektywy wobec własnego życia i brakiem empatii wobec innych. Kiedyś czytałem historię o szpitalu psychiatrycznym położonym obok szkoły, która spłonęła. Dyrektor szkoły od czasu do czasu odwiedzał szpital i po wypadku postanowił zwrócić się do zdrowiejących pacjentów, żeby zaangażować ich we wspólne przedsięwzięcie. Szukał ochotników, którzy pomogliby posprzątać pogorzelisko. I nikt się nie zgłosił. Czy to była nieśmiałość? Był zdezorientowany. Wtedy jeden z lekarzy powiedział: „Właśnie dlatego tylu tu ich mamy. Są zamarynowani w sobie". To wyrażenie utkwiło mi głęboko w pamięci.

Bardzo trafne określenie.
Właśnie. Dlatego Michka, przyjacielu, musisz być ostrożny, zwłaszcza gdy poddajesz się takiej psychoanalizie. [*śmiech*] Musimy uważać, żeby nie udusić się we własnym sosie. Jeśli spojrzę na depresję pod innym kątem, zdobywam się na większy optymizm. Popatrz na to jak na zakończenia nerwu. Trędowaty chciałby poczuć ból w przyciętej drzwiami lub oparzonej ogniem dłoni, może więc powinniśmy postrzegać depresję jako zakończenie nerwu – coś, co nam przypomina, że nie wszystko gra. Bo tak naprawdę, nie wszystko jest w porządku. Są powody, żeby na świecie nie czuć się dobrze, ale nie możemy z tym walczyć dwadzieścia cztery godziny na dobę przez siedem dni w ty-

godniu. Czasami warto zadać parę trudnych pytań o siebie i świat, w którym żyjemy, panującą w nim niesprawiedliwość. Moim zdaniem, w ten sposób można wykorzystać depresję – jako przypomnienie, że coś jest nie w porządku i trzeba to naprawić. Gdzieś zasłyszałem jeszcze inne porównanie, do którego mógłbym się odwołać, mówiąc o psychoanalizie,: „Zardzewiały gwóźdź, który spoczywa na dnie szklanki z wodą". Poddajesz go analizie, wyciągasz z wody, wpatrujesz się w niego i myślisz: „Boże, popatrz, co znalazłem w mojej podświadomości – lub nieświadomości – znalazłem zardzewiały, pogięty gwóźdź... Rety. Nie wiedziałem, że tam jest". A potem wkładasz go z powrotem do szklanki. [*śmiech*] Jedyna różnica jest taka, że teraz wiesz, co tam jest, woda została zmącona i zmieniła kolor, ale nie pozbyłeś się gwoździa. Dlatego uważam, że jeżeli w takich chwilach wsłuchasz się w siebie i dowiesz się o sobie czegoś, co ci się nie spodoba, masz obowiązek to naprawić. Jeśli tego nie zrobisz, to – jak powiedziałem wcześniej – „zamarynujesz się", czyli odpuścisz sobie, albo tylko zmącisz wodę, co zaprowadzi cię donikąd. Podpisuję się pod psychoanalizą obiema rękami, pod warunkiem że pokaże ci jakiś kierunek. Mam nadzieję, że ta rozmowa zaprowadzi mnie [*pauza*] do pubu!

[*śmiech*] Masz na myśli miejsce z pozytywną energią.
Tak.

Zastanawiałem się nad wyrażeniem, którego użyłeś: „Musimy uważać, żeby nie udusić się we własnym sosie". Wydaje mi się, że na pewnym etapie życia dotyczyło to mojej osoby przez trzy lata, poddawałem się więc terapii, bo wydawało mi się, że jestem zbyt skupiony na sobie, a to wcale nie było fajne. Wbrew powszechnej opinii, chodzisz na terapię, by p r z e s t a ć dusić się we własnym sosie.
I terapia wydobyła cię z samego siebie. Czy tak się w końcu stało?

W końcu tak. A także pomogła mi zrozumieć, że depresja i poczucie, iż jesteś do niczego na pewnym etapie życia, to zasadniczo pozytywne przeżycia. [*śmiech*]

Tylko wtedy gdy do czegoś prowadzą. W twoim przypadku tak było. Tak, to pozytywne przeżycie. Kilkoro moich przyjaciół przez to przeszło i nie mogę się im nadziwić. Zwłaszcza jeden kumpel ma praktyczne podejście do faktu, że jako dziecko miał popieprzone życie, miło spędzał czas z kolegami i nigdy nie miał okazji wziąć się z życiem za bary. Poszedł na terapię, zupełnie jakby pojechał samochodem na przegląd.

Właśnie. W tym wypadku bardzo twardo stąpałem po ziemi: złapałem gumę i wiedziałem, muszę naprawić koło, bo nigdzie nie dojadę. [*śmiech*]
No właśnie, tak to jest. Nie miałbym nic przeciwko temu, gdybym miał więcej czasu. Pewnie dobrze byłoby skontrolować procesy myślowe. Jeśli nie korzystasz z pionu, zbudujesz krzywą ścianę. Sądzę, że w moim przypadku takim pionem jest modlitwa i życie, w którym wielbię Boga przez muzykę.

Dziwne, ale kiedy dawno temu, w latach osiemdziesiątych, odkryłem muzykę U2, czułem emanującą z niej wiarę. Tymczasem wasza muzyka zdawała się wyrastać z bardzo przygnębiającego podejścia do życia. Brzmienie zespołu miało w sobie coś ciężkiego, wręcz posępnego. Wiem, że bardzo wam zależało, żeby nagrać pierwszego singla z Martinem Hannettem, producentem Joy Division.
Masz absolutną rację co do koloru tego okresu: fiolet przechodzący w czerń. W industrialnym klimacie zwykle przeważa szarość, jednak uważam, że mimo współpracy z Martinem Hannettem naszą muzykę zawsze przenikało światło. Nawet jeżeli niektóre tematy spowijał mrok, muzyka niosła w sobie antidotum przeciwko poruszanym tematom. To było dziwne, ale tak to wygląda: jesteś nastolatkiem albo przestajesz nim być. Właśnie o czymś takim ludzie chcą czytać: świetną powieść poruszającą istotne kwestie moralne, żeby zrozumieć życie i siły, które tobą rządzą. Jako nastolatek musisz stawić czoła wielkim pytaniom, właśnie to uwielbiam w młodości. Nie wiem, czy ci mówiłem – tu się trochę pochwalę – ale Anton Corbijn miał wystawę

w znanym muzeum w ojczystej Holandii i poprosił mnie o jej otwarcie. Ostrzegł mnie, że jedną salę wypełniają wyłącznie fotografie mojej skromnej osoby. „Bono olbrzym", śmiał się. „Czy nie tak siebie postrzegasz? Ha! Ha!" Jestem wielkim fanem jego i jego wielkości – jest bardzo wysokim człowiekiem. Zabrałem się do przedstawiania jednego z najwybitniejszych fotografików naszego wieku i skończyłem w sali pełnej podobizn Bono stojącego i patrzącego na mnie ze zdjęć z ostatnich dwudziestu lat. Wtedy je zobaczyłem. Musiałem mieć ze dwadzieścia dwa lata. W scenie z wideoklipu wsiadałem do helikoptera. To był chyba *New Year's Day*. Po prostu zobaczyłem tę twarz, moją pierwszą twarz. Miałem takie jasne, nieustraszone oczy i zacząłem się w nie wpatrywać. Podszedł do mnie dziennikarz i zapytał: „Co by pan teraz powiedział temu człowiekowi? Może mu pan powiedzieć tylko jedno. Co?". Chciałem zażartować, ale stwierdziłem, że nie powinienem. Odparłem: „Powiedziałbym mojemu młodszemu wcieleniu: »Masz rację. Nie kombinuj«". Czułem to bardzo mocno. Szkoda, że wtedy nie wiedziałem, jak bardzo mam rację. Nie myliłem się. Ludzie oczekują, że powiesz: „Och, jaki wtedy byłem głupi. Dojrzałem i teraz się z tego śmieję". Ja też się śmieję z niektórych utworów, z niektórych moich wypowiedzi. Pewne aspekty mojego wizerunku zostawiają poczucie zażenowania i rumieniec na twarzy. Ale w naiwności jest siła. Nie myliłem się co do świata. Świat jest o wiele bardziej plastyczny, niż przypuszczasz. Możemy go formować, nadając mu lepsze kształty. Zadawaj wielkie pytania, żądaj wielkich odpowiedzi.

Zwykle mawiamy o czasach własnej młodości: „Szkoda, że nie byłem wtedy odważniejszy". Czy ciebie też to dotyczy?
Akurat ja byłem odważny. Byliśmy odważni, tylko wówczas nie wiedzieliśmy jak bardzo. Oto zespół, który tak naprawdę nie potrafi grać, a tworzy własną muzykę, bo nie potrafi dobrze grać cudzej, ma czelność powiedzieć: „Możemy odnieść wielki sukces bez sukcesu kasowego. Nie musimy się wstydzić naszych ambicji". Warto pamiętać, że zdaniem ówczesnej prasy muzycznej pragnienie tworzenia dobrej muzyki w dobrym zespole było grzechem śmiertelnym.

„Sukces kasowy" był najczęściej określeniem pejoratywnym. W dyskusji dominowały pojęcia takie jak „wiarygodność ulicy". Wiedzieliśmy, że to nonsens. O jakiej ulicy mówili i w stosunku do kogo mieliśmy być wiarygodni? „Czy mamy coś oryginalnego do powiedzenia?" – o to nam chodziło. „Czy tworzymy dobre piosenki?" Mieliśmy rację w wielu sprawach. Taka naiwność jest bardzo, bardzo potężna.

Ale gdy już wyrośliście z naiwności i być może straciliście złudzenia, czy nie kusił was cynizm?
Moim zdaniem, pod maską cynizmu często kryje się humor.

Ironia.
Tak. Ale w ostatecznym rozrachunku w „Zoo TV" nie było cynizmu, tylko zabawa i strategia. Strategia rodem z judo: użyć siły atakującego do obrony. A nas atakowano ze wszystkich stron, bo byliśmy szczerzy aż do bólu. Twarz, o której wcześniej mówiłem, była otwarta. Była gotowa na policzkowanie i na drwiny. Czuliśmy, że media nas osaczają. To było coś niesamowitego. Zdałem sobie sprawę z potęgi mediów przy okazji *The Joshua Tree*. Wydaliśmy wielką płytę i naturalną koleją rzeczy mogliśmy nagrać album z koncertów na żywo, zainkasować należność i pojechać na wakacje. Ale stwierdziliśmy: „O nie, nie możemy tego zrobić". Napiszemy nowe piosenki. Nakręcimy film z trasy po Ameryce. Zrobimy z tego coś znacznie ciekawszego: podwójny album, wypuścimy za pół ceny i zamiast traktować się jak pępek świata, w centrum naszego świata i pracy artystycznej ustawimy muzyków, których lubimy, i dodamy zdjęcia Johnny'ego Casha. Napisaliśmy utwory, niekoniecznie doskonałe, ale w pewien sposób określiliśmy się jako fani. Tak powstał album *Rattle and Hum*. Reakcja była odwrotna do oczekiwanej: „O, to już zakrawa na egocentryzm, wydaje im się, że teraz należą do panteonu wielkich artystów i mogą cytować naszą muzykę". Pamiętam, że pomyślałem sobie: „Przecież właśnie staramy się zrobić coś zupełnie odwrotnego!". Ale nie potrafiliśmy tego odkręcić. To było nie do uniknięcia. Stało się faktem, że tak zwani fani mieli kompletny odlot. „Egocentrycz-

ny", „mesjański", takimi słowami nas obrzucano. Pomyślałem sobie: „W porządku. Jeśli ludzie chcą megalomanii, to będą ją mieli! Zabawimy się na całego!" [*śmiech*] Spróbujmy porozumieć się z tymi, którzy nie lubią U2, bo nie jesteśmy prawdziwymi gwiazdami rocka. Moim zdaniem nie było w tym cynizmu, tylko zabawa. A tak przy okazji, jakaś cząstka mnie chciałaby zostać gwiazdą rocka.

Czy kiedykolwiek zastanawiasz się, co byś robił, gdybyś uległ swoim złym instynktom lub lenistwu? Dam ci przykład. Jak ci kiedyś przypomniałem, Adam mówi, że gdyby nie został basistą w U2, byłby przeciętnym architektem krajobrazu. [zob. rozdział 3] [B*ono wybucha śmiechem*] Wyobrażałeś sobie siebie w zwyczajnym zawodzie, może nawet realizującego bardziej prymitywne popędy?
[*zastanawia się*] Życie zbrodniarza? Do tego trzeba mieć lepszą pamięć. Zostałbym pewnie [*konspiracyjnym tonem*] deweloperem. Specjalność – domy z widokiem na plażę. „Location, location..."*

Ciekawe, że o tym wspomniałeś. Chciałem ci kiedyś zadać to pytanie. Pomijając ciebie, niewiele wiem o gwiazdach rocka. Co zwykle robią? Kupują samochody, biorą narkotyki. A skoro przy tym jesteśmy, co możesz powiedzieć o narkotykach? Paul McCartney przyznał ostatnio, że brał kokainę i heroinę. A ty? Może trzeba będzie poczekać, aż skończysz sześćdziesiąt lat, żeby poznać odpowiedź?
Gdybym chociaż raz zapalił skręta, nie mówiłbym o tym, ze względu na dość przewidywalne nagłówki: „Bono zaprzecza, że palił skręty", „Bono przyznaje, że palił skręty". To zaproszenie do debaty, którą nie jestem zainteresowany.

Dobrze. Ale nie masz problemów z przyznaniem się do pijaństwa, prawda?

---

* „Location, location" – tytuł programu BBC, którego treścią jest poszukiwanie idealnego domu dla wybranych osób (dosł. Lokalizacja, lokalizacja).

Nie, ale dla Irlandczyka nie jest to coś, co nadaje się na pierwsze strony gazet. W kwestii zasadniczej: uważam, że narkotyki to głupota, nadużywanie alkoholu to głupota, palenie to głupota. I to wszystko, naprawdę. Co do alkoholu, jestem zdania, że jeśli czegoś nadużywasz, odbija się to na tobie. Tak się dzieje naprawdę. Czy to jest skręt, czy cokolwiek innego, efekt bumerangu gwarantowany.

W porządku. A co masz do powiedzenia o gwieździe rocka nadużywającej nieruchomości?
[*śmiech*] Parę osób mogłoby cię zaskoczyć. Pamiętam, jak RZA* z Wu-Tang Clan powiedział mi, że kręci go kupowanie ziemi. Nie interesują go żadne budynki, tylko ziemia, bo pieniądze tracą na wartości. I ja to uwielbiam. Wiem, że Bob Dylan też kocha ziemię. Ludzie żyjący abstrakcją odpoczywają w konkrecie**. [*śmiech*] Ja kocham budowle. Po prostu lubię różne miejsca.

Nie chcę tutaj zabrzmieć jak psychoanalityk na pół etatu, ale czytałem kiedyś, że jako dziecko spędzałeś wakacje z rodziną w przyczepie kempingowej na pustkowiu nad morzem. Potem wybudowano tam osiedle i nie mogliście już tam się zatrzymywać. Czy widzisz tu jakiś związek?
Był taki wagon kolejowy, własność mojego dziadka, na piaskowych wydmach za plażą na północ od Dublina. Kiedy tam przyjechaliśmy po raz pierwszy, zatkało mnie totalnie. Rolnik, który sprzedał dziadkowi ziemię, zmarł. Jego syn zażądał okazania umowy, której mój dziadek nie miał, bo to była zwykła transakcja, forsa z ręki do ręki. Wtedy kazał mu się wynosić. Dziadek nie chciał, więc on zepchnął wagon spychaczem, po prostu go zgniótł. Koszmarna chwila dla dziecka. Pamiętam, jak rzucałem kamieniami w jego szklarnie. Byłem na niego wściekły.

---

* Właśc. Robert Diggs.
** Gra słów – *concrete* to także ang. beton (przyp. tłum.).

Opisz pierwszy dom, który kupiłeś. Zdecydowałeś się zamieszkać w Dublinie?

Kupiłem wieżę typu Martello, zbudowaną chyba według francuskiego projektu. Francuzi wykorzystywali takie wieże do obrony przed Anglikami. Następnie zdobyli je Anglicy i używali do obrony przed Francuzami. Z militarnego punktu widzenia, świetny pomysł. Granitowe ściany, grubość siedem stóp, całość podobna do latarni morskiej. Miała szklany dach, pokój dla mnie i Ali, pośrodku salon, a na dole mieściła się sala jadalna z kuchnią w ścianie*. Przepadaliśmy za tym miejscem! Teraz mam kilka ładnych domów. Muszę przyznać, że najbardziej obawiam się przeistoczyć w kogoś, kto tylko kupuje posiadłości i je porzuca, nawet z nich nie korzystając ani nie podziwiając, podczas gdy inni śpią na ulicach. Jako nastolatek nienawidziłem takich ludzi, byli moją nemezis. Wiem, że teraz pozwalam sobie na trochę więcej, ale domy naprawdę mnie cieszą. Jak ci pewnie wcześniej mówiłem, z dekadencją mamy do czynienia wtedy, kiedy nie zauważamy, co się dzieje wokół nas.

Inwestujesz głównie w nieruchomości.

Nigdy nie upychałem pieniędzy pod materac, wolałem coś z nimi robić. Kocham sztukę, kilku moich przyjaciół to artyści, więc kupuję trochę tu i tam. Lubię budować nastrój w różnych miejscach i przyznaję, że zarabiam na kupnie i sprzedaży takich miejsc. Jednak o wiele gorzej idzie mi sprzedawanie niż kupowanie.

---

* Mieszcząca się w Bray, dwadzieścia cztery kilometry na południe od Dublina, wieża zakupiona przez Bono należy do ciągu siedemdziesięciu czterech wież wzniesionych przez brytyjskie Ministerstwo Wojny wokół wybrzeża Irlandii w czasie wojen napoleońskich, gdyż Napoleon chciał podobno wykorzystać wybrzeże Irlandii jako „tylne wejście" do inwazji na Anglię. Każda z wież ma wysokość około trzynastu metrów, a grubość muru dochodzi do dwóch i pół metra. Są zwieńczone płaskimi dachami, na które wspinali się strażnicy, aby rozpalić ogień sygnalizujący, że zbliża się statek najeźdźcy. Ich nazwa pochodzi od korsykańskiej miejscowości Mortella, gdzie stała okrągła wieża bezskutecznie oblegana przez Anglików w 1794 r.

Czyli spekulujesz?
W większości przypadków to nie spekulacja, ale nie mogę tego wykluczyć.

Kupiłeś nieruchomość w Paryżu. Czy zamierzasz kupić dom w każdym dużym mieście na świecie?
Kiedy zakochuję się w jakimś miejscu, jestem ciekawy, jak żyją w nim ludzie i gdzie mieszkają. Nie mogę się doczekać, kiedy wyrwę się z hotelu i na własnej skórze poznam prawdziwe życie danego miasta lub miasteczka. Czasami chcę mieć mieszkanie, bo nie chcę się czuć turystą - mógłbyś to nazwać okiem wędrownego szczura.

Zanim się rozłączyliśmy, Bono zaprosił mnie na następny tydzień do Londynu, żebyśmy mogli tam kontynuować naszą rozmowę. Powiedział mi, że U2 zarezerwowało Air Studios do pracy nad następnym albumem.

Zjawiłem się w Air Studios w Londynie. Na miejscu panowała bardzo napięta atmosfera. Tego dnia zespół był zajęty próbowaniem wcześniejszej wersji *Crumbs from Your Table*, w której Bono grał na gitarze i śpiewał oraz udzielał zespołowi wskazówek. Wokół kręciło się kilku kamerzystów. Kiedy na chwilę zrobiono przerwę, Bono zabrał mnie do kafejki, gdzie pokrótce opowiedział mi o tym, co zaszło. Kilka dni wcześniej trzeba było odprawić z nagrania grupę mniej więcej czterdziestu najlepszych brytyjskich muzyków klasycznych. Powód? No cóż, wyjaśnił Bono, typowy dla U2: „Przekonaliśmy się, że piosenki nie brzmią dopiero wtedy, kiedy zagraliśmy je w obecności słuchaczy. Orkiestra nudziła się, a zespół to wyczuł, zresztą sami też byliśmy znudzeni. Wniosek: dokończyć utwory, zanim sprowadzi się pierdoloną orkiestrę". Dodał, że Chris Thomas podsumował spotkanie, mówiąc, że to najgorszy dzień, jaki spędził w studio w całej swojej karierze (zaczynał jako asystent George'a Martina przy *White Album* Beatlesów i pracował między innymi z Roxy Music, Sex Pistols i Pretenders). Potem pojawił się nowy problem. Ekipa kamerzystów otrzymała pozwolenie filmowania zespołu i zaraz zaczęła kilku osobom działać na nerwy. Wtedy przypomniałem sobie o Beatlesach filmowanych w trakcie pracy nad *Let It Be*. Bono też to zauważył: „To sytuacja", powiedział śmiertelnie poważnym głosem, „która może doprowadzić do rozpadu zespołu. Tylko coś takiego sprawi, że film będzie ciekawy. W przeciwnym razie równie dobrze mogą patrzeć, jak schnie farba. Pewnie umierają z nudów".

Zaprosił mnie więc do hotelu w południe i odniosłem wrażenie, że jest w doskonałym humorze. Zanim zaczęliśmy rozmawiać, pokazałem mu artykuł z satyrycznego pisma „The Onion" („Najlepsze źródło informacji w Ameryce"), na które natknąłem się dzień wcześniej w małej księgarni. Zdjęcie z okładki ostatniego wydania magazynu „Time", przedstawiające Bono z zarzuconą na plecy amerykańską flagą i nagłówkiem „Czy Bono potrafi ocalić świat?" przedrukowano w tym artykule z innym nagłówkiem: *Bono na ratunek*. Brzmiał następująco:

> Bono, znany także jako „sumienie rocka", lider grupy U2 i polityczny krzyżowiec, spotkał się ze wszystkimi, począwszy od Kofiego Annana, a skończywszy na Colinie Powellu. Co takiego ostatnio porabiał?
>
> - niestrudzenie poświęcał się rozwiązywaniu kwestii zadłużenia Trzeciego Świata, nie zważając na liczbę okładek czasopism, na których będzie się musiał pokazać,
> - przywracał ludzkości wiarę w potęgę, obietnicę i możliwości rock'n'rolla,
> - karmił głodujących Somalijczyków, dzieląc chleb na kawałki,
> - pokonał Bruce'a Springsteena na teksty podczas pięciogodzinnego pojedynku,
> - przyrzekł lobbować w Kongresie na rzecz pomocy Afryce, występując w coraz większych Jumbotronach* aż do pełnego zaspokojenia popytu,
> - wziął na swoje barki ciężar całego świata po 11 września / kupił kolejną parę niebieskich panoramicznych okularów,
> - ujawnił, że Edge trzy razy go zdradzi, zanim zapieje kogut,
> - myślał o napisaniu kilku piosenek o zbawieniu i odkupieniu oraz chyba jednej o transcendencji.

Bono szczególnie spodobał się fragment z Bruce'em Springsteenem. Potem zaprowadził mnie na taras swojego apartamentu, gdzie zorganizował dla nas obu sesję zdjęciową. Udając pijanego, wygłosił mowę na cześć mojego przybycia do Londynu i orację pełnym głosem do wyimaginowanego tłumu. Potem wrócił do pokoju i wyłożył się na sofie.

---

* Ogromny ekran telewizyjny złożony z wielu mniejszych (zwykle kineskopowych).

Może to zabrzmieć obcesowo, ale po usłyszeniu fragmentu artykułu z „The Onion", przekonasz się, że doskonale pasuje do naszej rozmowy. Podczas naszego ostatniego spotkania wspomniałeś, że przemawiałeś na otwarciu wystawy Antona Corbijna, gdzie w „sali pełnej Bono" stanąłeś twarzą w twarz ze swoim portretem sprzed dwudziestu lat. Nazwałeś go swoją „pierwszą twarzą". Jakiś dziennikarz zapytał: „Co powiedziałbyś teraz tej osobie?". „Masz rację!" – odpowiedziałeś. A gdyby odwrócić sytuację? Wyobraź sobie dzisiaj siebie – młodego człowieka z 1981 roku, w długim płaszczu, z niewinnym, choć gniewnym spojrzeniem. Patrzy na okładkę „Time'a" z 2003 roku, ukazującą twarz multimilionera – bojownika w przyciemnionych na niebiesko okularach. Co byś j e m u powiedział?

„Mylisz się. [*śmiech*] Po pierwsze, okulary są do kitu. W niebieskim ci nie do twarzy. Załóż zielone!" No cóż, w pewnym sensie mojej młodszej wersji chodziło właśnie o obrywanie tortem w twarz za popieranie różnych spraw, więc myślę, że moje obecne położenie bardzo by mu się spodobało. Ale gdybyś powiedział temu dwudziestojednolatkowi, że pewnego dnia znajdzie się na okładce „Time'a" [*robi pauzę dla wzmocnienia efektu*], to prawdopodobnie by uwierzył. [*śmiech*] Ot, okres dojrzewania. W moim przypadku przyszedł dość późno. A co do innych spraw w życiu... [*pauza*] Myślę, że zaakceptowałby rodzinę. Ale wszystkie komplikacje, rozterki, picie, wystawny tryb życia – do tego odniósłby się w sposób krytyczny, bo miał w sobie coś z zapaleńca.

Nie pytałbym cię o to, gdybyś był Madonną, bo ona odpowiedziałaby na pewno coś w stylu „Od samego początku chciałam zostać kimś takim". Ale wiem, że ty tak nie powiesz.

Nie mogę odpowiadać za Madonnę, ale w moim przypadku to pewnie prawda. Kiedy zrobiono to zdjęcie, byłem dla siebie bardzo wymagający. Przyglądałem się ludziom jak Watchman Nee, chiński filozof chrześcijański. Bardzo interesowała go odpowiedzialność wspólnoty, brak wszelkiego dobytku, odejście od własnego ja i tego, co na powierzchni. Wtedy tak właśnie żyłem: nie miałem żadnego dobytku, razem z zespołem tworzyliśmy wspólnotę. Pomagaliśmy sobie nawzajem, dzieląc się niewielkimi sumami. Zarabiałem skromnie, a to, co miałem, przekazywałem dalej, jak w Kościele naprawdę oddanym sprawie zmiany świata. Nie na wielką skalę, *en masse*, ale małymi krokami: jedna osoba po drugiej. Znalazłem się pod dużym wpływem człowieka o nazwisku Chris Rowe oraz jego pięknej żony Lilian. Wydaje mi się, że spędził dużo czasu w Chinach jako dziecko tamtejszych misjonarzy, zanim komuniści wyrzucili jego rodzinę z kraju. Był starszym człowiekiem. Ufał, że Bóg da im wszystko, czego potrzebują. Jako wspólnota żyli z dnia na dzień. Można go określić jako pastora, ale miał zbyt radykalne poglądy, żeby nosić koloratkę czy coś w tym stylu. To było naprawdę coś: radykalna grupa. Ja im powiedziałem: „Wiecie co? Nie martwcie się o pieniądze. My zarobimy kupę szmalu. Jestem w zespole i wiem, że będę w stanie wam pomóc. Zobaczycie, że nam się uda". Wtedy on tylko spojrzał na mnie i roześmiał się. Pamiętam, że oznajmił: „Nie chciałbym pieniędzy zarobionych w ten sposób". A ja na to: „Co przez to rozumiesz?". Wyznał mi, że chociaż jest świadom naszych planów, wie, iż myślimy poważnie o karierze muzyków i naszej grupie rockowej, a on ledwo toleruje coś takiego. Nie wierzył, że nasza muzyka jest integralną częścią tego, kim jesteśmy jako osoby religijne, o ile nie wykorzystamy jej do ewangelizacji. Wiedziałem, że tego nie pojmuje i że nie dostrzega naszego błogosławieństwa. Był takim fanatykiem i fundamentalistą, że nie chciał mieć nic wspólnego z tym całym rock'n'rollem. Chociaż może to dla niego komplement? Mogliśmy przecież zostać dojną krową.

Nie przypominał jogina Maharishiego.

Z całą pewnością nie. Był wielkim nauczycielem Pisma. Przez kilka lat co parę dni słuchałem jego słów i wiele skorzystałem. Istnieją wspaniałe starodawne teksty i możesz się z nich dużo nauczyć, jeśli masz kogoś, kto potrafi je dla ciebie otworzyć, kto dysponuje nie tylko zapleczem intelektualnym, ale i duchowym. W końcu okazuje się, że to więcej niż książki. Trudno nam było odejść, ale nie rozumiał, że w pewnym sensie zostaliśmy odrzuceni. Był taki moment, kiedy siedziałem razem z Edge'em i zastanawialiśmy się: „Może powinniśmy sobie dać spokój z kapelą? Może to bez sensu, może ci ludzie mają rację, może to pierdoły, ta cała zabawa w zespół, a może to tylko nasze wybujałe ego, może powinniśmy z tym skończyć i zabrać się do prawdziwej roboty, starając się zmienić własne życie i po prostu wyjść do świata? Tam jest tak wiele do zrobienia". Trwaliśmy w tym stanie przez parę tygodni. Nagle zdaliśmy sobie sprawę: „Chwileczkę. Skąd pochodzą nasze talenty? Właśnie w ten sposób chwalimy Boga, nawet jeśli nie tworzymy religijnych piosenek, ponieważ nie sądzimy, żeby Bóg potrzebował takiej reklamy". [*śmiech*] Właściwie zatrzymaliśmy się na stwierdzeniu: „Muzyka to nie pierdoły, fundamentalizm tego rodzaju to dopiero pierdoły".

Scharakteryzowałeś właśnie żarliwie chrześcijańskie środowisko, z którymi utożsamiano U2 na początku lat osiemdziesiątych. Mam wrażenie, że właśnie dlatego niektórzy ludzie powątpiewają w szczerość twojej działalności. Pełnię tutaj funkcję adwokata diabła, ale świadkowie twojej walki na rzecz Trzeciego Świata mogą powiedzieć: serce ma z pewnością na właściwym miejscu, ale daleko mu do wzorców, na jakich się opiera, poczynając od Mahatmy Gandhiego, a skończywszy na Martinie Lutherze Kingu. Jego bohaterowie byli zwykłymi ludźmi obywającymi się bez dóbr materialnych. A on przecież jest outsiderem ze świata biznesu. Co on tam wie? Nie żyje na co dzień wśród tych ludzi. Sprzeczność, na którą wskazałeś i którą po swojemu wyjaśniłeś, jest istotną kwestią w mentalności chrześcijańskiej. Zmierzyłeś się z nią i nadal ją napotykasz.
Tak...

[*wchodząc w słowo*] Jeżeli w naszych czasach objawi się prorok, to prawdopodobnie wyłoni się spośród bezimiennego tłumu i pozostanie w kontakcie ze zwykłymi ludźmi. Ty się do nich nie zaliczasz. Ludzie mówią o tobie: „A temu gwiazdorowi rocka wydaje się, że kim jest? Żadna z niego Matka Teresa! Sam tam nie pracuje, tylko poucza innych".
Powiem ci, kim nie jest, własnymi słowami. Jest przekonany, że nie jest Matką Teresą. [*śmiech*]

Sam bym się tego domyślił.

Nie utożsamiam się z żadnym z wymienionych przez ciebie wzorców. Jestem tym, kim się stałem, znacznie odbiegam od ludzi, którzy mnie inspirowali. Ale taki jestem i czasami odczuwam nieznośne skrępowanie, słysząc stwierdzenia w stylu: „Bogaty gwiazdor rocka występuje w imieniu biednych i uciśnionych". To bardzo żenujący obrazek. Jednak nie możesz się wyprzeć tego, kim jesteś. A gdybym rozdał wszystkie pieniądze, stałbym się tylko większą gwiazdą. [*śmiech*] Prawda?

Być może.

Wiesz, o co mi chodzi? Na razie mamy tylko problem z przyklękaniem, lecz za chwilę niektórzy ludzie będą się rozglądać za osiołkiem dla mnie. Doszedłem więc do wniosku, że moim najlepszym zabezpieczeniem przed oskarżeniem o skłonności mesjanistyczne jest pójście w ślady Monty Pythona, ku *Żywotowi Briana*.

Czyli?

Kiedy Brian wychodzi na taras, a ludzie skandują jego imię, wychodzi jego matka i mówi: [*przenikliwy głos prostej angielskiej staruszki*] „Brian? A jaki on tam Mesjasz! To tylko kawał urwisa!". [*śmiech i wraca do normalnego głosu*] Dlatego cieszę się, że żyję na bardzo dobrym poziomie i że bywam nieodpowiedzialny. Głupota jest mi bardzo droga. Nauczyłem się, że nie muszę starać się sprostać oczekiwaniom ludzi, nie muszę spełniać ich wyobrażeń, kim - ich zdaniem - powinienem być. Co cię uprawnia do udzielenia pomocy osobie potrąconej przez samochód? Istnieje tylko jeden wymóg: to, że akurat znalazłeś się na miejscu i że udało ci się wezwać karetkę. Tak właśnie widzę swoją rolę - osoby bijącej na alarm. Mam bardzo głośny megafon. Jest podłączony do wzmacniacza i mogę wykorzystać tę idiotyczną rzecz, której na imię sława, z korzyścią dla takich spraw. Nie potrzebuję żadnych innych kwalifikacji. Jestem tu, mam tubę i robię z niej użytek. Tak to wygląda. Kiedy leżysz na ulicy i krztusisz się, nie pytasz: „Przepraszam, czy ma pan na to papiery? Jest pan lekarzem? Czy naprawdę obchodzą pana ludzie, czy robi pan to tylko dlatego, że napiszą o tym w gazetach?". Masz to gdzieś!

Kilka lat temu magazyn „Q" opublikował listę najbardziej wpływowych ludzi w biznesie muzycznym. Bono uplasował się wyżej od Madonny i od prezesa Sony Music. Czy wobec tego uważasz, że należysz do grona najbardziej wpływowych ludzi współczesnego świata?
Nie mam żadnej faktycznej władzy, ale mają ją ci, w imieniu których występuję. Politycy wpuszczają mnie, a ludzie odbierają telefony, dlatego że reprezentuję całkiem pokaźny elektorat. W pewnym sensie w umysłach ludzi, do drzwi których pukam, jestem ich przedstawicielem, nawet jeżeli sami mnie o to nie proszą. To bardzo wpływowa grupa ludzi od osiemnastego do trzydziestego roku życia, a do tego stanowi płynny elektorat. Jeszcze nie zdecydowali, jak zagłosują. Są najbardziej otwarci i dlatego politycy zwracają uwagę na to, co się dzieje we współczesnej kulturze i co gwiazda rocka ma z tym wszystkim wspólnego: ze względu na ludzi, których reprezentuję. Poza tym występuję w imieniu wielu spośród tych, którzy w ogóle nie mają głosu. W porządku rzeczy zastanym na naszym świecie oni liczą się najmniej. Codziennie w Afryce bez żadnego powodu umiera na AIDS sześć i pół tysiąca osób, a przecież tej chorobie można zapobiegać i leczyć ją. Występuję w ich imieniu, chociaż oni też mnie o to nie prosili. Bezczelność z mojej strony, ale mam nadzieję, że są z tego zadowoleni, a w boskim porządku rzeczy to oni są najważniejsi. Dlatego, moim zdaniem, daje ci to moc znacznie przewyższającą wszystko, na co możesz mieć wpływ jako członek zespołu, pewnego rodzaju moralną władzę znacznie wykraczającą poza twoje własne życie i możliwości. Wpływ, jaki wywierasz, nie jest twoją zasługą, tylko znacznie większej sprawy.

Rozważmy dość przyziemny przykład. Były w moim życiu chwile, kiedy brakowało mi pieniędzy. Pamiętam, że było mi wtedy bardzo ciężko odnaleźć się w świecie wzniosłych idei. Może, jak byś to określił, „zamarynowałem się", ale nie miałem na nie czasu. To, że posiadasz

dużo pieniędzy, może doprowadzić cię do bardzo nierealistycznych poglądów na temat świata. Czy przypadkiem nie zapominasz o problemach, z którymi musi borykać się zwyczajny człowiek w zwyczajnym życiu? Przeważnie ludzie są zajęci spłatą kredytu, wychowaniem dzieci i tak dalej. Czy przypadkiem nie tracisz kontaktu z rzeczywistością?

Z jaką rzeczywistością niby nie mam kontaktu? Pracuję w imieniu miliarda ludzi, którzy żyją za mniej niż dolara dziennie. Czy to nie ważniejsze, że mam większy kontakt z ich potrzebami niż z normalnym życiem na Zachodzie, które opisujesz? A tak przy okazji, z ich punktu widzenia ty, Michka Assayas, pisarz i dziennikarz, oraz ja, Bono, nieprzyzwoicie bogaty gwiazdor rocka, znaczymy dla nich dokładnie tyle samo. Nie ma różnicy między twoim i moim stylem życia.

Dlaczego tak sądzisz?

Jeżeli znajdujesz się na poziomie żebrzącego o jeden posiłek w ciągu dnia albo o lekarstwa, to nie ma żadnej różnicy.

Rozumiem. Kiedy pojechałem do Indii, miałem wrażenie, że ludzie widzą we mnie kogoś, kto właśnie wyszedł z reklamy telewizyjnej.

Zapytaliby nas obu: jaki macie kontakt z rzeczywistością? Obaj wiedziecie życie oderwane od rzeczywistości! Ty mieszkasz w Paryżu w swoim apartamencie, chadzasz do kafejek i wiedziesz przyjemną egzystencję. A ten tu, Bono, żyje we własnym świecie. Nasze życie toczy się bardzo daleko od ich życia, więc jeśli naprawdę chcesz przyjrzeć się światu, to pamiętaj, że dwie trzecie planety żyje z dnia na dzień. My, na Zachodzie, należymy do uprzywilejowanej jednej trzeciej, a w obrębie tej jednej trzeciej znajdujemy się w górnej jednej trzeciej. No dobrze, w tej jednej trzeciej ja może stoję na trochę wyższym szczeblu drabiny niż ty, ale w porównaniu z większością nie ma żadnej różnicy. Dobrze się odżywiamy, stać nas na lekarstwa, jeździmy na wakacje i nie musimy się martwić o los naszych dzieci.

To prawda, ale może nie chciałbym aż tak generalizować. Chodzi mi jedynie o to, że kiedy wszystko idzie gładko, zapominasz o tym, co tak naprawdę czują ludzie. Myślisz o nich w wyidealizowany sposób i zaczynasz postrzegać kwestie w wielkiej skali. Nie wiesz, co tkwi we wnętrzu tych ludzi, co stanowi o ich tożsamości. Chyba że nawiązujesz kontakt przez muzykę.
Sam nie wiem. Moim zdaniem, poczucie humoru, wdzięk i siła charakteru stanowią uniwersalny środek porozumiewania się. Ludzie odbierają te rzeczy bez względu na to, czy mieszkają w północnej Etiopii czy w Londynie. Potrafią odgadnąć, kim jesteś. Muszę się przyznać, że lubię zgubić się w Afryce i błąkać po okolicach, gdzie ludzie nie mają pojęcia, kim jestem. Nawet kiedy słyszą, że jestem jakąś tam bogatą gwiazdą rocka, tak naprawdę nie ma to wpływu na to, w jaki sposób ze mną rozmawiają. Może tutaj by miało, ale tam - nie. Jestem znacznie bardziej zaangażowany w to, co naprawdę istotne, czyli w przetrwanie. Wracając do twojego pierwszego pytania, dawniej uważałem, że pieniądze to coś wielkiego, ale teraz wiem, że pieniądze to coś wielkiego tylko wtedy, gdy ich nie masz.

Pozwól, że wrócę do tego negatywnego doświadczenia w studio, o którym już wspomniałeś. Ciągle mi powtarzasz, że czerpiesz siłę z przynależności do organizacji, do grupy. Jestem pewien, że konflikty podobne do tego, jaki wczoraj przeżyłeś, w U2 zdarzyły się więcej niż raz. Pomyślałem sobie: musi się za tym kryć jakiś sekret. Jak to się dzieje, że ci ludzie, którzy znają się od czasu, kiedy byli nastolatkami, którzy tyle razem przeszli - megasława, małżeństwa, w niektórych przypadkach rozwody, nadużywanie alkoholu i tak dalej - przetrwali razem? Dlaczego zespół nigdy się nie rozpadł? Nawet nie istniało poważne zagrożenie rozpadem.
[*zastanawiając się*] No cóż, wydaje mi się, że zespół bywa jednak czasami w poważnym niebezpieczeństwie. Wspólnota to nie jest coś, co można przyjąć za pewnik. Uważam, że znacznie silniejsza jest tendencja do rozstania niż do trzymania się razem, bo każdy z nas jest niezależny finansowo i nie musi pracować. Zawsze istnieje taka moż-

liwość. Wydaje mi się jednak, że opanowaliśmy umiejętność schodzenia sobie nawzajem z drogi. Zdarzają się chwile, kiedy członkowie zespołu naprawdę nadużywają mojej cierpliwości, i jestem przekonany, że są chwile, gdy wystawiam ich cierpliwość na ciężką próbę - na przykład jestem nieobecny - a oni usiłują skończyć album. Są chwile, kiedy ludzie są tak pogrążeni w samych sobie, we własnym życiu, że trudno z nimi pracować w jednym zespole. Ale to przechodzi, mnie to przeszło i im też. Popatrz tylko: codziennie się temu dziwię, bo w miarę jak się starzejemy, robi się coraz trudniej - każdy chce być panem własnego życia. Każdy z upływem lat coraz bardziej stara się unikać konfliktów - wydaje mi się, że rozmawialiśmy już o tym. Obserwujesz to w swojej rodzinie, dostrzegasz u przyjaciół - wokół nich pozostaje coraz mniej osób, ale takich, które się z nimi zgadzają. I życie kończy się nudną słodyczą. Właściwie kiedy o tym mówię, brzmi to całkiem zachęcająco.

Pamiętasz, powiedziałeś mi, że chciałeś odnaleźć w zespole rodzinę, ponieważ ta, w której się urodziłeś, nie sprawdziła się. Jednak po jakimś czasie większość ludzi chce się pozbyć rodziny. Czasami rodzina i przyjaciele potrafią bardzo ograniczać.

Myślę, że to objaw klaustrofobii. Ludzie nigdy cię nie ograniczają, bo to właśnie ścieranie się różnych punktów widzenia czyni cię lepszym. Przestrzeń pozbawiona polemiki powoduje, że coraz gorzej realizujesz swój potencjał. Gdybym był solistą i nie miał zespołu, z którym mógłbym podyskutować, odczuwałbym przerażenie i pustkę. Otaczam się dyskusjami i zespołem, rodziną - bardzo energicznymi dziećmi i żoną, która jest bystrzejsza niż inni. Mam wielu bardzo zdolnych przyjaciół, zaliczanych do mojej większej rodziny.

Zauważyłem, że lubisz wyzwania.

Życie w Dublinie to jedna wielka polemika. Miasto uwielbia debatę, wrzawę sporów - od inteligentów głoszących liberalne poglądy po ćwierćinteligentów zagłuszających siebie nawzajem, wielkie głosy małych rozumów, napastliwe artykuły dziennikarzy nielubiących swojego zawodu, brak szacunku dla sukcesu. Brakowałoby mi tego, poważnie. Lubię wyzwania. Jesteś tak dobry jak spory, które prowadzisz. Być może zespół nie rozpadł się, dlatego że coś zrozumieliśmy: mimo że każdy z nas stanowi ćwierć U2, jesteśmy czymś więcej, niż bylibyśmy, gdyby każdy z nas był częścią jakiejś innej całości. Przynajmniej ja tak to odbieram.

Istnieje wiele przykładów sugerujących, że jest na odwrót. Weź na przykład Beatlesów. Po jakimś czasie uznali, że praca w zespole ogranicza ich swobodę.
Czy te wspaniałe, niebywałe talenty dokonały samodzielnie czegoś lepszego po tym, jak zabrakło napięcia pomiędzy nimi? Johnowi Lennonowi prawie się udało, ale w ostatecznym rozrachunku jego wielkość zostanie zapamiętana w odniesieniu do tego, czego dokonał do spółki ze swoją nemezis, Paulem McCartneyem. Paula podziwiam za niesamowity talent.

Jest czarodziejem. Wiesz, po raz pierwszy w życiu posłuchałem nagrań jego zespołu The Wings, których nie znosiłem jako nastolatek, nie wspominając nawet o moim okresie nowofalowym. [*śmiech*] Przez całe wakacje słuchałem kompilacji Wingspan. Brzmi tak świeżo. Zapominasz o wpływach innych.
Czas często wybacza i umniejsza wpływy, bo ustępują. Słuchamy *Sierżanta Pieprza* i mówimy: „Rety! Jak oni na to wpadli?". Ale gdybyś w tamtych czasach wszedł do pokoju Paula McCartneya i zobaczył jego kolekcję płyt, dowiedziałbyś się jak. Jednak tych wskazówek już nie ma. [*śmiech*] Zupełnie jak w ewolucji: istnieją pewne okazy, które przetrwały dłużej, lecz inne, ich przodkowie, nie miały nawet czasu zostawić po sobie skamieniałości. Mamy żyrafę, mamy konia. Ale gdzie jest koń z długą szyją? Ogniwa pośrednie między gatunkami zanikają.

Wracając do tego, co robili Beatlesi po rozpadzie zespołu...
Dobrze sobie radzili. Czasami świetnie, tak jak w przypadku McCartneya, ale to już nie Beatlesi.

A co sądzisz o George'u Harrisonie? Wypłynął jako kompozytor, odcinając się od Beatlesów...
Możliwe. Ale czy miał przy tym tyle samo zabawy?

Co sądzisz o ludziach, którzy od początku wybierają karierę solową? Kilku twoich bohaterów...
Bob Marley.

Pewnie! A co z Bobem Dylanem i Bruce'em Springsteenem?
Bardzo ich podziwiam. Uważam, że bez polemiki łatwiej jest zrealizować wizję tkwiącą w twojej głowie, ale trudniej ją kontynuować. Popatrz na Prince'a, jednego z moich ulubionych kompozytorów XX wieku. Naprawdę w niego wierzę, ale potrzebuje redaktora, potrzebuje kłótni. Kogoś, kto w studiu powie mu, żeby poszedł w cholerę. „Wiesz, co? Sześć nagrań jest świetnych, a cztery z nich zupełnie przeciętne. Twój geniusz miał dziś zły dzień". Powie mu to ktoś? Nie ma szans.

Czy kiedykolwiek rozmawiałeś na ten temat z kimś takim jak Dylan?
Tak. Rozmawialiśmy o tym. W pewnym sensie Boba Dylana zawsze miałem pod ręką. Jego muzykę, a od czasu do czasu jego samego. Żaden artysta, żywy czy umarły, tak wiele dla mnie nie znaczył. Kiedyś powiedział, jakim jestem szczęściarzem, że mam zespół. Zapytałem, dlaczego tak sądzi. Było to w samym środku szaleństwa *The Joshua Tree*. Znaleźliśmy się na okładce „Time'a", nasze single i albumy były na pierwszych miejscach. To było bardzo, bardzo ekscytujące, ale przyprawiało też o zawrót głowy. Zwaliło się na nas wiele rzeczy powodujących dezorientację. Powiedział wtedy: „Wyobraźcie sobie, że przechodzicie przez to samo co teraz, ale każdy z osobna". Nie wyobrażam sobie, co by było, gdybym nie miał przy sobie - kiedy spotykały mnie niewyobrażalne, śmieszne, skrajne rzeczy - Edge'a czy Larry'ego i nie mógł półgębkiem czegoś skomentować, i razem z nimi się pośmiać.

Czy Dylan opowiedział ci, jak zdołał przez to przejść?
Powiedział mniej więcej coś w tym stylu: „O mały włos". Wiesz? O włos. Nie obyło się bez siniaków i ran.

Te trafiają się także w zespole, prawda?
Tak, siniaki, a od czasu do czasu draśnięcie. [*śmiech*] Czasem wyrwana noga. Przypominam sobie pewną scenę z pierwszego filmu Monty Pythona, *Święty Graal*. Rycerze wołają: [*bardzo przenikliwy głos*] „Ni!". Na to jeden [*dudniący głos*]: „Hej! Powstańcie, wszyscy! Moje męstwo, moja odwaga są niezrównane!". Wyzywa wszystkich na pojedynek. Przeciwnik odcina mu rękę i wszędzie tryska krew. [*śmiech*] Rycerz mówi: „Nic nie szkodzi... nic nie szkodzi...". A potem [*odgłosy miecza, czary, i odcinanie drugiej ręki*] odpada druga ręka. Rycerz mówi: „Nic nie szkodzi... nic nie szkodzi...". [*kolejne odgłosy*] Przeciwnik odcina mu nogi. W końcu głowa leży osobno na ziemi w hełmie i wrzeszczy: „Chodź tu, ty tchórzu!". Kiedy wróg staje nad nim, przyglądając się odrąbanym kończynom, rycerz dalej szydzi: „Nie, to nic takiego... zwykłe draśnięcie...". Niebezpiecznie jest opisywać własne ocalenie z bitwy ze zbytnim entuzjazmem.

Jestem pewien, że przeżyłeś napady szaleństwa.
Chyba nawet w tym tygodniu.

Nie chcesz czasami po prostu wszystkiego rzucić i zniknąć?
W tym roku zniknąłem na pięć tygodni, zupełnie niesamowite. Od dziesięciu lat nie miałem pięciu tygodni urlopu. Nie byłem sam, byłem z rodziną i bliskimi, ale nie pracowałem. Chodzi ci o wyjazd na tydzień? Od czasu do czasu...

Gdybyś był artystą solowym, czy przetrwałbyś to szaleństwo?
Nie, nie sądzę, żebym miał w sobie tyle siły co Bob Dylan. Uważam, że ma wyjątkowo mocny charakter. Pod całą tą tak zwaną ekscentrycznością, która według mnie jest tylko maską, kryje się bardzo autentyczna osoba. Jest dobrym ojcem – widziałem go z dziećmi – ma moralny kompas, który – oczywiście – może zabłądzić na morzu, jak każdy.

Ale uważam, że ma wewnętrzną siłę. Sądzę, że potrzebowałem towarzystwa, ponieważ jestem bardziej uczuciowy, mam bardziej operowy charakter. Niezbędna jest dla mnie bliskość ludzi nawet po to, żeby się razem pośmiać, bo kiedy kończy mi się śmiech, naprawdę mam kłopoty.

A więc przyznajesz się do pewnej słabości.
Tak, to chyba uczciwe.

Czy kiedykolwiek rozmawiałeś o tym z kimś takim jak Mick Jagger?
Oczywiście, zawsze interesowałem się relacją pomiędzy Mickiem i Keithem, bardziej dlatego że nie chciałbym, żeby coś podobnego mnie spotkało. [*śmiech*] To dwaj wyjątkowi ludzie, którzy nadal ze sobą współpracują, ale jeden drugiemu nie potrafi ustąpić, tak jak wtedy kiedy jako dzieci kłócili się i tłukli. Prawdziwy problem w związku pojawia się wtedy, gdy kończą się kłótnie.

O tym właśnie myślałem.
Wtedy zapada krępująca cisza. Może jednak nic im nie jest, bo nadal obrzucają się wyzwiskami. Napisali razem kilka pięknych piosenek. Jedna pojawiła się ostatnio na płycie *Voodoo Lounge* pod tytułem *Out of Tears* [*śpiewa*] „Nie będę płakać, kiedy powiesz do widzenia / Brakuje mi łez, brakuje mi łez". Równie dobrze mogłaby pochodzić z lat pięćdziesiątych. Właściwie są dwie takie piosenki. Keith napisał *The Worst*, która złamałaby najtwardsze serce. Jest świetna. *Mixed Emotions* to kolejny utwór z ostatniego albumu, *Anybody Seen My Baby?* - doskonała muzyka... Kiedyś spędziłem z nimi trochę czasu. Nie rozmawiali wtedy ze sobą. To był naprawdę dziwny okres dla zespołu. Legenda głosi, że Keith wyciągnął spluwę [*śmiech*] i przez szybę wymierzył broń w Steve'a Lillywhite'a, producenta, chcąc go nastraszyć. A wtedy ja wszedłem do studia. Ciekawe, że obaj są niebywale staroświeccy.

Co przez to rozumiesz?
Mick jest bardzo konserwatywny. Jego dzieci mają nienaganne maniery. A jego codzienne ubrania roztaczają aurę klubu jachtowego. Nie sądzę, żeby był postacią efemeryczną. Emanuje nienasyconą cie-

kawością świata i uważa, że warto posłuchać, o czym mówisz. Pamiętam, że raz jedna z jego córek podeszła do mnie i powiedziała [*szepcze z udawanym angielskim akcentem wyższych sfer*]: „Ludzie myślą, że mój tatuś to diabeł, a on im na to pozwala!". [*śmiech*] Świetnie powiedziane. Wydaje mi się, że on wchodzi w postać. Dosłownie widzisz, że gdy zaczyna śpiewać, wchodzi w skórę tego innego kogoś zwanego Mickiem Jaggerem - piosenkarzem rhythmandbluesowym. Moim zdaniem, jest bardzo brytyjski, bardzo angielski, bardzo oldskulowy i... uwielbia krykieta! Keith jest dokładnie taki sam. Poda ci ogień, w towarzystwie wyraża się bardzo uprzejmie, nigdy nie powiedziałby niczego ordynarnego o kobietach, w relacjach z ludźmi okazuje szlachetność, a do tego jest twardzielem większym niż inni. Z tym że nikt nie jest twardszy od alkoholu czy prochów. Pewnie parę razy w życiu od nich oberwał, ale nadal mocno trzyma się na nogach, nadal jest zabawny i nadal oddaje ciosy! Jest jak bohater Hemingwaya, *Stary człowiek i morze* albo coś w tym rodzaju. Tak naprawdę jest piratem. Ale, cytując Dylana, jest człowiekiem, który musi być uczciwy, żeby żyć poza prawem.

Chciałbym zakończyć tę rozmowę trzema krótkimi pytaniami i trzema krótkimi odpowiedziami. Jaka jest najlepsza rada, jaką usłyszałeś w show-biznesie?
Dajemy koncerty, biznes się kręci. Ale nie jesteśmy w show-biznesie.

A co poradziłbyś początkującej gwieździe rocka?
Spróbuj napisać tę jedną piosenkę: pokieruje twoimi losami, ubierze cię, nakarmi twoje dzieci, wyreżyseruje twój film. Przestań biadolić, przecież możesz ją napisać właśnie teraz!

Zupełnie jak reklama programu o „samodoskonaleniu". A przed czym najbardziej przestrzegłbyś tę gwiazdę?
[*zastanawia się*] Przed innymi gwiazdami rocka.

9. NIE BĘDZIESZ JEŹDZIŁ DO AMERYKI

Minęło Boże Narodzenie i Nowy Rok. Praca nad nowym krążkiem U2 szła jak po grudzie, dlatego wydanie płyty przesunięto z wiosny na jesień 2004 roku. Zespół zmienił także producentów: ponownie sprowadzono Steve'a Lillywhite'a, który wyprodukował pierwsze trzy albumy U2 i od tamtej pory pozostawał z grupą w bliskim kontakcie. Z uwagi na okoliczności spodziewałem się, że Bono nie będzie miał dla mnie zbyt wiele czasu. Dlatego nie posiadałem się ze zdumienia, gdy pod koniec stycznia niespodziewanie zadzwonił. Właśnie wrócił z Ameryki i przez kilka tygodni nie planował żadnych wyjazdów, gotów na regularne rozmowy telefoniczne.

Poniższa rozmowa odbyła się zaledwie tydzień po niespodziewanym telefonie. Bono miał zadzwonić w sobotę w południe. Siedziałem właśnie na sofie, czekając na dzwonek telefonu i powoli pogrążając się w drzemce. O 12.30 nadal ani śladu życia. Nagle zadzwonił i usłyszałem dochodzący jakby spod wody przepraszający głos...

Wstałem wcześnie i zacząłem czytać. W domu było cicho, więc czytałem i czytałem, a potem zasnąłem. Właśnie się obudziłem.

Masz zmęczony głos.

Nie, nie, nie, wcale nie. Niesamowite, jak mocno spałem. Już sam nie wiem, kiedy wypada środek nocy. Jakoś teraz? [*śmiech*]

Pewnie pracujecie do późna nad nagraniem. Za każdym razem, kiedy czytam o piosence U2, mam wrażenie, że kończycie ją w środku nocy albo tuż nad ranem.

Na ogół nie lubię pracować do późna. [*ziewa*] Najlepszy jest wczesny ranek i kiedy się budzę, czuję podniecenie na myśl o tym, co przyniesie dzień. Ale od tej chwili mam z górki. [*śmiech*] To znaczy rozpiera mnie energia. Budzę się rano, czytam i piszę. Potem, po południu, odwalamy solidną robotę w studio. Koło ósmej robimy przerwę, żeby coś zjeść. Kiedy wracamy, może być zabawnie, a na późnych sesjach bywa całkiem spontaniczne. Tylko że im później się robi, tym bardziej ożywia się Edge. Są takie słowa, które po północy przerażają producentów i obsługę techniczną. Mówi wtedy: „Wpadłem na pomysł i chciałbym go wypróbować". [*śmiech*] Bo to może oznaczać, że będą na nogach do szóstej rano.

Nie wiem, jak to jest u ciebie, ale najlepsze pomysły przychodzą mi do głowy wtedy, kiedy kładę się spać albo wydaje mi się, że przez cały dzień tylko traciłem czas lub pracowałem bezmyślnie, co może oznaczać to samo. Schodzę kupić gazetę, aż tu nagle pojawia się myśl, której szukałem.

Tak daje o sobie znać podświadomość. Nieważne, czy zbiorowa, czy nie, ani z jakich zasobów czerpiesz. Dlatego właśnie tak istotne jest napisanie piosenki przypadkiem i dotarcie do punktu, w którym coś takiego może się zdarzyć albo, jak mawiamy, do miejsca, którędy Bóg przechodzi przez pokój. Bo jeśli wiesz, jak wygląda prawdziwa wielkość, wiesz też, jak ci do niej daleko. [*śmiech*]

Mogę to potwierdzić z własnego doświadczenia.

Jeśli wiesz, jak wygląda prawdziwa wielkość, wiesz też, że nie chodzi o ciebie. Dlatego musisz stworzyć sobie sposobność, zderzyć się z nią – i, dziwna rzecz, takie zderzenie naprawdę może skończyć się osmozą. Nie jest to najbardziej romantyczne wytłumaczenie, ale chyba najprawdziwsze. Na poparcie swoich słów mógłbym wymienić artystów, którzy robili na nas niesamowite wrażenie, kiedy dorastaliśmy, a potem nagle zupełnie stracili dar i zaczęli robić kiepską muzykę. Nie musimy tu przytaczać nazwisk, ale wiesz, o kim mówię. Zastanawiasz się: „Jak do tego doszło? Jak to możliwe, że ktoś, kto rozpalał moją wyobraźnię, skończył bez nowych pomysłów, mało, nie potrafi nawet wrócić do starych?". Mam taką teorię: kiedy ludzie otaczają się kulturą, bywają na koncertach, słuchają muzyki, chodzą do klubów, muzyka towarzyszy im na każdym kroku nie tylko na jawie, ale też po trosze we śnie. W życiu nie mają innych upodobań. Jeżeli nie jesteś zakochany w muzyce albo przestajesz zmagać się z nią w swojej podświadomości w czasie snu, śnisz o czym innym. Śnisz o przeprowadzce, o innych rzeczach, w które jesteś zaangażowany. Ale to we śnie odwaliłeś największy kawał roboty: komponowałeś, kiedy byłeś... [*przerywa, szukając właściwego słowa*]

... nieobecny...
Tak. Nieświadomy.

Przejmujesz się tym? Przecież masz teraz tyle na głowie. Nie wydaje ci się, że w pewnym sensie twoje sny ulegają erozji?
Dziwne jest to, że cała reszta obowiązków, jakie wziąłem na siebie, sprawiła, że znów zacząłem czerpać przyjemność z muzyki. To moja ucieczka przed pracą daje mi luksus marzeń.

Zbliżasz się do miejsca, w którym chciałbym zacząć tę rozmowę. Podczas ostatniego spotkania wspomniałeś o swojej „podróży po Ameryce" i wydaje mi się, że w twoim przypadku to określenie oznacza więcej, niż się wydaje. Znasz pewnie wyrażenie wymyślone przez twojego przyjaciela Wima Wendersa?
„Kolonizacja nieświadomości".

Tak jest. „Amerykanie skolonizowali naszą nieświadomość". Zaraz do tego dojdę. Sięgam tu po teorię amerykańskiego pisarza Paula Theroux, który przeprowadził analizę powodzenia Beatlesów w Ameryce. Na początku 1964 roku napisał, że Amerykanie zaczęli powątpiewać w swój kraj i narzekać, że stracił swoje ideały. Dopiero co zastrzelono JFK, zapoczątkowany przez Martina Luthera Kinga ruch na rzecz praw obywatelskich podzielił kraj i rozpoczęła się interwencja

zbrojna w Wietnamie. Był to okres zamętu, zwątpienia w samych siebie. Zdaniem Theroux, właśnie dlatego młodzi Amerykanie z takim entuzjazmem przyjęli Beatlesów i inne grupy „inwazji brytyjskiej". Podobała im się wizja Ameryki prezentowana przez zespoły ze Starego Świata. Beatlesi mówili: wasza muzyka jest najfajniejsza, wasze gwiazdy kina są najlepsze, amerykańskie dziewczyny są najładniejsze, to waszymi samochodami chcemy jeździć. W rezultacie pomogli Amerykanom odzyskać wiarę we własny kraj i w to, co jest w stanie osiągnąć. Jakieś dwadzieścia lat później U2 z albumem *The Joshua Tree* stał się w Stanach Zjednoczonych zespołem numer jeden. Ta płyta odzwierciedlała waszą fascynację Ameryką. Czy nie uważasz, że ówcześni młodzi Amerykanie postrzegali was jako wybawicieli, ponieważ przywróciliście im wiarę w ojczyznę, wiarę, której brakowało w latach osiemdziesiątych, kiedy jedyną opcją wydawał się materializm? Czy nie uważasz, że właśnie na tym etapie historii U2 w pewnym sensie odsprzedało Amerykanom marzenie o Ameryce?

Na początku lat osiemdziesiątych Ameryka była w Europie bardzo niepopularna. Amerykańska moda tkwiła w głębokim dołku, same wywatowane ramiona i ogromne fryzury. Wyblakł punk rock, który w latach siedemdziesiątych dawał nam nadzieję. Dla muzyki amerykańskiej były to faktycznie bardzo nudne czasy, z wyjątkiem Bruce'a Springsteena, zdawało się, że nawet Dylan zapadł w sen. Niedługo miał pojawić się rap, to znaczy już się zaczął, ale nie wpuszczono go jeszcze do MTV. Madonna śpiewała *Material Girl*. Pazerność należała do dobrego tonu, co doskonale ilustruje film *Wall Street*. Giełda biła kolejne rekordy, ale odnosiło się wrażenie, że poza robieniem pieniędzy na scenie muzycznej nie ma zbyt wielu pomysłów. W sztuce zaistnieli Jean-Michael Basquiat i Keith Haring. Pojawił się cień szansy, że coś zacznie się dziać.

Ale to było w Nowym Jorku...

Właśnie, w Nowym Jorku. W Wielkiej Brytanii panował niesamowity nastrój, prawie jak rewolucja kulturalna. Okropność. Brytyjska prasa muzyczna zniszczyła grupę The Clash, utrzymywały się fałszywe hasła, pozostałość po punk rocku, o których wcześniej rozmawialiśmy, jak na przykład „wiarygodność ulicy", jakieś nakazy w stylu *Czerwonej książeczki* Mao Tse-tunga: „Nie będziesz jeździł do Ameryki". Tylko że my byliśmy Irlandczykami, a Irlandia miała z USA zupełnie inne związki, ponieważ Ameryka była dla Irlandczyków ziemią obiecaną. Stanowiła alternatywę dla barki pocztowej płynącej do Liverpoolu lub Holyhead, skąd mogłeś się udać do Londynu i pojeździć po kraju. Ale była to raczej podróż romantyczna. Tymczasem w Ameryce Irlandia znaczyła coś zupełnie innego. W latach sześćdziesiątych i siedemdziesiątych wspomnienie nędzy, głodu i rozpaczliwych walk wyparła rodzina Kennedych.

Irlandczycy i katolicy.

Tak, Irlandczycy, a do tego katolicy. Mieli zupełnie inne podejście do różnych spraw. Do tego dochodziło to, że wciąż żywa w Irlandii tradycja ballad stała się jednym z nurtów zasilających zasoby muzyki folkowej, która zrodziła Boba Dylana i znaczną część amerykańskiej muzyki country. To przecież kuzyni tradycyjnej muzyki irlandzkiej. Istniało więc przeświadczenie, że my Irlandczycy mamy wobec Ameryki większe prawo własności. Mimo że Irlandia straciła na rzecz Korony Brytyjskiej poczucie wartości i sporo terytorium, w Ameryce Irlandczycy doprowadzili w pewnym sensie do odwrócenia sytuacji. Widzisz, Ameryka była kolonią angielską i nawet po ogłoszeniu niepodległości stanowiła bastion protestantyzmu. Ojcowie Założyciele Ameryki byli tak samo podejrzliwi wobec katolicyzmu jak monarchia angielska. Wydawało się, że protestanci potrafili lepiej opanować popędy cielesne i ziemskie sprawy niż katolicy – prostacy z Irlandii, którzy dopiero co przybyli na statkach pełnych głodujących ludzi i od razu zaczynali rozrabiać. Ameryka miała stać się przyczółkiem najsurowszego rygoryzmu moralnego.

To pozostaje w sprzeczności z wizją Ameryki, jaką mieliśmy my, młodzi Europejczycy. Dla mnie był to kraj, gdzie wszystko jest możliwe, gdzie szesnastolatek może jeździć kabrioletem.

[*śmiech*] Właśnie! Ale ty mówisz o latach pięćdziesiątych–sześćdziesiątych XX wieku, a ja mówię o tych samych latach, ale w wieku XIX.

Nie bardzo się w tym orientuję. Wspominałem lata siedemdziesiąte, kiedy byłem nastolatkiem. Ówczesne życie w Ameryce wydawało się łatwe i efektowne, dlatego bardzo trudno zaakceptować taki kontrast.
Tak, ale nawet w XIX wieku niektórzy ludzie nie przestrzegali tak surowych zasad. Niektórzy mieli ochotę pić piwo i uganiać się za kobietami po brudnych ulicach. Masz tu Irlandczyków! Przeżywszy głód pod panowaniem Angoli, nie zamierzali dopuścić do tego, by zbieranina protestanckich sztywniaków mówiła im, co wolno robić, a czego nie.

Jak wyobrażałeś sobie Amerykę, kiedy dorastałeś? Czy słyszałeś w rodzinie opowieści o ludziach, którzy tam wyjechali?
Oczywiście, znaliśmy Amerykę z telewizji: hałaśliwość, naturalistyczną atrakcyjność filmów o glinach i to, że wygląda na bardziej seksowne miejsce. Mieszkało tam tylu rozmaitych ludzi, a w Irlandii wszyscy wyglądali jednakowo. Chcę przez to powiedzieć, że nie było siły, żebyśmy jako zespół mogli odpuścić sobie Amerykę. Uwielbialiśmy brytyjską scenę muzyczną, ale wiedzieliśmy, że nie do końca mieścimy się w surowych regułach wyznaczonych przez tamtejszą prasę muzyczną. Jak wspomniałem, nie chcieliśmy być *cool*, chcieliśmy być *hot*. Londyńska scena muzyczna lat osiemdziesiątych miała wiele wspólnego z modą.

Kiedy cię po raz pierwszy spotkałem, nie mogłeś przestać o tym mówić.
Tak naprawdę siłę napędową punk rocka stanowiła moda, a nie filozofia. Ludzie nie mówili o prawdziwej rewolucji. To czysty sytuacjonizm, z którym można się było obnosić, wymalować sobie na T-shircie. A my chcieliśmy tylko zabrać naszą muzykę wszędzie tam, gdzie ludzie mieli ochotę jej słuchać. W Ameryce zastaliśmy znacznie mniej cynicznych ludzi. Paul McGuinness instynktownie wyczuł, że

to będzie dla nas dobre miejsce, że musimy zagrać przed – jak to nazywał – „prawdziwą Ameryką", a nie tylko Ameryką wybrzeży. Na coś podobnego nie zdecydowały się żadne konkurencyjne grupy. Grały jeden koncert w Chicago, drugi w Teksasie i tyle. Tak zaczął się mój romans ze Środkowym Zachodem.

Pamiętasz ten pierwszy raz, kiedy postawiłeś stopę na amerykańskiej ziemi? Przyleciałeś samolotem, przeszedłeś odprawę i wyszedłeś z lotniska. Co zobaczyłeś? Z kim rozmawiałeś? Pamiętasz ten zapach?

Tak. Napisaliśmy nawet o tym piosenkę, *Angel of Harlem*. Był grudzień i przylecieliśmy na lotnisko imienia JFK. Z pierwszej wizyty pamiętam odprawę i to, że Amerykanie mówili głośniej niż ludzie w innych krajach. Miałem wrażenie, że wszyscy na siebie krzyczą. Za chwilę okazało się, że to obsługa ładująca walizki na taśmociąg bagażowy. Tak brzmiała mowa ulicy, bardzo mnie to ekscytowało. Potem zauważyłem, że kolory farby na lotnisku nie przypominają widywanych w Europie: jakieś dziwne fiolety, róże, do tego osobliwe odcienie zieleni i żółci. Odbijało się w nich echo, z czego teraz zdaję sobie sprawę, wpływów afrykańskich i chińskich. Duża różnica. Paul McGuinness zorganizował nam dla zabawy l i m u z y n ę! Nigdy wcześniej nie jechaliśmy limuzyną, nigdy nie byliśmy w Nowym Jorku i nigdy nie byliśmy w Ameryce. Totalny zawrót głowy. Więc wszyscy wleźliśmy do tego idiotycznego samochodu z bożonarodzeniowymi lampkami wokół okien i tak siedzieliśmy, śmiejąc się. Jechaliśmy a u t o s t r a d ą, włączyliśmy radio, słuchaliśmy różnych stacji i natknęliśmy się na stację BLS, znaną nowojorską stację radiową, nadającą muzykę soul, i akurat śpiewała Billie Holiday. A potem przejechaliśmy mostem na 59 Ulicy i zobaczyliśmy t e n widok na Manhattan. Wiesz, dla nas, chłopaków mających po dziewiętnaście-dwadzieścia lat, to była kraina Oz! [*śmiech*] A Paul McGuinness, który załatwił limuzynę, był czarnoksiężnikiem. [*śmiech*] Trasa wypadła świetnie. Pamiętam, że zatrzymaliśmy się w Gramercy Park Hotel. Nocowali tam Clash i Slits. Amerykańska bohema. Pamiętam, że dziewczyny ze Slits nie używały pasów do gitar. Czysty punk. Wieszały je sobie na sznurkach. To chyba Edge wyciągnął rękę, żeby się z jedną przywitać, a wokalistka, Ari Up, przybiła mu piątkę. Powiedziała: „My tak nie robimy".

Ciekawe, że wspominasz o Slits, bo to pierwszy zespół, z którym zrobiłem wywiad, jeszcze przed tobą. Fotograf, który mi towarzyszył, przygotowywał się do zdjęcia, kiedy Viv, gitarzystka, wycierała nos w chusteczkę. Gdy nacisnął migawkę, pokazała do obiektywu glut skapujący z chusteczki. To było zdjęcie!
Widzieliśmy Clash w hotelowym holu. Byli wyluzowani, a my wiedzieliśmy, że tacy nie jesteśmy. Ja miałem futro, co było dość zabawne. Pamiętam, że wyszedłem na ulicę, kiedy padał śnieg. Chciałem po prostu chłonąć wszystko, stojąc tak na rogu w moim futerku i marnej fryzurce. A jeden dziwacznie wyglądający gość na rowerze zatrzymuje się koło mnie i mówi: „Hej, złotko, co porabiasz? Jak się masz, kochanie?". A ja tylko: „Uuuhhh! [*śmiech*] Nic z cyganerii. Chcę do mamy!". Zaraz zaraz, nie mam mamy, i chłopiec z Irlandii zwiewa z powrotem do hotelu. Zabawne.

Pomyślałem o Virgin Prunes, zespole, w którym występowali twoi przyjaciele Gavin i Guggi. Nie stronili od teatralnych gestów: stawiali na kobiecość, przebierali się.
... to dlatego pewnie miałem na sobie futro...

Pracowałeś z Brianem Eno, który na początku lat siedemdziesiątych kształtował scenę glamrockową. Nie wiem, czy przypominasz sobie okładkę drugiego albumu Roxy Music.
Tak, pamiętam, że miał wtedy na sobie strusie pióra.

Właśnie o nią mi chodzi. Z jednej strony ty nie przypominałeś jego ani Guggiego, a z drugiej – nie wyglądałeś jak Bruce Springsteen...
Pretensjonalność, pozerstwo, stąd rzut beretem do kabotyństwa, prawda? Ale mieliśmy coś wspólnego ze sztuką, nawet jeśli na to nie

wyglądaliśmy. Mieliśmy taki dowcip: nie chodziliśmy do szkoły artystycznej, zamiast tego poszliśmy do Briana Eno. Cała reszta zespołów „inwazji brytyjskiej" wywodziła się ze „szkoły artystycznej". Brian Jones, Keith Richards, John Lennon, Pete Townshend, Clash - to ta szkoła. Sex Pistols nie mieli z nią nic wspólnego, ale ich menedżer - owszem. Widzisz, zanim poszliśmy do Briana, stworzyliśmy swego rodzaju nastoletnią awangardę, własny surrealistyczny performance i poczucie humoru: nadawanie imion, spory o sztukę Andy'ego Warhola i filmy - jedną poważniejszą sprzeczkę o jego film *Bad*. Virgin Prunes mieli nawet wystawę w galerii w Trinity College, gdzie Guggi wyrzeźbił waginy w świeżym mięsie, z muchami i całą resztą. Gavin zatytułował jeden kąt *Owca*, a tam nasz kumpel chodził na czworakach w tradycyjnym swetrze z wełny z wyspy Aran, nabijając się z czereśniaków. Gdy się przyjrzysz ich wczesnym obrazkom, zauważysz, że kombinowali wprost niesamowicie. Pamiętaj, że to dwadzieścia lat przed Marilyn Mansonem. W stylu glam rocka bardzo mocno zarysował się nurt transwestytyzmu. Dziwna sprawa. Ja sam i Guggi, kiedy byliśmy dziećmi, mieliśmy obsesję na punkcie jednego albumu, to był *Transformer* Lou Reeda.

Co za tytuł. Tak, teraz rzeczywiście daje do myślenia.
[*śmiech*] Kiedy mieliśmy po trzynaście lat, nie za bardzo kojarzyliśmy, co znaczy tytuł, a tam chodziło o transseksualistów! Byliśmy heteroseksualni, nawet bardzo, ale to inna sprawa, nie? Tak jak i większość zespołów glamrockowych. Ciekawe, że Guggi wylądował później w sukience jako członek grupy Virgin Prunes. Jestem na tyle odważny, by przyznać, że kreatywnością cechuje się kobieca strona natury ludzkiej, i... sam widzisz.

Wróćmy do twojej pierwszej podróży do Ameryki. Przyjechaliście u progu ery Reagana.
Zgadza się. Wracając do tego, o czym rozmawialiśmy wcześniej, U2 przemawiało do wybrzeży po katolicku, ale przemawiało także do Środkowego Zachodu po protestancku.

Byłeś jednocześnie protestantem i katolikiem. Kraj mający obsesję na punkcie religii musiał cię rajcować.
Tak, to prawda. Większość rozsądnie myślących osób zmieniłaby kanał, a ja przeżywałem fascynację prymitywnymi akwizytorami Boga – trąbiącymi o Biblii telewizyjnymi ewangelistami, których oglądałem w pokoju hotelowym.

Którego z nich najpierw zobaczyłeś?
Kaznodzieję proszącego widzów przed telewizorami, żeby przyłożyli ręce do ekranu, obiecując im uzdrowienie. No i ludzie w całej Ameryce, staruszki z bronchitem, ze złamanymi biodrami, pewnie też chorzy na raka, podnosili się z foteli i przykładali dłonie do odbiorników. Ten widok złamał mi serce. Ale pamiętaj, że byłem wierzący. Chociaż rozumiałem moc Pisma, które cytowali, i byłem przekonany o uzdrawiającej mocy wiary, nie mogłem nie zauważyć jej deprecjonowania i poniżania. Jednak w odróżnieniu od wielu ludzi rozumiałem ten język. W przypadku fundamentalistów zawsze niepokoił mnie fakt, że zajmują się najbardziej oczywistymi grzechami. Jeżeli te grzechy – seksualna niemoralność i uzależnienie od narkotyków – biorą się z nieszczęścia, to jestem pewien, że Bóg pragnie ludzi z tej niedoli wyzwolić. Jednak nie mogłem pojąć, dlaczego ci sami ludzie nie zajmą się głębszymi, bardziej skomplikowanymi problemami ludzkiego ducha, jak hipokryzja, nadmierny krytycyzm, zachłanność instytucjonalna, zachłanność korporacji. Żeby dostrzec tę hipokryzję, wystarczy spojrzeć na nieuczciwe umowy handlowe, za pomocą których kraje rozwijające się pozostają na etapie rozwoju wczesnego średniowiecza. I ci ludzie mają czelność wypowiadać się o deprecjonowaniu kultury. A co z deprecjonowaniem setek tysięcy prawdziwych istnień ludzkich?

Racja. Ci ludzie chodzą w niedzielę do kościoła i pewnie składają hojne datki na tacę. Byłeś zły na tych fundamentalistów?
Uważaliśmy, że depczą najcenniejszą rzecz: przekonanie, że istotą Boga jest miłość. Ci teleewangeliści byli jak handlarze w świątyni z przy-

powieści, w której Jezus przewracał stoły. Odstręczali ludzi od Boga, zwłaszcza młodych, którzy nie chcieli się przyznawać, że są chrześcijanami, bo w klubach, kampusach, wszędzie, mówiono im: „Słuchasz ich, a to przecież świry". Wizyta w Ameryce w tamtym czasie stanowiła bardzo ciekawe przeżycie. Byliśmy fanami i krytykami - przygotowującymi się, aby przekazać im wszystko, co najlepsze i co najgorsze na płycie *The Joshua Tree*.

Moim zdaniem, najbardziej spodobało się to, co najlepsze. Chodzi o to, że albumami *The Joshua Tree* i *Rattle and Hum* dałeś im do zrozumienia, że słuchanie muzyki roots, bluesa, gospel i country jest w porządku. Czy wtedy zadawałeś sobie pytanie: „Dlaczego my? Dlaczego nas wybrali, żebyśmy im przypomnieli, jak wspaniały jest ich kraj?". Mieli przecież Bruce'a Springsteena.
Wydaje mi się, że w latach osiemdziesiątych Bruce Springsteen wywarł na nas duży wpływ. U podstaw jego muzyki leżała ta sama mitologia. Poza tym do rzeczy robionych „wbrew prawu" należały występy w halach sportowych zwanych arenami, czyli na boiskach do koszykówki. Poszliśmy zobaczyć go na arenie, a on odmienił nasze życie. Nawiązywał szczery kontakt z publicznością. Po raz pierwszy U2 zdało sobie sprawę, że większa sala wcale nie musi osłabiać wymowy naszej muzyki, a wręcz może spotęgować przeżycie: liczniejsze audytorium, większy ładunek elektryczny. Nigdy nie widzieliśmy tak bardzo zaangażowanych słuchaczy. Przyszło dwadzieścia tysięcy osób, ale gdyby Springsteen chciał, usłyszałbyś brzęczenie muchy. Potem poszedłem zobaczyć Rolling Stonesów w Madison Square Garden i zasnąłem. Nagłośnienie było fatalne...

Jakiś czas temu zajmowałem się wielką encyklopedią muzyczną. Wertując historie wszystkich zespołów i wykonawców, doszedłem do nieśmiałego wniosku: aura tajemniczości otaczająca muzykę rockową w znacznym stopniu pochodzi od wykonawców, którzy zupełnie na nowo wykreowali swój wizerunek. Pomyśl, na przykład Robert Zimmerman, syn sprzedawcy sprzętu AGD z gór Minnesoty, stwarza sie-

bie na nowo, stając się Bobem Dylanem. Mówi, że dostał gitarę od bluesowego muzyka albo że w jego żyłach płynie krew Siuksów. Wymyśla własną mitologię. Myślę, że w naszym pokoleniu to właśnie ty wykreowałeś siebie jako Bono i w analogiczny sposób wzbudziłeś naszą fascynację. Czy wiesz, kim jest Bono?
Staram się tego dowiedzieć. Najtrudniej... być sobą. Kto wie, może nawet mnie się nie udało [*śmiech*]... na razie.

Wielu ludzi nie pozwoli ci zacząć.
Dlaczego?

Chyba podoba im się twój kryzys tożsamości. To dyscyplina dla obserwatorów: przypatrywanie się, jak próbujesz znaleźć odpowiedź, jak stale wymyślasz siebie na nowo.
W Ameryce najlepsze jest właśnie tworzenie wszystkiego od nowa. Nigdy nie liczy się to, skąd przychodzisz, zawsze chodzi o to, dokąd zmierzasz. Ludzie akceptują to, że nowy początek leży u podstaw amerykańskiego marzenia. Irlandczycy przybyli z kultury śmierci, głodu i kolonizacji, co oczywiście wiązało się z wyczerpaniem. W Ameryce odnaleźli nową witalność, rozpoczęli nowe życie. Zaczynać od nowa – na tym polega sedno odkupienia. Tym samym żywi się fundamentalizm religijny: trzeba narodzić się na nowo. Ja chcę codziennie zaczynać od nowa, codziennie próbuję rodzić się na nowo i traktuję to bardzo poważnie.

Jedną z najważniejszych rzeczy, jakie robiłeś w Ameryce – mam tu na myśli kontynent w odróżnieniu od Stanów Zjednoczonych – było zajęcie stanowiska wobec ruchu sandinistów w Nikaragui. W ten sposób po raz pierwszy publicznie zaangażowałeś się w politykę Stanów Zjednoczonych, zgadza się?
Niech pomyślę. Pierwszym wystąpieniem o charakterze politycznym było zajęcie się sympatykami radykalnego skrzydła IRA-Tymczasowej w Ameryce, którzy finansowali zamęt w Irlandii. Dopiero

w USA odkryliśmy, co to znaczy być Irlandczykami. Bobby Sands* umierał podczas strajku głodowego w więzieniu Maze w Irlandii Północnej. Serce się kroiło, ale to również podkręcało nastroje. Co wieczór amerykańska telewizja podawała informacje na ten temat. Zbierający datki zbijali fortunę na jego poświęceniu. Pamiętaj, czterdzieści pięć milionów Amerykanów uważa się za Irlandczyków. Młodsze pokolenie przychodziło, żeby posłuchać, jak gramy. Irlandczycy drugiego lub trzeciego pokolenia rzucali na estradę pieniądze dla rewolucjonistów poświęcających życie dla sprawy. Ale kiedy później spotykaliśmy się z tymi ludźmi, zupełnie nie mieli pojęcia, co się dzieje.

Czy w kraju cieszyli się dużym poparciem?

Niewielu zdawało sobie sprawę, że ci rewolucjoniści nie reprezentują woli żadnej znaczącej większości. Bez względu na to, w jaki sposób rysowałeś Irlandię, z granicą lub bez, oni znajdowali się w mniejszości. Nawet wśród katolików w Irlandii Północnej stanowili mniejszość. A jednak ludzie ci uważali, że mają prawo tworzyć armię i szafować ludzkim życiem. Dlatego dla nas byli wrogami. Faszystami, brunatnymi koszulami - w tym wypadku zielonymi. Musiał istnieć lepszy sposób.

Miałeś jakieś świetne pomysły?

Można zrozumieć, dlaczego ta sytuacja zapoczątkowała nasze zainteresowanie niestosowaniem przemocy. Tutaj pewną rolę odegrały Stany Zjednoczone. W latach sześćdziesiątych Ameryka miała własne kłopoty na tle rasowym. My zaczęliśmy dostrzegać podobieństwa z ruchem walczącym o prawa obywatelskie. Uczyliśmy się niestosowania przemocy od Martina Luthera Kinga. Wszystko zaczęło się dziać mniej więcej w tym czasie. Potem napisaliśmy *Sunday Bloody Sunday* jako wyraz sprzeciwu wobec krwawych walk. Ameryka nas

* Bobby Sands (1954-1981) - irlandzki republikanin z Belfastu.

do tego przywiodła, to Ameryka postawiła przed nami pytanie, co to znaczy być Irlandczykiem. Jak na ironię, wielu ludzi uważało, że *Sunday Bloody Sunday* nawołuje do walki zbrojnej, że to pełna buntu piosenka opowiadająca się za zjednoczoną Irlandią. A przecież opowiada o jedności, tylko że nie w sensie geograficznym.

Nie wierzysz w zjednoczenie Irlandii?
Tylko za obustronnym porozumieniem. Granica została wytyczona pod groźbą wojny, ale musimy się zgodzić z tym, że nie zostanie zlikwidowana na siłę. Prawdziwy podział, jak mówi wielki John Hume, przebiega w ludzkich sercach i umysłach.

Czy spotkaliście się z pogróżkami ze strony radykalnego skrzydła IRA?
W Ameryce staraliśmy się doprowadzić do wyschnięcia źródeł finansowania tej grupy. Wiem, że ich rozzłościliśmy, ale nie zareagowali w sposób zorganizowany, chociaż na pewno ich wkurzyliśmy. Cieszyliśmy się ogromnym uznaniem wśród amerykańskiej społeczności irlandzkiego pochodzenia. Winowajcami była mała grupa dobrze zorganizowanych ludzi krążących z kapeluszami i zbierających datki na sprawę Irlandii - co tak naprawdę oznaczało podkładanie bomb w angielskich pubach i zabijanie niewinnych ludzi. Nie byliśmy więc zbyt popularni wśród ekstremistów. Po powrocie do Irlandii w subtelny sposób dawano nam to do zrozumienia.

Na ile te pogróżki były subtelne?
Właściwie wcale takie nie były. Przypominam sobie parę incydentów na początku lat osiemdziesiątych po otwartym potępieniu IRA podczas koncertu w Irlandii. Kiedyś nasz samochód otoczyli zwolennicy radykałów. Jeden z nich owinął sobie rękę trójkolorową flagą Irlandii i próbował gołymi rękami roztrzaskać szyby w samochodzie, krzycząc: „Angole! Zdrajcy!". Prawdziwa czy nie, pojawiła się jednak groźba porwania, którą szef wydziału specjalnego policji potraktował bardzo poważnie. Przypominam sobie, że zdjęto nam od-

ciski palców dłoni i stóp. To działało na wyobraźnię... [*śmiech*] Mają zamiar połamać nam nogi czy komuś je wysłać? Nie chcę wyolbrzymiać wpływu, jaki ten incydent wywarł na nasze życie. Niemniej jednak przez resztę lat osiemdziesiątych w niektórych dzielnicach, gdzie wcześniej byliśmy przyjmowani, staliśmy się *personae non gratae*. W pubach, w różnych miejscach ludzie patrzyli na ciebie i myśleli, że ich zawiodłeś. Po jakimś czasie zdawali sobie jednak sprawę, że nie o to chodzi, że przecież nam też zależy na naszym kraju i popieramy ich słuszne pretensje.

Pretensje były słuszne, prawda?
Tak, katolicka mniejszość doświadczała straszliwych prześladowań, ale my, podobnie jak większość katolików z Północy, wierzyliśmy w pokojowe rozwiązanie. Nienawidziliśmy irlandzkiej obojętności wobec przemocy. Na przykład gdzieś podłożono bombę, w jakimś supermarkecie w Anglii zdarzyło się coś okropnego, zginęły kobiety i dzieci. Wszyscy są wstrząśnięci doniesieniami, wszyscy, a w Irlandii ludzie przez kilka dni gapią się na czubki butów. Mówią: „Och, posunęli się za daleko, tego już za wiele". A potem, ledwo kilka miesięcy później, ktoś w pubie śpiewa ludową piosenkę, jakiś hymn zagrzewający do walki, *A Nation Once Again* albo coś w tym stylu, i w ruch idą kapelusze, i każdy zrzuca się na ekstremistów. Nienawidziłem tego w nas, Irlandczykach – tej naszej dwulicowości. Po prostu czułem, że musimy zająć jasne stanowisko: przemoc nie poprawia niczyjego losu, prowadzi tylko do rozpaczy i jeszcze bardziej utrudnia integrację obu społeczności.

A więc żadnych bezpośrednich gróźb?
Żadnych. Tylko świadomość, że ich wkurzyliśmy. Słyszałem, że Gerry Adams usunął plakat U2 z siedziby Sinn Féin. W obszernym wywiadzie prasowym określił mnie mianem „małego gówniarza". To nie pomaga, kiedy przywódca zbrojnego skrzydła cieszący się poparciem w każdej robotniczej dzielnicy i mający po swojej stronie wielu świrów nazywa cię „małym gówniarzem". Ani trochę nie ułatwia życia.

Czy nadal chowacie do siebie urazę? Teraz, kiedy pokój wisi w powietrzu?
Nic a nic. Gerry Adams wyciągnął do mnie dłoń. Przyszedł do biura Jubileuszu Roku 2000, żeby dowiedzieć się czegoś więcej o kampanii Drop the Debt. To wspaniały człowiek. Orientował się już w wielu naszych działaniach. Jeśli on i jego partia doprowadzą do rozbrojenia oddziałów paramilitarnych, staną się poważną siłą w polityce. Mam nadzieję, że ma wyrzuty sumienia z powodu zniszczeń, jakie walka zbrojna przyniosła Irlandii. On uważa, że właśnie ta walka doprowadziła nas do porozumienia pokojowego. Ja w to nie wierzę, ale wyciągnął do mnie dłoń, więc uszanowałem gest i uścisnąłem ją. W Irlandii mamy powiedzenie: „Trzymaj ręce w kieszeniach, kiedy rozmawiasz z tymi ludźmi". No cóż, ja je wyjąłem.

Jesteś więc optymistą co do perspektywy zakończenia konfliktu?
Tak. Wiele lat później dostąpiłem największego w życiu zaszczytu, kiedy nasz zespół wystąpił na rzecz Porozumienia Wielkopiątkowego w Waterfront Hall w Belfaście w 1998 roku. Udało nam się doprowadzić do tego, że John Hume i David Trimble, przywódcy przeciwnych stron konfliktu, uścisnęli sobie dłonie na scenie na oczach widowni zespołów U2 i Ash. Mówi się, że ten koncert rockowy i upozowane zdjęcie popchnęły ludzi do ratyfikacji ugody. Chciałbym wierzyć, że to prawda, że skrajni unioniści i skrajni republikanie będą teraz mieli odwagę odłożyć broń. Potrzeba odwagi, żeby zaufać procesowi pokojowemu i wrócić do normalnego życia. Obie strony zbyt wiele wycierpiały. Poza tym dość łatwo przychodzi mi wygłaszać niezależne opinie. Nie mieszkam obok ani po drugiej stronie drogi, ani po drugiej stronie miasta przesiąkniętego bolesnymi wspomnieniami. Mieszkam w Dublinie, w domu nad morzem.

Poniższa rozmowa odbyła się przez telefon w połowie lutego, zaledwie dziesięć dni po poprzedniej. Bono nadal przebywał w domu na południu Francji z rodziną, której większość zebrała się w sypialni.

[*żartobliwie*] Michka!

Oui, c'est moi.
[*starannie wymawiając po francusku*] *Comment allez-vous?*

***Fort bien et vous-même?* Pierwsza lekcja. [*śmiech*]**
Bardzo dobrze...

Masz lepszy głos niż ostatnim razem.
Naprawdę?

Wyspałeś się? No, teraz naprawdę odgrywam lekarza...
[*śmiejąc się*] Dziś rano napisałem kawałek o Elvisie Presleyu dla magazynu „Rolling Stone". Zdaje się, że robią specjalne wydanie o gwiazdach popu. Mój artykuł ma tytuł *Elvis zjadł Amerykę, zanim Ameryka go zjadła*. Jak widzisz, jestem już na nogach, a teraz usiłuję pozbyć się dwóch punkówek i ich matki, które leżą koło mnie na łóżku. Ale powoli wstają. Jojo [Jordan, starsza córka] odkłada jak może powtórkę do próbnego egzaminu wstępnego do gimnazjum, a Eve leży i udaje chorą.

Jednym słowem, rodzina z zaburzeniami funkcjonalnymi.
Tak. Hollywoodzka i Holly-dziwaczna.

W stylu Osbourne'ów.
Nasz dom bardzo przypomina Osbourne'ów. Kiedy jestem zmęczony, bo pracowałem do późna w nocy, powłóczę nogami. Dziewczyny mówią wtedy: „Szurasz jak Ozzy". A ja im odpowiadam [*głos Ozzy'ego*]: „Spierdalać stąd! Spierdalać stąd!". Nie, nie przeklinam przy dzieciach moim własnym głosem, tylko głosem Ozzy'ego. To jest wspaniałe. Przeklinam sobie przy dzieciach jego głosem.

Niezła wymówka.
Uwielbiam Osbourne'ów. Są rodziną, w której wszyscy się kochają, a to rzadkość. Podoba mi się też jego głos, kiedy śpiewa *Iron Man*, bo brzmi jak maszyna. W ogóle nie przypomina ludzkiego.

Poznałeś go?
Spotkałem go raz w windzie. Nie rozmawialiśmy za wiele. „Do góry?" Tak chyba brzmiała kwestia. [*śmiech*] On wysiadał na piątym, a ja na siódmym. Nie miałem czasu powiedzieć, że kupiłem *Paranoid*, a moim zdaniem to jedna z najlepszych płyt rockowych. Sam wymyślił heavy metal. Geniusz na podobieństwo Boga... *Paranoid* jest *heavy* w sensie nuklearnym.

To dość dziwne, że Black Sabbath stał się znów modny wraz z Nirvaną. Sądziłem, że heavy metal zniknął z mapy raz na zawsze w latach osiemdziesiątych. Aż tu nagle wrócił w wielkim stylu razem z kapelami grunge.
To bardzo ekspresywna muzyka, muzyka chłopców, kiedy bycie mężczyzną jest znacznie mniej uchwytne, niż ci się wydaje. Kiedy jesteś nastolatkiem, w muzyce odbija się to, kim chcesz zostać i co na to twoje hormony. Dlatego uważam, że hip-hop... [*ktoś mu przerywa*] O Boże, teraz idzie Elijah. Precz stąd, krasnalu! Nie, to ja.

Proszę, wychodzi na wierzch twój prawdziwy charakter. Pomyśleć, że kiedyś uważałem cię za miłego gościa.
Czy nie uważasz, że hip-hop i hard rock to bardzo męska muzyka? Czego teraz słuchasz, Michka?

Teraz? Ciebie... A skoro o tym mowa, wiesz, te rozmowy przez telefon są świetne, bo dla mnie to jak oczekiwanie na następny odcinek serialu. [*Bono przez cały czas zanosi się diabolicznym śmiechem*] Pozwól, że wrócę do tego, co powiedziałeś ostatnio. Cytuję cię: „Odkryliśmy, że jesteśmy Irlandczykami dopiero wtedy, kiedy pojechaliśmy do Ameryki". Po raz pierwszy zabrałeś publicznie głos w kwestii politycznej, krytykując IRA-Tymczasową i walkę zbrojną. Czy to nie dziwne, że po tym wszystkim zaangażowałeś się w wojnę domową w Salwadorze i Nikaragui? Jak dowiedziałeś się, co się dzieje w tych krajach, które dla wielu nie znaczą więcej niż nazwa na T-shircie lub tytuł albumu The Clash*?
No cóż, różnica między sandinistami a IRA-Tymczasową polegała na tym, że sandiniści reprezentowali większość swojego kraju. Mimo że walczyli, nie przebierając w środkach, przynajmniej tym można ich było wytłumaczyć. To prawda, że usłyszałem o sandinistach od Clash, ale im więcej o nich czytałem, tym bardziej fascynował mnie ich *modus operandi*, bo tak wyglądała teologia wyzwolenia w praktyce. Kiedy odwiedziłem Nikaraguę, byłem zaszokowany, jak dalece religia zainspirowała ich bunt. Oto rewolucja wyrastająca z czegoś innego niż materializm. Istniał współczynnik duchowy. Rewolucja nikaraguańska musiała zostać stłumiona. Przeraziła obie Ameryki. Mogła się rozprzestrzenić na Meksyk i dalej na północ. Pamiętam, jak poszedłem do kościoła. Na ścianach zobaczyłem malowidła scen z Pisma Świętego, takie jak „Dzieci Izraela uciekające przed faraonem". A faraon miał twarz Ronalda Reagana! [*śmiech*]

---

* *Sandinista!*, 1980 r.

Naprawdę? Gdzie to widziałeś?
W Managui. Pamiętam, że zaskoczyło mnie to, jak za pomocą biblijnych przypowieści uczono ludność rewolucji. Wszędzie im powtarzano, że Jezus głosił Dobrą Nowinę ubogim, co było prawdą. Tylko że Jezus nie chwytał za broń.

Właśnie o to mi chodzi. Przed chwilą jasno powiedziałeś, że nie chciałeś popierać walki zbrojnej w Irlandii.
Nie pisałem piosenki o miłości dla walki zbrojnej. Dostrzegałem rozczarowujący rezultat czytania Pisma Świętego, lecz jednocześnie zainspirowało mnie zastosowanie Biblii w życiu codziennym. Pamiętam spotkanie z ministrem kultury Ernesto Cardenalem. Przypominam sobie, jak powiedział, że poezję ich rewolucji – i w rzeczy samej ideologię sandinistów – zainspirowało irlandzkie powstanie z 1916 roku i twórczość irlandzkich poetów, na przykład Patricka Pearse'a. Jego z kolei wykształcili irlandzcy jezuici – specjaliści od siania ziarna rewolty. To prawda. Mówię ci: zrób tylko krok w jednym z krajów rozwijających się, a zza krzaka zaraz wyskoczą irlandzcy księża i zakonnice! To niesamowite, wyeksportowaliśmy rewolucję za pośrednictwem księży. Dobrze nam szło, a rewolucja się przyjęła. Powiedziałem ministrowi: „Nie ma przecież nic chwalebnego w tym, że giną ludzie i leje się krew". Jeśli nie ma się innego wyjścia, można znaleźć argumenty za, ale rozlew krwi nigdy nie zasługuje na pochwałę. Nawet Yeats mówił o „róży czerwonej od krwi męczenników, która skapywała na ziemię". Nienawidzę tego.

Wydaje mi się, że to dziewiętnastowieczna Europa. Jako nastolatek we Francji w latach siedemdziesiątych byłem naznaczony tą mitologią. Mieliśmy powstanie z maja 1968 roku i następujący po niej tak zwany ruch lewicowców, fanatycznej grupki młodych ludzi, nierzadko najdzielniejszych i najbardziej ambitnych w swoim pokoleniu, którzy poświęcili się idei rewolucji. To z pewnością było efektowne. Sięgało tradycji rewolucji francuskiej, dziewiętnastowiecznych powstań, a potem oczywiście, bolszewików, powstania trockistów, bojowni-

ków Mao, aż po partyzantów na Kubie i w Wietnamie. Zorientowałem się, że tych tak zwanych bohaterskich partyzantów ludowych gloryfikowano przede wszystkim na gruncie estetyki i idealizmu, że ich zwolennicy przymykali oko na planowaną śmierć głodową i obozy koncentracyjne w Rosji i Chinach, nie wspominając o masakrach Pol Pota w Kambodży. Chodziło o antyamerykanizm, co w Europie miało wielki sens. Ale te sprawy to wymówki i urojenia. Właściwie ponure urojenia.

Nie chodzi o to, że nie wiedziałem, skąd się wzięła IRA-Tymczasowa, ani że osobiście nie pojmuję przemocy. Próbowałem po prostu wyobrazić sobie, czy istniał jakikolwiek powód, żeby chwycić za broń. Z jednej strony miałeś Martina Luthera Kinga mówiącego: „Nigdy", Gandhiego mówiącego: „Nigdy", Jezusa Chrystusa, od którego obaj czerpali inspiracje, mówiącego: „Nigdy". Z drugiej strony byli sandiniści mówiący: „Musimy troszczyć się o biednych, musimy bronić biednych". Musiałem się zastanowić nad ich stanowiskiem z własnego punktu widzenia, nawet jeśli mnie nie przekonywało. Chciałem dowiedzieć się czegoś więcej o teologii wyzwolenia i sandinistach. Bardzo mnie poruszyli, kiedy tam byłem. Wiele wycierpieli, ich rewolucja wiele kosztowała, a w końcu nie skończyła się po ich myśli. To samo z rewolucją francuską. Jak na ironię, to właśnie ona zainspirowała Amerykę.

Wszyscy słyszeliśmy to koszmarne porzekadło: „Nie da się zrobić omletu, nie rozbijając jajek".

Wiem. W ostatecznym rozrachunku idee nie są warte tyle co ludzie. Gdy tylko masz do czynienia z filozofią, na której gruncie idee są warte więcej niż ludzie, musisz się mieć na baczności. Trudno odrzucić niebezpieczną ideę, którą prawie można uznać za sensowną. Kiedy szatan jest górą, zwykle nie jest tak, że zło wygrywa z dobrem, tylko ścierają się ze sobą dwie półprawdy. Właśnie to wyrządza największą szkodę. Marksizm-leninizm był wyjątkową ideą, mającą na celu wydobycie ludzkości z nędzy. Niebezpieczną ideą, która niemal miała sens. Takich idei jest wiele.

Zaraz po naszej ostatniej rozmowie przypomniałem sobie, że mówiłeś o niedawnym spotkaniu z senatorem Jesse Helmsem, na którym rozmawialiście o kwestii AIDS w Afryce. Po rozmowie nabrałeś do niego sporo szacunku. Wspomniałeś, że było to dla ciebie niepokojące przeżycie, bowiem jako przewodniczący Senackiej Komisji Stosunków Zagranicznych na początku lat osiemdziesiątych robił wszystko co w jego mocy, żeby doprowadzić do stłumienia powstania sandinistów.

Wiesz, jak to jest. Przechadzka po Nikaragui, widok pustych sklepów, puste półki, ludzie głodujący z powodu blokady nałożonej przez Stany Zjednoczone, śmierć ludzi próbujących uciec przed tyranią właścicieli ziemskich. Przed rewolucją jeden procent tych ludzi miał w posiadaniu ponad czterdzieści procent ziemi uprawnej. Pamiętam jedną bardzo poruszającą mszę. Pod koniec nabożeństwa kapłan wziął listę zmarłych. Wywoływał wszystkich po nazwisku: „Rodrigo Omares!", a wierni odpowiadali: *„Presente!"* [*naśladując dźwięk stłumionego ryku tłumu*] „Maria Gonzalez! - *Presente*!" - są obecni wśród nas. Można to było wyczytać w oczach zgromadzonych. Widziałem cenę, jaką przyszło im za to zapłacić. Dla mnie tak wówczas wyglądała druga twarz Stanów Zjednoczonych: Ameryka, sąsiad tyran. A jednym z głównych prawicowych architektów tej polityki był wówczas senator Jesse Helms, który później mnie i wszystkim pracującym w Global AIDS Emergency wyświadczył ogromną przysługę, udzielając nam swojego poparcia. To, że dwadzieścia lat później poczułem taką sympatię do starego żołnierza zimnej wojny, potraktowałem jako wielką ironię losu.

Czy podczas rozmowy wspomniałeś o swoich poglądach na temat przeszłości?

Nigdy nie podnosiłem tej kwestii. Czas z nim spędzony wykorzystałem, aby posunąć naprzód pracę w Global AIDS Emergency. Zrobił rzecz niebywałą: publicznie okazał skruchę za to, co myślał o HIV i AIDS. Polityków rzadko stać na taki gest. On naprawdę zmienił sposób, w jaki prawica postrzegała tę chorobę. Różni ludzie powtarzali mi: „Idziesz na spotkanie z samym diabłem, a jego poglądy są jeszcze trochę na prawo od Attyli, wodza Hunów". Osobiście zlikwidował National Endowment for the Arts* w Ameryce. Todd Rundgren napisał o nim piosenkę: *Fuck You, Jesse Helms*. Ale okazał się wspaniałym człowiekiem o poglądach, z którymi nie do końca się zgadzam, ale musiałem zaakceptować to, że żarliwie w nie wierzy. Często mi się to zdarza. Odkrywam, jak wiele mam szacunku dla ludzi, którzy są wierni swoim przekonaniom, nieważne jak niepopularnym.

No dobrze, a teraz wyobraź sobie, że próbujemy napisać scenariusz oparty na twoich przygodach w Ameryce Środkowej. Skończyły się napisy i kamera z lotu ptaka robi panoramiczne ujęcie krajobrazu lasów i wzgórz. Jaka byłaby następna scena?
Więc... Marsz przez wzgórza, ze sto mil od głównego miasta, San Salvador.

Po pierwsze, co tam robisz?
Idę z kolegą, który ma grupę pod nazwą Sanctuary i zajmuje się przemycaniem z terytorium wroga ludzi, których życie jest zagrożone, i sprowadza ich do Ameryki jako uchodźców. Realizuje kilka programów mających pomóc biednym w Salwadorze, a ja z Ali jesteśmy oboje zaangażowani w jeden z nich, pracując z *campesinos*, rolnikami. Idziemy zobaczyć, co robi, ale jego obóz znajduje się na terenach kontrolowanych przez rebeliantów.

Z kim idziesz? I jak wyglądają?
Jest z nami pewien Amerykanin. Nazywa się Dave Bedstone, typ Indiany Jonesa z *Poszukiwaczy zaginionej arki*: poszukiwacz intelektualnych i duchowych przygód w trudnym terenie. Jest jego dziewczyna Wendy z San Francisco: kręcone włosy, wprawia wszystkich w dobry humor. Do tego Howard Jules Hoyle, który przyjechał z San Francisco do Salwadoru z deską surfingową na dachu samochodu. „Idzie

---

* Państwowy Fundusz Wspierania Sztuki – ang. (przyp. tłum.).

fala, panie kapitanie", typ Roberta Duvalla, jeśli oglądałeś *Czas Apokalipsy*. Uwielbia surfować. Jest bardzo zabawny, z każdego gestu przebija kabaret. Ali popatruje na mnie wzrokiem, który zdaje się mówić: „Przypomnij mi, po co tu przyjechaliśmy" [*śmiech*].

Co cię tam sprowadziło?
Jest tam taka mała farma, spółdzielnia, a ja po prostu pomagam jej finansowo. I jeszcze miejscowy przewodnik. To niesamowite, bo kiedy przedzieram się przez te gęste zielone lasy deszczowe, mija nas po drodze kilku rebeliantów. Mają po jakieś piętnaście lat - piękne dziewczęta z karabinami i nie śmiesz na nie spojrzeć inaczej jak z szacunkiem. [*śmiech*] Potem przechodzimy obok muru, gdzie jest napisane: *FUCK JESUS*. Szczęka mi opada i mówię: „Hej, myślałem, że to ojczyzna teologii wyzwolenia. Co tu jest grane?". Na to nasz przewodnik: „Nie, nie, tu nie chodzi o Jezusa Chrystusa. To *Hesus*, mieszka niedaleko. Nikt go nie lubi. Pracuje dla drugiej strony". [*śmiech*] Idziemy dalej ścieżką i kiedy przechodzimy przez jezdnię, widzimy żołnierzy sił rządowych. Wyglądają na trochę zaniepokojonych i w chwili gdy przekraczamy drogę, rozlega się tępy odgłos pop-pop-pop - niewiele różniący się od odgłosu strzelania na filmach - głucho brzmiący i przecinający powietrze nad naszymi głowami. Zastygamy w pół drogi. Nie wiemy, co się stanie, czy powinniśmy się ukryć, czy stać bez ruchu. Zapada cisza, wielka cisza... Ale słychać bicie naszych serc, a potem śmiech żołnierzy, którzy tylko dawali nam do zrozumienia, że nas nie lubią i gdyby naprawdę chcieli, to mogliby nas zabić.

O co chodzi w filmie?
Czasami to wręcz komedia. Gdybyś nas widział, jak się zatrzymujemy i zastygamy bez ruchu, w niemej komedii pojawiłaby się stop-klatka: „Gwiazda rocka wali w gacie". [*śmiech*]

A ścieżka dźwiękowa? Jakaś muzyka?
Nie, śmiertelna cisza. Może tylko dźwięk bicia pięciu serc puszczony przez wzmacniacze.

Naprawdę groziło wam niebezpieczeństwo?
Żeby ci udowodnić, jak realne to było, powiem ci, że kiedy dzień wcześniej jechaliśmy autostradą z lotniska, widzieliśmy, jak z vana wyrzucają na drogę martwe ciało. Bez przerwy giną tam ludzie, a niedawno straciło życie kilka zakonnic. To był bardzo niebezpieczny okres i prawdę powiedziawszy, nie musieliśmy tam jechać. Jeśli mam być szczery, myślałem wówczas na serio, że może powinniśmy byli zostać w hotelu Sunset Marquis w Los Angeles i pójść na plażę. [*śmiech*] W tamtej chwili nie było heroizmu, po prostu: „O cholera... Po jakie licho wlokłem tu Ali?". Ale nie trafili. Mój przyjaciel, który obecnie wykłada na uniwersytecie w Oakland w Kalifornii, z miną nieustraszonego pokerzysty mówi: „Próbują nas tylko postraszyć. Idź dalej. Nie ma problemu". Nie ma problemu? – pomyślałem. Więc jak wygląda problem? Jak granat? W każdym razie poszliśmy dalej, czując się jak pułkownik Kurtz z *Czasu Apokalipsy*, a bomby zapalające zrzucane na wioskę trzęsły ziemią pod naszymi nogami. Może to zabrzmieć jak skrajny brak odpowiedzialności, ale mój przyjaciel musiał dostarczyć pieniądze rolnikom. Praktykowano tam coś w rodzaju czystki etnicznej po uprzednim ostrzeżeniu. Mówili ludziom: „Wynoście się z wiosek, bo je zbombardujemy". Żołnierze finansowani przez Kraj Ludzi Wolnych* terroryzujący farmerów. Niewiarygodne. Ludzie z własnej woli nie opuściliby swoich wiosek, przecież tam stały ich domy. Masakra, to było straszne, potworne. Takie było drugie oblicze Ameryki. Od tamtej pory minęło sporo czasu, ale żeby o tym nie zapomnieć, starałem się przełożyć to na muzykę w piosence *Bullet the Blue Sky*.

Czy ten utwór w pełni ilustruje złożoność waszego przeżycia?
Nie, ale starałem się.

Jesteś tam *gringo*. Zaangażowany politycznie piosenkarz odwiedza niebezpieczne miejsca i wtrąca się, tak bym to ujął.
Mógłbyś nieuprzejmie zasugerować, że byłem turystą.

---

* USA.

[*śmiech*] Właśnie miałem to powiedzieć! No tak, byłeś politycznym turystą. Czy słyszałeś o doskonałej książce Jareda Diamonda *Strzelby zarazki, maszyny*? Nosi podtytuł: *Losy ludzkich społeczeństw*.
Tak, to książka antropologiczna. Mam ją i zacząłem ją czytać. Historia mojego życia!

W przedmowie autor próbuje wyjaśnić, dlaczego chciał ją napisać. Mówi, że doznał olśnienia, spacerując po plaży na Nowej Gwinei z jakimś miejscowym politykiem. Diamond jest biały, a jego towarzysz był czarnoskóry. Rozmawiają o historii i losach obydwu krajów, nagle mężczyzna mówi: „Dlaczego wy, biali, wynaleźliście aż tyle towarów i sprowadziliście je do Nowej Gwinei, a my, czarni, mamy tak mało własnych?". Diamond stwierdza, że napisał książkę po to, by odpowiedzieć na to pytanie z punktu widzenia swojego rozmówcy. To mnie zafascynowało. Czy próbowałeś zastanowić się nad tym, jak cię postrzegają mieszkańcy Ameryki Środkowej? Na przykład, po co tu przyjechałeś? Dlaczego chcesz nam pomagać?
Wiesz, ja tylko szukałem towaru wartego swojej ceny. [*śmiech*] Zainteresowało mnie to, po prostu czysta ciekawość intelektualna. Jestem pisarzem.

Racja. Ale nie pojechałeś tam jako dziennikarz.
Każdy pisarz, jeżeli jest dobry, jest dziennikarzem. Chcę zobaczyć wszystko na własne oczy, nie za pośrednictwem gazet i telewizji. Możesz siedzieć w klimatyzowanym pomieszczeniu, za szybą dostatku albo możesz ją roztrzaskać i wyjść. Chcę widzieć na własne oczy, a nie dowiadywać się z drugiej ręki.

Twierdzisz zatem, że jesteś reporterem.
Po prostu odczuwam ciekawość. Wałęsasz się gdzie popadnie, podnosisz kamienie, aż znajdujesz jakieś naprawdę ciekawe obrzydliwe żyjątka.

Pewnie, ale z mojego doświadczenia tradycyjnego reportera wynika, że nadchodzi moment, kiedy rozmawiasz z ludźmi, a oni zaczyna-

ją cię wypytywać o twoje życie. Zawsze pada pytanie: „Jesteś żonaty? Masz dzieci? Jak się u was żyje? Jakie są ceny?". Pytają cię o piłkę nożną, o gwiazdy filmowe, często o najbardziej powierzchowne sprawy w twojej kulturze. Czy doświadczyłeś czegoś podobnego w Salwadorze, czy też było zupełnie inaczej?

Było dokładnie tak, jak mówisz. Miałem niebywałe przeżycia tego rodzaju. Nie mogę sobie przypomnieć szczegółów - zbyt wielu szczegółów - dotyczących losów ludzi poznanych podczas tej podróży: wygląd, twarze, determinacja i poczucie humoru. Takie rzeczy pamiętam. Ale jeśli mam być szczery, nie pojechałem tam, żeby dowiedzieć się, co się dzieje w Salwadorze. Moim celem nie był Salwador, moim celem była Ameryka.

To znaczy?

Chciałem się dowiedzieć, jak przedstawiają się praktyczne skutki amerykańskiej polityki zagranicznej, bo byłem fanem Ameryki. Wierzyłem w ten kraj bardziej niż większość znanych mi ludzi i zatraciłem się w jego muzyce i literaturze. Ale chciałem wiedzieć, co to oznacza w praktyce. Pojechałem tam bez uprzedzeń. To dziwne, rozmawiałem o tym z Seanem Pennem, bo postąpił tak samo, kiedy pojechał do Bagdadu. Był tam kilka razy. Ludzie mówią: „Bagdad to nie miejsce dla gwiazdy filmowej". A on na to: „Chcę się dowiedzieć, jak tam jest". Podczas drugiej podróży był bardziej przychylnie nastawiony, bo zauważył postępy. Sprzeciwiał się okupacji, ale przekonał się, że los wielu ludzi - nawet jeśli niewystarczająco wielu - zmienił się na lepsze. Tak powiedział. Pisarze to reporterzy, a my chcemy widzieć rzeczy na własne oczy. W każdym razie to tylko wyjaśnienie mojego podejścia. Gdybym naprawdę chciał zrozumieć naród Salwadoru i tych, którym starałem się pomóc, zostałbym tam na dłużej niż tydzień. A tak robiłem tylko zdjęcia.

Trzymajmy się scenariusza. Mieliśmy ujęcie wprowadzające, czyli waszą grupkę idącą ścieżką wśród wzgórz. Jaka byłaby ważna kwestia w dialogu między tobą i kimś stamtąd, z jednym z *campesinos*? Czy był

tam ktoś, kto zrobił na tobie wrażenie? Jakaś rozmowa, która miała dla ciebie szczególne znaczenie?
Gdyby miał się tam znaleźć jakiś dialog, musiałbym go zrobić bardziej w stylu Monty Pythona, przybrać akcent Johna Cleese'a i powiedzieć [*naśladuje akcent Eton*]: „Hello-u! A więc jesteś rewolucjonistą, czyż nie? Ale klawo. A ja jestem gwiazdą rocka". [*śmiech*] „Miło cię poznać. Czym się zajmujesz? Strzelasz do ludzi. Ach, tak. Bądź tak dobry i wyjaśnij, jaki był poziom ucisku w ostatnich latach. Hmmm, znaczny, rozumiem. No powtórz, ile rodzin rządzi krajem? Rozumiem. Czy ktoś z was słyszał o Gandhim? Och, przepraszam, tak mi przykro. Nie, nie, to nie jest właściwy moment na podnoszenie kwestii niestosowania przemocy. No tak". Innymi słowy, dwudziestocztero-, dwudziestopięcioletni spóźniony w rozwoju usiłuje rozgryźć kwestię światopoglądową: czy istnieją okoliczności, kiedy walka zbrojna jest uzasadniona, żeby podważyć własne przekonania o niestosowaniu przemocy, i usiłuje dociec: dlaczego dobrzy popierają złych?

No i dlaczego dobrzy faceci byli po stronie złych? Czego się na ten temat dowiedziałeś?
Komunizm nie dał nikomu wolności ani dobrobytu. Przyniósł jakieś sto lat najbardziej ohydnych zbrodni, jakie kiedykolwiek ludzie popełnili na swoich bliźnich. Mogę więc zrozumieć, dlaczego USA tak się go obawiały w Ameryce Środkowej. Ale socjalizm, jakim ja byłem zainteresowany, nie przypominał starego marksizmu-leninizmu. Pojawiło się nowe odgałęzienie, które nie usiłowało tłumić wiary i wykorzystywało religijność tych ludzi, aby uświadomić im przysługujące im prawa. Moim zdaniem był to jeden z najważniejszych momentów w XX wieku: narodziny nowego modelu równości. Wiem, że uległ wypaczeniu, ale uważałem, że szkoda, że władze religijne go nie uznały i nie starały się promować niektórych idei. Wiesz, działał tam arcybiskup Romero, którego zastrzelono, ale w tamtym czasie Papież go nie dostrzegał. Było wielu ludzi, którzy położyli na szali bardzo wiele w obronie tych idei: nazywali je „Dobrą Nowiną dla ubogich". I oni, moim zdaniem, żyli zgodnie ze swoją religią. Trafiali się księża, którzy

woleli przebywać z ludem bardziej niż z równymi sobie czy zwierzchnikami. Muszę ci opowiedzieć o niesamowitej sytuacji opisanej w jednym z fragmentów Pisma Świętego, bo pasuje do tych okoliczności. Izraelici wędrują przez pustynię, dopiero co Mojżesz wyprowadził ich z niewoli, ale zaraz pojawia się kult złotego cielca. Dzień jak co dzień, zupełnie jakby nic nie zaszło, zapomnieli o Bogu, który ich wyswobodził. Dostają ostrzeżenia, w końcu Bóg ma dość i mówi Mojżeszowi: „Zejdź mi z drogi, zniszczę mój lud, a potem spróbuję jeszcze raz. Eksperyment zakończył się klapą i cały ten pomysł z wolnością nie wypalił. [*śmiech*] Uciekaj, bo mam zamiar wyciąć ich w pień. Mogę to zrobić, w końcu sam ich stworzyłem". Oczywiście wiesz, że parafrazuję. I dalej Biblia podaje, że „Mojżesz, znając litość Boga" - to jest fantastyczny fragment - „zamiast uciec, wchodzi w środek ludzi i mówi: „»Jeśli ich ukarzesz, ukarz i mnie«". Wtedy Bóg prawdopodobnie się uśmiecha. Tak działa Dobra Nowina w praktyce - ludzie oddają życie za bliźniego. Wiesz, w Piśmie Świętym znajduje się wspaniały werset - przepraszam, że cię od rana zamęczam religią - „Nie ma większej miłości od tej, kiedy ktoś życie swoje oddaje za przyjaciół swoich". To właśnie widziałem w Ameryce Środkowej.

Przed wyjazdem do Salwadoru odwiedziłeś Nikaraguę. Tam u władzy byli rewolucjoniści. Jakie zrobiło to na tobie wrażenie?
Rewolucja bardzo mnie wówczas zainspirowała. Może i skołowało mnie to, że ludzie władzy, których poznałem, oraz poeci i muzycy naprawdę dobrze mnie traktowali. Jednocześnie pamiętam, że w Dniu Rewolucji przez cztery godziny [*wzdycha*] słuchałem przemówienia Daniela Ortegi. Miałem obok tłumacza i mówię: „Prrr! Co jest z tymi rewolucjonistami? Mówią dłużej ode mnie, a ja naprawdę potrafię nawijać. Nie mieszczę się w akapicie, ale dla tych facetów i rozdział to mało".

Przemówienia Fidela Castro to właściwie maratony.
Wiem. Ci faceci są jak *Grateful Dead* politycznych przemówień. Gadają i gadają, a nie biorą kwasu.

Bardziej przypomina to hipnozę.
Zauważyłem trochę bzdur, jakie z tego wychodziły. Kiedyś rozmawiałem o tym z Salmanem Rushdiem. Okazuje się, że słuchał tego samego przemówienia co ja w Dniu Rewolucji. Kręciliśmy się koło siebie. Nie znaliśmy się wtedy. Napisał potem *Uśmiech jaguara* – komentarz autorski.

A jaki był t w ó j komentarz na temat sandinistów i Ameryki Środkowej?
Stworzyłem parę piosenek, z których do dziś jestem dumny. A jedną z nich, *Mothers of the Disappeared*, grali wszędzie w Ameryce Środkowej i Południowej – w Chile jako akt sprzeciwu. Kobiety, których dzieci porwała i zamordowała tajna policja, nawet nie wiedziały, gdzie je pogrzebano. Nie miały miejsca, cmentarza, żeby opłakiwać swoich zmarłych. Na zawsze pozostaną mi w pamięci te matki i ich historie. Wiesz, tyle się nauczyłem podczas tych wypraw, podczas tych wypadów. Jak mówię, urodziłem się na przedmieściach. Co wiedziałem o świecie? Zawsze nudził mnie mój własny. [*wzdycha*] Nawet tam gdzie dorastałem, zawsze spałem na cudzej podłodze. Po prostu mam w sobie głód podróżowania. Taki już jestem. Nie chodzi przy tym o naukę – w pewnym momencie to jest moja wymówka, żeby jechać – albo o efekty końcowe, jak tworzenie piosenek, pisanie artykułów. Prawdopodobnie sednem sprawym jest coś bardziej samolubnego. Lubię to określać mianem intelektualnej ciekawości, ale może to tylko turystyka albo podglądactwo. Nie wiem. Oto kim jestem. Mam zachłanne oczy.

Mój francuski wydawca powiedział mi kiedyś, że dziwnie się czuje wobec ludzi takich jak ty, którzy podróżują po świecie i prowadzą działalność charytatywną. Rozwijając temat, wyjaśnił, że robią to, gdyż są zbyt znudzeni, żeby zatrzymać się w jednym miejscu na dłużej niż tydzień. Z pewnością wykonują pożyteczną pracę, nie można zaprzeczyć. Ale on uważał, że główną przyczyną, która ich motywuje, jest to, że nie mogą znieść codziennych powrotów do

domu do żony i dzieci. Albo do każdej innej nudnej codziennej rzeczywistości.

Żywię głęboki podziw dla reporterów w strefie działań wojennych. Ryzykują życie w poszukiwaniu prawdy. Nie dbam o przyczyny, dla których się tego podjęli. Widzisz, zadaniem życiowym jest zamieniać własne negatywy w pozytywy. To tak jak powiedzieć: „Tym wszystkim artystom brakuje pewności siebie. Zanim poczują się normalne, co noc dwadzieścia tysięcy ludzi musi im wrzeszczeć »kocham cię...«". [*broni się przed wyimaginowanym krytykiem, w jego tonie nie ma nic, co sugerowałoby skruchę*] „TAK. NO, TAK". [*śmiech*] Chodzi mi o to, że nikt nie robi niczego ciekawego wyłącznie z właściwych pobudek. To dzięki skazie powstaje kadr. Zapytaj każdego wielkiego fotografa. Nie napisałbyś piosenki, gdybyś nie miał w sercu dziury. Nie mówię tu niczego odkrywczego, prawda? Musisz tylko poznać paru korespondentów wojennych. Ja spotykam ich cały czas. Patrzę na nich i widzę te same szalone oczy, które widuję we własnym lustrze. [*śmiech*] „To moje szalone oczy, co z nimi robicie?" Mój Boże, oni kochają swoje żony, ale czują presję tego, co można zobaczyć w odległych krajach. To świadkowie. Widzą, jak karty tasowane tysiące kilometrów dalej mogą zetrzeć inne społeczności w pył. Ciężko od tego odejść. Ponieważ nasze życie ma znaczenie - nasze wybory mają wpływ na życie osób, których nigdy nie poznamy. Liczy się polityka. Dorastaliśmy w pokoleniu, któremu wmawiano, że tak nie jest, i powtarzano do znudzenia: „Nieważne, na kogo głosujesz, jakiś rząd zawsze powstanie". Pomyłka, musimy przerwać to błędne koło. Może odkryjemy, że korespondent wojenny znalazł się tam dlatego, że...

... potrzebuje zastrzyku adrenaliny.

Może potrzebuje i zastrzyku adrenaliny. Może śmiertelnie potrącił dziecko i próbuje ratować życie innych dzieci. Wiesz, ludzie mogą mieć cały arsenał powodów i wyjaśnień, dlaczego tam są, ale to bez znaczenia. Robią niesamowitą robotę. Możesz zatytułować ten rozdział: „Moje życie jako maniaka katastrof". Tak, pociąga mnie linia frontu i ludzie, których tam spotykam.

Spotkałeś na linii frontu kogoś szczególnego?
Spotkałem Dona McCullena, słynnego fotografa. Zrobił kilka zdjęć U2 w czasie pokoju. [*śmiech*] I wiesz, że ludzie, którzy widzieli rzeczy, jakie on widzi na co dzień, nie rozmawiają o tym, bo to dla nich za wiele. Kiedy wracam z Afryki, nie opowiadam, co widziałem. Nie siedzę przy kuchennym stole i nie mówię o ludziach ginących na moich oczach ani nie dyskutuję o tych uczuciach.

Może powinieneś. Ponieważ ludzie na to reagują. Nie reagują na abstrakcyjne idee, ale na konkretną fotografię, na konkretne świadectwo.
Zgadza się. Wiesz, próbuję zrobić coś takiego. Przekonałem McCullena, żeby to zrobił. I powiedział mi coś, czego nigdy nie powtórzę, nawet przed samym sobą, ponieważ bardzo mnie to poruszyło. Żałuję, że go o to poprosiłem. Niektóre wizje są po prostu zbyt wielkim obciążeniem dla oka. Wdzierają ci się do mózgu i robią z niego zakładnika. Takich przeżyć mam bardzo wiele. Czasami po prostu nie chcę się nimi dzielić.

Oczywiście, rozumiem cię. Ale w takim razie pozwól, że podam przykład. Dziesięć lat po drugiej wojnie światowej francuski reżyser Alain Resnais nakręcił film dokumentalny zatytułowany *Nuit et brouillard* – *Noc i mgła*. Wykorzystał francuskie i niemieckie archiwa wojskowe, żeby uzmysłowić ludziom, jak właściwie wyglądały obozy koncentracyjne. Wiedzieli o nich, ale nie zdawali sobie sprawy, co tam się działo. Taki jest cel filmów dokumentalnych, jeżeli są dobrze zrobione, albo konkretnego świadectwa. Może być twoje, może być każdego innego człowieka. Dopiero po obejrzeniu filmu Resnais'go wielu ludzi w pełni pojęło, czym była eksterminacja, a niektórzy mówili: „Nie wiedzieliśmy, nie mieliśmy pojęcia". Po tym filmie nie mogli już tak mówić. To jest właśnie cel wszystkich prawdziwych historii. Nie wiem, czy cię dobrze zrozumiałem, ale moim zdaniem zastrzeżenie dotyczące niedokładności lub nadmiernej rzeczowości może być błędne.
Nie. Wspomnienia pojawiają się niezależnie od woli. Mówię tylko, że nie opowiadam o nich, bo nie chcę. Dopadają cię w chwilach, kiedy

się tego naprawdę nie spodziewasz. Idziesz ulicą, po policzkach płyną ci łzy, bo przed oczami masz obrazy, od których nie uciekniesz, bez względu na to, jak bardzo byś chciał.

Wygląda na to, że o przeżyciach podczas podróży do Salwadoru i Nikaragui mówisz chętniej niż o przeżyciach z podróży po Afryce.
To dwie różne sprawy. To, co się dzieje w Afryce, podważa wszystkie pojęcia, które uważamy za prawdziwe: nasze wyobrażenie bliźniego, nasze wyobrażenie cywilizacji, nasze wyobrażenie równości, miłości. Możesz o tym zapomnieć. Opinia Afryki o Europie i Ameryce jest druzgocąca. Mówi, że wybudowaliśmy nasze parlamenty i rządy na piasku, ponieważ gdybyśmy naprawdę wierzyli w to, w co – jak twierdzimy – wierzymy, nie pozwolilibyśmy dwudziestu trzem milionom Afrykanów umrzeć na AIDS. Nie możesz cieszyć się korzyściami płynącymi z globalizacji bez wypełnienia pewnych obowiązków. Teraz jesteśmy bliskimi sąsiadami za pośrednictwem obrazu telewizyjnego, radia, Internetu i w rzeczywistości. [*śmiech*] Zapominamy o tym, że, choć wskazujemy palcem na Amerykę, to w Europie m y jesteśmy ich faktycznymi sąsiadami, a nie Amerykanie.

Nie możesz zaprzeczyć, że w Afryce działa sporo europejskich organizacji pozarządowych.
Tak, irlandzkich, francuskich. Lekarze bez Granic to jedna z moich ulubionych. W Soweto poznałem pewnego faceta, Lawrence'a Ndou. Lekarze bez Granic uratowali mu życie. Jest reklamą leków, których odmawia się Afrykanom, leków, których wyprodukowanie nic nie kosztuje. Po opracowaniu receptury to prawie nic. Psi pieniądz. Słyszeliśmy rozmaite wymówki, dlaczego nie możemy im rozdawać tych leków: to zbyt skomplikowane, terapia wymaga systematyczności, Afrykanie nie mają zegarków na rękę, nie wiedzieliby, kiedy przyjmować lekarstwa. Propaganda i bzdury w tym stylu. I spotykam tego człowieka – wygląda jak gwiazda pop. Jest przystojny, ma dwadzieścia siedem lat. Sześć miesięcy wcześniej był u progu śmierci. Jedynym śladem, że był HIV-pozytywny i miał pełnoobjawowe AIDS, były

zadrapania na całym ciele spowodowane swędzeniem skóry i blizny. Powiedziałem mu: „To fantastycznie". On mówi: „Tak, ale straciłem żonę. Nie dostała w porę leków, zmarła, zanim je zdobyłem. Mam dwójkę dzieci, opiekuję się nimi". Ja na to: „To świetnie, że przeżyłeś". A on: „Nie, wcale nie świetnie, ponieważ mam w życiu nową miłość, która teraz opiekuje się moimi dziećmi jak swoimi". Na to ja: „No to fantastycznie". A on mówi: „Ona jest HIV-pozytywna i nie może dostać lekarstw. To co zrobię? Dam jej moje i dzieci stracą drugiego rodzica. Albo zatrzymam leki i pozwolę, żeby moja ukochana umarła na moich oczach". W Afryce sytuacja jest skomplikowana. Istnieje korupcja, problemy, które sami sobie stworzyli, ale są także takie, które na nich sprowadziliśmy i które moglibyśmy za nich z łatwością rozwiązać.

Dobrze. Mam nadzieję, że niedługo opowiesz mi o Afryce coś bardzo osobistego – chodzi mi o wydarzenia i ludzi. Dlatego że czasem masz skłonność do zatrzymywania się na abstrakcji. [*śmiech*]
Tak, masz rację.

Wrócę do prawdziwych odczuć, ludzi, kolorów, zapachów, prywatnych opowieści, bo to osadzi w kontekście wszystko, co masz do powiedzenia.
Dobrze. Jasne, że znacznie łatwiej zająć się teorią niż konkretem, ale spróbuję. A więc, panie doktorze, umówiliśmy się na kolejne spotkanie i zrobię co w mojej mocy. No to do zobaczenia, o tej samej porze, a tymczasem: „Pamiętajcie, włączcie telewizor za pięć piąta! Czas na *Crackerjacka*!".

11. PRZYPRAW TO WIECZNOŚCIĄ

Następną rozmowę telefoniczną odbyliśmy tydzień po zamachu bombowym na pociąg w Madrycie 11 marca 2004 roku, w którym zginęło stu dziewięćdziesięciu jeden pasażerów, a ponad tysiąc osiemset osób odniosło rany. Największy atak terrorystyczny w historii Europy sprawił, że wszyscy doznali szoku. Napisałem o nim w mojej cotygodniowej rubryce dla francuskiego czasopisma „VSD", chcąc przekazać moje odczucia w związku z tym wydarzeniem. Była to jedna z takich chwil, kiedy żałowałem, że nie piszę piosenek.

Ciekawiło mnie, jak Bono zareagował na wieść o ataku – nie jako rzecznik ani ambasador DATA, ale jako człowiek. Jakie stanowisko idealizm i dobra wola mogą zająć w obliczu czegoś takiego? Oto fragment mojego artykułu:

> Teksty piosenek mogą być głupie, ale mówią prawdę. W Olympia Théâtre w Paryżu dawny autor tekstów zespołu Beach Boys Brian Wilson postanowił zadedykować obywatelom Hiszpanii utwór *Love and Mercy**:
>
> „Leżałem w pokoju, kiedy telewizja podała wiadomość / Wielu ludzi cierpi i to mnie naprawdę przeraża / Miłość i miłosierdzie, tego w tę noc potrzeba / Miłość i miłosierdzie dla ciebie i twoich przyjaciół w dzisiejszą noc...".
>
> Słowa raczej mało efektowne – można powiedzieć, nie ma w nich nic oryginalnego. Ale niestety niczego oryginalnego nie ma też w rzezi niewiniątek oglądanej dziś na żywo w tele-

* *Miłość i miłosierdzie* – ang. (przyp. tłum.).

wizji. Można uznać słowa piosenki za szydercze i bezużyteczne, ale takie wyrażenie współczucia sprawiło, że poczułem się lepiej.

Tak jak wszyscy, kiedy w telewizji podano wiadomość, byłem rozdarty pomiędzy zduszoną złością i potrzebą płaczu. Czy można rozsądnie zareagować na widok sali gimnastycznej zamienionej w prowizoryczną kostnicę, zapchaną noszami? Pewnego ranka garstka ludzi wsiadła do podmiejskiej kolejki, niosąc torby z ładunkiem wybuchowym, pełne śrub i gwoździ. Nie chcę tego analizować. Spróbujcie przeniknąć myśli szaleńca, a wkrótce sami poczujecie się jak szaleńcy. Właśnie taki jest cel tych niepoczytalnych polityczno-religijnych sekt: doprowadzić świat do zbiorowego szaleństwa, na końcu którego zwycięży, oczywiście, prawda – prawda, którą posiedli tylko jej zwolennicy.

Może więc miłość i miłosierdzie... W magazynie zatytułowanym „Courier International" przeczytałem właśnie historię Zaremy, dwudziestotrzyletniej Czeczenki. Uzbrojona w pas z ładunkami wybuchowymi, dosłownie w ostatniej chwili porzuciła plan rozerwania się na strzępy w moskiewskiej restauracji i oddała się w ręce policji. W więziennej celi przeprowadził z nią wywiad rosyjski dziennikarz. Zarema opowiedziała mu straszliwą historię swojego życia. Matka porzuca ją jako dziesięciomiesięczne niemowlę. Ojciec zostaje zamordowany na budowie na Syberii. Nie wygląda to na najlepszy start w życiu. I nie jest. Wychowana przez dziadków, zostaje zmuszona do wyjścia za mąż „zgodnie z naszymi dawnymi obyczajami" – jak to określa – za miejscowego handlarza narkotykami. Wkrótce mężczyzna zostaje zastrzelony przez konkurencyjny gang. Tymczasem Zarema spodziewa się dziecka. Z braku pieniędzy nie jest w stanie sama wychować córeczki, klan męża natychmiast więc odbiera jej dziecko i przekazuje na wychowanie innej rodzinie. Zarema zostaje odesłana do dziadków. Mieszkają w odległym zakątku kraju. Tam dziewczyna z rozpaczy odchodzi od zmysłów. Co robi? Kradnie rodzinną biżuterię, którą później sprzedaje na targu, żeby wsiąść w samolot i porwać córeczkę. Ale ciotki łapią ją tuż przed ucieczką. Upokarzają ją i biją raz za razem, ponieważ przyniosła hańbę rodzinie.

Kobieta widzi tylko jedno rozwiązanie. Aby w końcu stać się „porządnym człowiekiem" - cytuję jej własne słowa - uznaje, że musi poświęcić się dla Allacha i dżihadu, zmywając w ten sposób hańbę i spłacając dług, bo rebelianci dają rodzinie męczennika tysiąc dolarów. W ich kryjówce spotyka innych kandydatów na samobójców. Jedna z tej grupy, dziewiętnastolatka, wysadza się w Moskwie podczas koncertu rockowego pod gołym niebem: czternaście osób zabitych. Zarema widzi ciała w telewizji. Coś zaczyna świtać jej w głowie. Przede wszystkim doznaje współczucia dla zmarłej podczas akcji młodej dziewczyny, którą codziennie widywała - swojej koleżanki. „Właśnie jej było mi najbardziej żal", mówi. Otwierają się jej oczy i porzuca szaleństwo. Można powiedzieć, że zdarzył się cud.

Miłość i miłosierdzie: te słowa mają sens nie tylko dla ocalałych. Aby skutecznie walczyć z szaleństwem terrorystów, być może są bardziej pożyteczną bronią niż przenikanie do organizacji, ostrzeliwanie wiosek i tak zwana wojna z terroryzmem. Ponieważ ten terror ma charakter moralny i religijny w takim samym stopniu jak polityczny, odpowiedź musi być czasami utrzymana w tym samym stylu. W jednym przypadku miłość i miłosierdzie po prostu zadziałały.

[*jakby burkliwie*] Bono-*jour*!

Przepraszam, to nie jest „Bono-*jour*", tylko „*bonjour*"!
Bono-*jour*!

Dzień dobry! Bardzo się cieszę, że cię słyszę.
[*z niezadowoleniem*] A co w tym takiego radosnego?

Dawno nie rozmawialiśmy.
Dziś trochę kiepsko się czuję, więc nie wiem, czy ci się do czegoś przydam. Ale proszę bardzo. Co u ciebie?

W porządku, ale jestem wstrząśnięty zamachem bombowym w Madrycie. Chciałem ci przeczytać tekst, który wczoraj napisałem. [*tu spełniam groźbę*] Proste pytanie: gdzie byłeś, „kiedy w telewizji o tym powiedzieli"?
[*wzdycha*] Bez przerwy to powtarzają na wszystkich kanałach. Ja akurat usłyszałem o tym w radio, ale dopiero kiedy przyszedłem do studia w porze lunchu, zobaczyłem zdjęcia. Serce pęka.

Znasz piosenkę *Love and Mercy*?
Love and Mercy to jeden z najlepszych utworów, jakie kiedykolwiek powstały. Słowa piosenek mają to do siebie, że dzięki kadencji i przebiegowi linii melodycznej są bardziej wymowne niż jakikolwiek przekaz czysto literacki. Wie o tym każdy nie-Anglik. To zabawne, ale piosenek dla U2 nie piszę po angielsku. Piszę je w narzeczu zwanym przez zespół „bongielskim". [*śmiech*] Śpiewam sobie melodie, a w ustach powstają słowa, które później odcyfrowuję. Pamiętam, że Brian Eno powiedział mi kiedyś: „Bono, po co je tłumaczyć na angielski? I tak są wystarczająco sugestywne". I coś w tym jest. Tekst piosenki pop w pewnym sensie przypomina szkicowanie przybliżonego kierunku, w którym powinny podążyć myśli słuchacza. I tyle, reszta zależy od ciebie. To dlatego pop staje się folkiem nadchodzącej ery. Uczucia niosą lepiej niż myśli. Nie przychodzi mi do głowy żadna lepsza piosenka niż *Love and Mercy* Briana Wilsona, ponieważ w pewnym sensie właśnie te dwa uczucia starali się zniszczyć terroryści.

Jaką piosenkę ty byś zaśpiewał, gdybyś znalazł się w tym dniu na scenie?
When Will I See You Again? zespołu Three Degrees.

Jak to idzie?

[*śpiewa*] „Kiedy cię znów zobaczę? Di-di-di-di-di... / Kiedy razem spędzimy drogocenne chwile?" To jest utwór o stracie. Piosenka może cię doprowadzić do łez. Przypominają mi się bardzo dziwne zdarzenia. Podczas trasy „PopMart" w sierpniu 1997 roku występowaliśmy w Norymberdze. Jest tam takie miejsce, gdzie wraz ze swoimi generałami miał być pochowany Hitler. Sami wydzielili teren. Znajduje się tam stadion Zeppelinfeld, zwykle kojarzony z Trzecią Rzeszą, zaprojektowany przez Alberta Speera. Dlatego w związku z planami naszego tam występu pojawiły się kontrowersje. Pamiętam, że pomyślałem: „Nie, nigdy nie powinniśmy się bać budynku. A jeżeli ludzie się go boją, pomalujcie go na różowo albo coś takiego". Didżejował nam mój dobry przyjaciel Howie B, Żyd. Był wtedy naszym producentem, więc zabrał się z nami w trasę. Perspektywa grania w tamtym miejscu wzburzyła go. Powiedział mi: „Chyba nie mam na to ochoty". Odparłem: „Nie musisz, jeżeli nie chcesz". Ale wyszedł i na początek zagrał *When Will I See You Again?* Three Degrees. Niezwykły był widok tego radosnego jazzmana z płynącymi po twarzy łzami, po wielu dziesiątkach lat opłakującego ludzi ze swojego narodu, których nigdy nie znał, ale których obecność odczuwał. Naprawdę czułem, że ta piosenka potrafi przepędzić diabła. [*wzdycha*] O tych rzeczach nigdy nie powinno się myśleć w skali masowej: to przecież rodziny, siostry i bracia, i wujkowie.

Właśnie tak się wczoraj czułem.

Kiedy po 11 września w czasie naszej ostatniej trasy koncertowej graliśmy w USA, znaleźliśmy się wśród pierwszych zespołów, które pojechały do Nowego Jorku i dały tam prawdziwy występ.

Nie miałem o tym pojęcia.

Czuliśmy, że powinniśmy wyrazić to samo uczucie. Ci ludzie to nie była statystyka. Na gigantycznych ekranach wyświetlaliśmy nazwiska wszystkich, którzy wtedy zginęli. Gdybym się odwrócił i spojrzał na ekran, zobaczyłbym „Elvin Romero", „Efrain Romero", „Monica Hoffman", „Stephen Hoffman" – ojcowie i synowie, kimkolwiek byli. Wszyscy w Madison Square Garden widzieli nazwisko kogoś, kogo znali, albo kogoś, kto kogoś znał, i cała sala szlochała. Wstrząsał nimi nie tylko ich własny żal - płakali z powodu smutku innych ludzi. Kiedy wszyscy tańczą i podskakują, pojawia się ogromna studnia smutku, bo wszystkich łączą te same uczucia.

Dziwne, że jednocześnie wspominasz 11 września i koncert U2 w Madison Square Garden. Sugeruje to, że mieszkańcy wielkiego miasta zdają sobie sprawę z łączących ich więzi tylko podczas dwóch rodzajów wydarzeń: straszliwej katastrofy albo koncertu rockowego. Zupełnie jakby najbardziej radosne i najbardziej koszmarne sytuacje dawały dziwnie podobny efekt: sprawiają, że ludzie czują się jednością. Tamtego wieczoru mieliście chyba do czynienia z osobliwą kombinacją dwóch skrajności.

[*lekki chichot*] Tak, wielki rockowy show może być wydarzeniem transcendentalnym. Jednak na gównianym przedstawieniu można się poczuć jak na pogrzebie - swoim własnym! Ale jest w tym coś niesamowitego, kiedy sprawiasz, że siedemdziesiąt albo siedem tysięcy osób godzi się na wszystko. Wiesz, wszyscy braliśmy udział w kiepskich imprezach. [*śmiech*] Dają ci kopa w tyłek i czujesz się, jakbyś miał najgorszy bilet na świecie, muzyka wali wszędzie tylko nie koło ciebie, a ktoś leje pod płotem. Na sali - tak samo. Zależnie od mentalności wykonawcy, w klubie możesz poczuć podobny dystans do piosenkarza jak na stadionie. Nie chodzi o bliskość fizyczną. Ale kiedy koncert dobrze wychodzi, to najbardziej niesamowita rzecz pod słońcem.

Jak zdefiniowałbyś wspólnotę?

To pytanie, które właśnie teraz zawisło na niebie nad naszymi głowami. Za pośrednictwem mediów na naszym podwórku pojawiły się jakieś obce twarze, których do niedawna nie nazywaliśmy rodziną, i tak naprawdę nadal nie mamy ochoty tego robić. Ale jeżeli w dalszym ciągu chcesz korzystać z tego, że twoje sportowe buty i dżinsy wytwarzają społeczeństwa rozwijające się, to już masz kontakt z tymi ludźmi. Nie możesz w związku z tym, ot tak, zlekceważyć niektórych problemów, z którymi się borykają. Mieszkają na twojej ulicy. Jest taka stara definicja dobroczynności, w której chodzi o to, że bogaci powinni troszczyć się przynajmniej o biednych na swojej ulicy. I co? [*śmiech*] Teraz ta ulica opasuje cały glob.

Twierdzisz zatem, że odwracanie głowy od innych nie sprawdza się.
Dlatego w latach dziewięćdziesiątych Nowy Jork nie przeżył zamieszek na tle rasowym w stylu Los Angeles. Bogaci i biedni widują się codziennie, mijają się na tej samej ulicy, podróżują metrem. Nieunikniony jest kontakt wzrokowy. W Los Angeles masz mozaikę przedmieść odseparowanych od siebie pod względem gospodarczym i kulturalnym. A ludzie, jeśli mijają się na ulicy, to tylko na ośmiopasmowej autostradzie. Doskonała pożywka dla nieufności i nienawiści, które tylko czekają, żeby eksplodować, jak po incydencie z Rodneyem Kingiem.

Podczas jednej z pierwszych wizyt w Paryżu ponad dwadzieścia lat temu powiedziałeś mi, że zamierzasz napisać scenariusz filmowy z punktu widzenia terrorysty. Pamiętasz?
Bardzo dobrze pamiętam. Pracowałem nad tym z paroma osobami. Starałem się zrozumieć, jak jeden Irlandczyk może z zimną krwią odebrać życie drugiemu. Opętała mnie myśl, że ci sami ludzie pod każdym innym względem wiedli zwyczajne życie. Byli mleczarzami, taksówkarzami, nauczycielami. Byłem zaintrygowany czymś, co Hannah Arendt nazwała banalnością zła, jej opisem procesu [Adolfa] Eichmanna, szczególnie o tym, jak wyprowadzał na spacer psa w pobliżu Oświęcimia*. Uroczy człowiek z psem na spacerze – i odpowiedzialny za takie zło. Właśnie tym tu żyliśmy. Nie wiem, czy opowiadałem ci o tym, że byłem świadkiem jednego z najgorszych zamachów bombowych w południowej Irlandii. Sam ledwo uszedłem z życiem.

---

* U Hannah Arendt, *Eichmann w Jerozolimie*, brak takiego opisu. Można jedynie przeczytać: „wielokrotnie odwiedzał Oświęcim, [...] a Höss [...] oszczędzał mu ponurych widoków", tłum. A. Szostkiewicz, Kraków 2004, s. 117–118 (przyp. red.).

Nie pamiętam, żebyś o tym wspominał.
Została mi po nim niewielka blizna. Mówiłem ci, że wracając do domu, przejeżdżałem przez centrum miasta. Przesiadałem się z jednego autobusu do drugiego. Przy okazji zaglądałem do sklepów z płytami. W pobliżu przystanku mieściła się kafejka, nazywała się Graham Southern's. Kiedy miałem trochę pieniędzy, czytywałem tam muzyczne czasopisma albo zamawiałem filiżankę kawy. Pewnego dnia, kwadrans po moim wyjściu, ulica dosłownie rozleciała się na kawałki. Na zewnątrz wybuchła bomba. Niedaleko, na małej uliczce Marlborough Street*.

Teraz wiem, dlaczego prześladowała cię ta historia o terrorystach.
Prześladuje każdego, kto mieszkał w pobliżu lub w sąsiedztwie. Tego właśnie chcą terroryści.

Dostrzegam różnicę między dwoma rodzajami terrorystów. Z jednej strony, masz terrorystów podkładających bomby z IRA, unionistów albo ETA w kraju Basków. Nie szukają męczeństwa, oni toczą wojnę. Z drugiej – masz zamachowców samobójców, którzy chcą zostać męczennikami, jak Zarema. Dzisiaj historia terrorysty to historia kogoś, kto uważa, że musi najpierw umrzeć, żeby jego rodacy lub cały świat mieli lepiej lub żeby został zbawiony, bo inni też umrą. Zupełnie jak historia szczurołapa z Hameln: chodzi o to, żeby pociągnąć za sobą jak największą liczbę ludzi w przepaść. Wygląda na to, że we współczesnym terroryzmie, z natury rzeczy samobójczym, chodzi w równej mierze o nienawiść do samego siebie jak i do innych.
Tak. To chyba taka psychologiczna prawidłowość, że nie jesteś w stanie pokochać kogoś innego, nie kochając przy okazji samego siebie. Pewnie nie jesteś też w stanie nienawidzić nikogo, nie żywiąc nienawiści do samego siebie. Ale poza dewiacją i wypaczonym umysłem musimy stawić czoła prawdziwym problemom, które narastają i skła-

---

* Może chodzić o jedną z trzech bomb podłożonych pod samochodem w centrum Dublina 17 maja 1974 r. przez paramilitarnych unionistów. Zginęły trzydzieści trzy osoby i nienarodzone dziecko.

niają przyzwoitych ludzi do nieprzyzwoitych czynów. Istnieje kilka nierozstrzygniętych kwestii w Irlandii, Izraelu czy na Bliskim Wschodzie. Nie są usprawiedliwieniem tego żniwa krwi, które zbieramy, ale trzeba się nimi zająć. Miłość i miłosierdzie... Miłosierdzie to oddziaływanie miłości na zewnątrz, ale miłość wymaga, żebyś spojrzał na pewne rzeczy z punktu widzenia innej osoby.

Terroryści koncentrują się na wielkich ideach. Wiesz, że nie ma większych idealistów niż terroryści, większość z nich szanuje pojęcie Boga i świętej sprawiedliwości. Domyślam się, że osobę taką jak ty, głęboko wierzącą i idealistyczną, musi to mocno niepokoić.
Wiele innych określeń także do mnie pasuje. Ale widzisz, Michka, ludzie otwarci duchowo są bardziej bezbronni i podatni na manipulacje. Moim zdaniem instynkt religijny jest niezwykle czysty, lecz jeżeli nie spotka się z dyscypliną, trudno go opanować.

Racja. Ale nie widziałeś także sceptyka ani ateisty rozrywającego się na strzępy, żeby zabić jak najwięcej ludzi. Ateiści zorganizowaliby obozy koncentracyjne albo zaplanowali zbiorową śmierć głodową, ale tego rodzaju terror, z którym mamy teraz do czynienia, ma charakter duchowy.
To prawda. Większość terrorystów chce zmieniać świat materialny. Cóż, przypraw to wiecznością, a ludzie pójdą o wiele dalej, żeby dopiąć celu. Wieczność to wielka nagroda, prawda? To nie dwie ani trzy kadencje prezydenta. [*śmiech*] Ale oczywiście to zawsze jest wypaczeniem jakiejś świętej tezy, zaczerpniętej czy to z Koranu, czy z Biblii. Zrozumienie Pisma Świętego ułatwiła mi osoba Chrystusa. Chrystus uczy, że Bóg jest miłością. Co to oznacza? Dla mnie oznacza to zgłębianie życia Chrystusa. Miłość określa się tutaj sama jako dzieciątko narodzone w ubogiej stajence, najbardziej bezbronne ze wszystkich, pozbawione zaszczytów. Nie pozwalam, aby mój świat religijny zanadto się skomplikował. Mówię po prostu: „Wydaje mi się, że wiem, czym jest Bóg". Bóg jest miłością i jeśli odpowiadam na tę miłość [*wzdycha*], pozwalając jej zmieniać siebie, to moja religia. Dla mnie

rzeczy zaczynają się komplikować, kiedy staram się żyć tą miłością. No, ale nikt nie obiecywał, że będzie łatwo i przyjemnie.

A co z Bogiem ze Starego Testamentu? On nie był aż tak „pokojowo usposobiony".

W moim obrazie Chrystusa nie ma nic hipisowskiego. Pismo Święte przedstawia obraz miłości bardzo wymagającej, czasami stwarzającej podziały, ale to przez cały czas miłość. Odbieram Stary Testament bardziej jako film akcji: krew, pościgi samochodowe, ucieczki, dużo efektów specjalnych, rozstąpienie się morza, masowe morderstwo, cudzołóstwo. Dzieci Boga dostają amoku, są krnąbrne. Może dlatego możemy się tak dobrze wczuć w ich mentalność. Ale my - ci z nas, którzy usiłują rozwikłać naszą chrześcijańską zagadkę - dostrzegają przemianę Boga Starego Testamentu z surowego ojca w przyjaciela. Kiedy jesteś dzieckiem, potrzebujesz wyraźnych wskazówek i surowych zasad. Ale Chrystus umożliwia nam relację jeden do jednego. W Starym Testamencie związek Boga z człowiekiem był oparty bardziej na czci i szacunku, czyli zachodziła relacja pionowa. Tymczasem w Nowym Testamencie patrzymy na Jezusa, który wygląda znajomo, horyzontalnie. Połączenie tych relacji daje krzyż.

Pewnie znasz ten fragment Starego Testamentu, w którym Bóg zwraca się do Mojżesza i mówi mu, że usiłuje nauczać Żydów, ale oni nie mają ochoty Go słuchać i ciągle wracają do złych przyzwyczajeń. Używa tego osobliwego zwrotu: „Lud ten jest ludem o twardym karku" (Księga Wyjścia 32, 9). Pomyślałem sobie wtedy - to przecież moje codzienne przejścia z dziećmi! Czasami jestem tak wściekły na własne dziecko, że mógłbym je wyrzucić przez okno.

[*śmiech całym sercem*] Tak. Są takie chwile i wiem, że dzieci takie same intencje żywią w stosunku do mnie.

***À propos* krwawych filmów akcji, poprzednio mówiliśmy o Ameryce Południowej i Środkowej. Jezuiccy duchowni przybyli tam z dobrą nowiną w jednej dłoni i z bronią w drugiej.**

Wiem, wiem. Religia potrafi być wrogiem Boga. Zdarza się tak często, gdy Bóg, podobnie jak Elvis, wychodzi z budynku. [*śmiech*] Lista instrukcji tam - gdzie niegdyś było przekonanie, dogmat tam - gdzie ludzie po prostu kiedyś właściwie postępowali, wierni prowadzeni przez człowieka - podczas gdy dawniej prowadził ich Duch Święty. Dyscyplina zastępująca apostolstwo. I z czego się chichrasz?

Zastanawiałem się, czy powiedziałeś to Papieżowi, kiedy się z nim spotkałeś.
Wiesz, uwielbiał grać w piłkę nożną.

Proszę cię, czy choć raz mógłbyś mi oszczędzić dygresji w stylu Monty Pythona?
Podobno był niezłym bramkarzem. Na jego miejscu trzeba być.

Czy strzeliłeś mu coś z tych rzeczy?
Nie bądźmy zbyt krytyczni wobec świętego Kościoła rzymskokatolickiego. Kościół ma swoje problemy, ale im robię się starszy, tym więcej pocieszenia w nim znajduję. Fizyczne doświadczenie przebywania w tłumie przeważnie pokornych ludzi ze spuszczonymi głowami, szepczących modlitwy, historie opowiadane przez witraże, kolory katolicyzmu: purpura, fiolet, żółć i czerwień, dymiące kadzidło... [*urywa zdanie*] Mój przyjaciel Gavin Friday mówi, że katolicyzm to glam rock religii.

Nie będziesz więc krytykował.
Nie - chociaż mógłbym być krytyczny, zwłaszcza jeżeli chodzi o antykoncepcję. Jednak kiedy spotykam kogoś takiego jak siostra Benedykta w Addis Abebie i widzę jej pracę z dziećmi, których rodzice zmarli na AIDS, albo siostrę Annę robiącą to samo w Malawi, albo ojca Jacka Fenukana i jego grupę Concern w całej Afryce, kiedy spotykam opiekujących się chorymi i ubogimi, kapłanów i zakonnice, którzy porzucili znacznie łatwiejsze życie, żeby to robić, trochę łatwiej się poddaję.

Spotkałeś Papieża osobiście. Czy było to dla ciebie wielkie przeżycie?
Byłem z kilkoma wielkimi osobistościami: Jeffem Sachsem, wybitnym ekonomistą, Bobem Geldofem i Quincy Jonesem, który był moim mentorem - śmiertelnie poważny człowiek, ale ciągle szeptał mi do ucha, żebym się lepiej przyjrzał butom Ojca Świętego - tak się składało, że nosił bordowe mokasyny. „Odjazdowe skoki" - powiedział. Rozległy się nerwowe chichoty, ale wszyscy wiedzieliśmy, po co tam jesteśmy. Papież miał wygłosić ważne oświadczenie o niehumanitarności i niesprawiedliwości tego, że biedne kraje wydają tak dużą część swojego dochodu narodowego na spłatę starych kredytów krajom bogatym. Poważna sprawa. Dzielnie walczył z chorobą Parkinsona. Jego obecność stanowiła na pewno akt woli. Byłem dziwnie poruszony... jego pokorą, a potem niesamowitym przemówieniem, mimo że wygłaszał je szeptem. Podczas występu chyba mi się przypatrywał. Zdziwiłem się. Czy to dlatego że miałem na nosie niebieskie okulary przeciwsłoneczne? Zdjąłem je na wypadek, gdyby mógł się poczuć urażony. Kiedy zostałem mu przedstawiony, nadal się w nie wpatrywał. Ciągle patrzył na okulary w mojej dłoni, podarowałem mu je więc w zamian za różaniec, który mi wręczył.

Założył je?
Nie tylko je założył, ale uśmiechnął się najbardziej szelmowskim uśmiechem, jaki możesz sobie wyobrazić. Był komikiem. Jego poczucie humoru pozostało zupełnie nienaruszone. Błysnęły flesze, a ja pomyślałem: „Rety! Kampania Drop the Debt będzie miała Papieża w moich okularach na okładkach wszystkich gazet".

Nie pamiętam, żebym gdzieś widział to zdjęcie.
My też nie. Widocznie jego świta nie miała takiego samego poczucia humoru. Trudno. Może chociaż widzieli T-shirty.

Czy w ostatecznym rozrachunku naprawdę pomógł?
Bez papieskiego wsparcia i pomocy jego prawej ręki w tych sprawach irlandzkiego arcybiskupa Diurmuida Martina nie osiągnęlibyśmy

takiego wyniku. Tego dnia z Castel Gandolfo nie popłynęły jakieś banały. Za słowami poszły czyny i Kościół zastukał do kilku drzwi, które zatrzaśnięto nam przed nosem.

Po raz ostatni chciałbym wrócić do naszej wędrówki po ciemnej stronie religii. Przerażające rzeczy zdarzają się, kiedy ludzie stają się religijni w zbyt młodym wieku albo kiedy ich doświadczenie życiowe jeszcze nie istnieje. Nie sądzisz?
Fanatykom często brakuje miłości do świata, bo tylko przedzierają się przez niego w drodze do następnego. Ulubiony temat, stary banał: „Pomęcz się teraz, a nagroda będzie w niebie". Ale ja trzymam Chrystusa za słowo: „Jako w niebie, tak i na ziemi". Co do pierwszej części twojego pytania, z własnego doświadczenia wiem, że im starszy jesteś, tym mniej masz szans, by zmienić swoje życie, tym mniej jesteś otwarty na miłość pełną wyzwań. Skłaniasz się ku miłości, która jest bardziej pokrzepiająca i bezpieczna.

Jak ci już mówiłem, sądzę, że zaczynam rozumieć religię, ponieważ zacząłem postępować i myśleć jak ojciec. Co ty na to?
Uważam, że to zupełnie normalne. To się nie mieści w głowie, że Bóg, który stworzył wszechświat, mógłby szukać towarzystwa, prawdziwego związku z ludźmi, ale tak naprawdę różnica między łaską a karmą sprawia, że nie podnoszą się z kolan.

Nigdy nie słyszałem, żebyś o tym wspominał.
Naprawdę wierzę, że wyszliśmy z królestwa karmy i zmierzamy do królestwa łaski.

Niewiele mi to wyjaśnia.
Widzisz, rdzeń wszystkich religii stanowi idea karmy. Wiesz – to, co dajesz, wraca do ciebie: oko za oko, ząb za ząb, albo w fizyce – w prawach fizycznych – każda akcja napotyka reakcję, siłę skierowaną w przeciwną stronę. Dla mnie jest jasne, że w centrum wszechświata znajduje się karma. Jestem o tym święcie przekonany. A jed-

nak pojawia się idea zwana łaską, żeby zniweczyć całe to całe gadanie o „zbieraniu tego, co się zasiało". Łaska przeczy rozumowi i logice. Miłość przerywa, jeśli wolisz, konsekwencje twoich czynów, a w moim przypadku to bardzo dobra wieść, bo zrobiłem w życiu całe mnóstwo głupstw.

Ciekawie byłoby o nich usłyszeć.
To sprawa między mną a Bogiem. Ale znalazłbym się w poważnych tarapatach, gdyby moim ostatecznym sędzią miała być karma. Byłbym ugotowany. To nie tłumaczy moich błędów, ale wyciągam ręce ku łasce. Wierzę, że Jezus zabrał moje grzechy na krzyż, i mam nadzieję, że nie będę musiał polegać tylko na własnej pobożności.

Syn Boży, który gładzi grzechy świata. Szkoda, że nie mogę w to uwierzyć.
A ja uwielbiam ideę Baranka Ofiarnego. Podoba mi się, kiedy Bóg mówi: „Słuchajcie, wy czubki, istnieją pewne skutki tego, jak postępujecie, waszego egoizmu; częścią waszej bardzo grzesznej natury jest śmiertelność. Spójrzmy prawdzie w oczy, nie prowadzicie się zbyt porządnie, prawda? Wszelkie czyny mają swoje konsekwencje". Sens śmierci Chrystusa jest taki, że wziął na siebie grzechy świata, żeby to, jak postępujemy, nie zostało nam oddane równą miarą i żeby nasza grzeszna natura nie zasłużyła na oczywistą śmierć. O to chodzi. To powinno nas skłonić do pokory... To nie nasze dobre uczynki pomagają nam przejść przez bramę nieba.

Doskonały pomysł, nie mogę zaprzeczyć. Tak wielka nadzieja jest wspaniała, nawet jeżeli – moim zdaniem – graniczy z obłędem. Chrystus ma swoje miejsce wśród wielkich myślicieli świata. Ale Syn Boży – czy to nie naciągane?
Nie, dla mnie nie jest naciągane. Zobacz, reakcja niewierzących na historię Chrystusa jest zawsze taka sama: był wielkim prorokiem, na pewno bardzo ciekawym facetem, miał wiele do powiedzenia podobnie jak inni wielcy prorocy, czy to Eliasz, Mahomet, Budda czy Kon-

fucjusz. Ale Chrystus ci na to nie pozwala. Nie odpuszcza, tylko idzie dalej: „Nie, wcale nie twierdzę, że jestem nauczycielem, nie nazywajcie mnie nauczycielem. Nie twierdzę, że jestem prorokiem. Mówię: »Jestem Mesjaszem«. Mówię: »Jestem Bogiem wcielonym«. A ludzie mówią: „Nie, nie, zostań prorokiem. Proroka możemy przyjąć. Jesteś trochę ekscentryczny. Mieliśmy Jana Chrzciciela, który jadł szarańczę i miód dzikich pszczół, jakoś sobie z tym poradzimy. Ale nie wymawiaj tego słowa na »M«! Bo wiesz co? Będziemy cię musieli ukrzyżować". A on na to: „Nie, nie. Wiem, że oczekujecie, abym powrócił z armią i uwolnił was od tych drani, ale ja naprawdę jestem Mesjaszem". W tej chwili wszyscy wbijają wzrok w czubki butów i mówią: „O Boże, ależ on uparty". Więc zostajesz z alternatywą: albo Chrystus był Tym, za Kogo się podawał, albo był zupełnie stuknięty. A mam na myśli kompletnego świra w rodzaju Charlesa Mansona. Jezus przypominał ludzi, o których wcześniej rozmawialiśmy. Ten człowiek przypasał się do bomby, na czole miał napis „Król żydowski", a kiedy przybili go do krzyża, mówił: „W porządku, męczeństwo, proszę bardzo. Dawać ból! Zniosę go". Wcale nie żartuję. Pomysł, że wariat mógł odwrócić do góry nogami losy ponad połowy globu - dla mnie to jest naciągane...

Czasami skłaniam się ku myśli, że świat został uformowany przez zgraję szaleńców albo jednego wielkiego świra ukrywającego się gdzieś w ogromnej niewidzialnej latarni morskiej. [*Bono wybucha śmiechem*] Ten twój komiks zawładnął moim umysłem. Pamiętaj, że Chrystus nie był jedynym, który wysuwał takie roszczenia. Istnieli też inni prorocy.
Zgadza się. Ale oni niczego nie zmienili...

Właściwie można spojrzeć na historię religii tak samo jak na historię rocka. Różne zespoły konkurują o ten sam rynek.
Wyluzuj! [*śmiech*]

Mówię prawie poważnie, bo myślę, że coś w tym jest. Coś wisiało w powietrzu. Możesz odwrócić słynny cytat z Johna Lenonna – ten,

za który omal nie spalono Beatlesów na stosie w co bardziej fundamentalistycznie nastawionych stanach. Można powiedzieć, że w swoim czasie Jezus Chrystus był tak popularny jak Beatlesi.
To bardzo zabawne, Michka. Nie chcę wdawać się w remiksy, ale pewnie możemy to powiedzieć. Wiesz, Jezus... Miał prawdziwy kompleks mesjanistyczny. [*śmiech*]

Był trochę podobny do ciebie, nie?
Nie, tylko Mu się wydawało, że jest Bono! [*śmiech przez dłuższą chwilę*] Nie, ale mówiąc poważnie, gdybyśmy tylko potrafili być choć trochę tacy jak On, świat uległby prawdziwej przemianie. Ja jedynie wstępuję na „krzyż" własnego ego: dokuczliwy kac, zła recenzja. Kiedy patrzę na krzyż Chrystusa, widzę cały mój brud – mój i innych ludzi. Zadaję sobie więc pytanie, które wielu ludzi stawiało sobie przede mną: „Kim jest ten człowiek? Czy był Tym, za Kogo się podawał, czy był tylko religijnym wariatem?". Tak to wygląda i tak to brzmi. I nikt nie może ci tego wcisnąć ani wyperswadować.

Powiedziałeś mi kiedyś: „Nikt nie chodzi do kościoła, ludzie już nie są religijni". Równocześnie powtarzasz, że religia jest wszędzie...
Instynkt religijny jest wszędzie.

Moje codzienne doświadczenie pokazuje, że ludzie szukają magii.
Mają rację, że szukają magii.

Dla nas magią jest gwiazdorstwo i to z pewnością jest nowy kult. Ludzie usiłują zbliżyć się do sławnych osób, ponieważ uważają, że gwiazdy emanują pewną magią, przynoszą im szczęście. Tak czy inaczej, ktoś, kto zostaje terrorystą, i ktoś, kto chodzi na koncerty U2, mają ze sobą coś wspólnego. Obaj chcą uciec od materialistycznego nudnego codziennego życia. Wiesz, o co mi chodzi? Obaj szukają transcendencji.
Ale istnieją dwa wyjścia. Zresztą zawsze były. Jest transcendencja i jest wersja coverowa, czyli marna kopia: tandetna transcendencja narko-

tyków, religia „lekkostrawna, ale w końcu dostaniesz zawału". Podejrzewam, że ludzie, którzy chcą łatwo wykręcić się od życia, wszystko mają za fanatyzm. Prawdziwe życie człowieka wierzącego to dłuższa, bardziej ryzykowna pielgrzymka pod górę, gdzie powoli doznajesz olśnienia, które podyktuje ci następny krok. Ludzie religijni, ogólnie rzecz biorąc, mnie przerażają. Mówiąc szczerze, zaczynam się trząść, kiedy znajdę się w ich towarzystwie. Ale może to właśnie czubki są jedynymi osobami, które naprawdę wiedzą, że potrzebują Boga.

A co z innymi? Do czego potrzebowaliby Boga?
Patrzę na wiek XX i widzę, że nie stanowi wielkiej reklamy dla niewiary. Dokąd zawiódł Rosję komunizm? Zobacz tylko, ile daje Chinom większe otwarcie. Jedno przyznam tradycji judeochrześcijańskiej: w DNA mamy zapisane przekonanie, że Bóg stworzył wszystkich ludzi równymi i że miłość znajduje się w centrum wszechświata. Fakt, to postępuje wolno. Grecy wymyślili demokrację, ale nie uważali, że to pomysł dobry dla wszystkich. Musimy uznać, że najszerszy dostęp do równości na świecie rozwinął się dzięki starym ideom religijnym. [*pauza*] Michka, jesteś tam?

Tak, jestem. To ciekawe. Ale zdaję sobie sprawę, może trochę za późno, że bardzo ciężko kierować Irlandczykiem nawijającym o Bogu i religii.
Naprawdę uważasz, że innych ludzi może to zainteresować?

Nie mam pojęcia.
Dobrze. Zupełnie jak niespodziewana wizyta w katakumbach. Podobało mi się, ale nie wiem, czy innym się spodoba. Przerwij mi, jeżeli zacznę sobie pozwalać na zbyt dużo. Ale wiesz co? Nigdy nie rozmawiam z kimś, kto pisze albo nagrywa. Tacy zwykle piją.

Albo zasypiają. Nie ma w tym nic złego. Mam wrażenie, że w pewnym momencie zapominasz, kim jesteś.
To dobrze.

Z kolei ja w pewnym momencie zapominam o twojej osobowości i wyrzucam scenariusz do kosza.

Ja też. To dobrze. OK. Spadajmy, jak powiedziałby Chet Baker. A, jeszcze jedna sprawa. Możemy zatytułować ten rozdział: „Ci, których Bóg nie interesuje, proszę dalej”?

Wygląda na to, że znaleźliśmy właściwy rytm: godzina rozmowy telefonicznej co trzy lub cztery tygodnie – na temat i konkretnie. Teraz wspominam te rozmowy jako autentyczne występy Bono. Kiedy się go już dopadnie, jest zawsze bezbłędny.

Był w swojej willi w Nicei i napomknął, że właśnie poszedł popływać i „wyłożył się na kamienistej plaży". Musi mieć twardszą skórę niż ja. Poprzedniej nocy temperatura w Paryżu spadła poniżej zera.

Mimo że do świąt wielkanocnych został dzień, przysięgam, że nie będę cię pouczał tak jak ostatnim razem.
Nie, ale może mi się przyda?

No, chyba nie zawsze. [*śmiech*] Kiedy wracam myślą do tego, jak po raz pierwszy zaangażowałeś się w akcję humanitarną w Afryce, widzę tę słynną chwilę podczas koncertu Live Aid w lecie 1985 roku. Wielu ludzi go pamięta, teraz można go nawet ściągnąć z Internetu. Kiedy kończysz jedną ze swoich piosenek, dostrzegasz w tłumie dziewczynę, która macha do ciebie, przyciśnięta do barierki. Zapraszasz ją gestem na scenę, a później widząc, że nie może przedostać się przez ochronę, zeskakujesz ze sceny, podnosisz ją, a następnie oboje zatracacie się w powolnym, sennym tańcu. Prawdopodobnie ponad miliard ludzi było świadkiem tej demonstracji intymności. Pozwolisz, że dziewiętnaście lat później zapytam: co, u diabła, sobie wtedy myślałeś?
[*odkasłuje*] Nigdy nie powinieneś całkowicie ufać artyście.

Już mi to mówiłeś.

Tak jak ci powiedziałem, artyści to oszuści i, jeśli są dobrzy, mają w sobie coś z szamana. Dlatego żeby zrobić to, co do ciebie należy, musisz być całkowicie spontaniczny i całkowicie świadomy. Ze sceny zszedłem spontanicznie. Była raczej wysoka i odsunięta trochę dalej od tłumu i chociaż czas spędzony na widowni sprawił, że nie wykonaliśmy naszego hitu - *Pride (In the Name of Love)* - moja druga połowa wiedziała, co robię. Starałem się znaleźć obraz, z którym ten dzień będzie się kojarzył.

W końcu ujawniasz straszliwą prawdę: wszystko zainscenizowałeś.

Wiesz, po części tak, w mojej głowie. Ten proces trudno wytłumaczyć, bo trochę przypomina pisanie: przez cały czas szukasz właściwego obrazu. A kiedy występujesz, szukasz takich chwil. Tak jak mówiliśmy wcześniej, jako artysta nie zadowalam się dystansem między widownią a mną. Zawsze staram się go pokonać emocjonalnie, intelektualnie i tam gdzie mogę, fizycznie. Wtedy nie chodziło tylko o uratowanie dziewczyny przed tłumem, bo wcale nie jestem pewien, czy tego potrzebowała, ale usiłowałem znaleźć sposób wyrażenia tego, co wszyscy tego dnia czuliśmy. To był niesamowity dzień, który sprawił, że wszyscy wydawali się mali, a temat przerósł wszystkich zebranych na scenie. Nie wystarczało mi proste odśpiewanie naszych kawałków i odjazd. Chciałem uchwycić nastrój chwili. Potem oberwałem od zespołu, jakżeby inaczej. Prawie że mnie wyrzucili. Wcześniej wchodziłem na dachy, znikałem ze sceny, wspinałem się po rusztowaniach systemów nagłaśniających, skakałem na widownię, miałem starcia z tłumem, ale to było dla chłopaków najgorsze - czuli się tak, jakbym ich zostawił samych na parę godzin. Larry powiedział mi, że miał zamiar przestać grać. Dla naszego zespołu był to wielki występ, oglądał nas chyba z miliard widzów, a my nie zaśpiewaliśmy naszego przeboju. Wszyscy byli na mnie bardzo źli, naprawdę b a r d z o źli.

Ale wtedy byłeś przekonany, że to właściwa rzecz, właściwa wizja? Jak się okazuje, miałeś rację.

Owszem, ale dowiedziałem się o tym dopiero tydzień później. Miałem zepsuty dzień, myślałem, że zawaliłem występ. Pojechałem do hotelu i po prostu oglądnąłem resztę koncertu Live Aid, na którym gościnnie wystąpili Bob Dylan, Keith Richards i Ronnie Wood. Incydent wyleciał mi z głowy. Tydzień później ludzie zaczęli mówić, że to był jeden z momentów, który utkwił im w pamięci. Zaszyłem się w małym miasteczku w Irlandii, gdzie mieszka rodzina Ali. Odwiedziliśmy przyjaciela rodziny, rzeźbiarza. Kiedy weszliśmy, wyciągał z pieca kawał brązu. Oczy prawie wyszły mu z orbit. „To dla ciebie", powiedział, „właśnie wyciągnąłem z pieca. Praca zainspirowana tym, co zrobiłeś w zeszłym tygodniu na Live Aid. Nazywa się »Skok«. Widzisz, tego dnia skoczyłeś w ciemno".

Wszyscy widzowie zwrócili uwagę na „niezaplanowany" aspekt twojego występu. Czy wtedy zdawałeś sobie z tego sprawę?
Ciągle wracamy do tego samego. Nie mam zaufania do artysty zadowolonego z siebie na scenie, zadowolonego z dystansu między sobą a publicznością. Czy to aktor, czy piosenkarz - chcę mieć wrażenie, że osoba na scenie może przestać grać swoją rolę, zeskoczyć, usiąść mi na kolanach, pójść za mną do domu, przytulić mnie, napaść mnie, pożyczyć ode mnie pieniądze, zrobić mi rano śniadanie. Jako wykonawca zawsze tak to widziałem. Nie chcę, żeby ludzie uznawali te relacje za wygodne. Chcę czuć, że coś może zaiskrzyć.

Pamiętasz, jak ta dziewczyna miała na imię? Rozmawiałeś z nią potem? Wiesz, co teraz robi?
Nie. Wcale nie. Oboje zatraciliśmy się w tej chwili i telewizyjnej transmisji. A potem...

... żadnych wspomnień.
„Nigdy nie zadzwoniłem, nie napisałem ani linijki". [*śmiech*] Nawet nie jestem pewien, czy była zadowolona, że wyłowiłem ją z tłumu.

Co czułeś, kiedy trzymałeś ją w ramionach?
Że jest po prostu wspaniałą dziewczyną. I że trochę drży w moich ramionach. Ale równie dobrze mogła sobie myśleć: „Żeby tylko ten rockman przestał się na mnie pocić. Szkoda, że się nie umył".

Może to o n a nie myła się od tamtej pory...
Może przyszła tam, żeby zobaczyć Rolling Stonesów albo kogokolwiek innego, Davida Bowie na przykład.

Kiedy jesteś na widowni, chcesz, żeby takie chwile były jedyne w swoim rodzaju, magiczne i niepowtarzalne. Zadajesz sobie pytanie: czy to było zainscenizowane? Czy na następnym koncercie, w Amsterdamie, Houston czy w Teksasie, będzie dokładnie tak samo?
Czasami tak jest, bo jako artysta zapamiętuję szczęśliwe przypadki.

I zwykle powielasz je.
Nie co wieczór, ale postaram się znów znaleźć taką chwilę jak tamta. Mniej więcej na tym polegają nasze występy na żywo. Na przykład przypominam sobie, że podczas „Zoo TV" wziąłem kamerę z rąk jakiejś osoby z tłumu, którą zaprowadziłem na scenę, a potem zacząłem filmować, zaczynając od oczu w dół: T-shirt, pępek, pasek, dżinsy, aż po palce stóp. W tej stojącej na scenie dziewczynie filmowanej jej kamerą było coś bardzo zmysłowego. A potem pomyślałem sobie: „Hej! Wyobraź sobie, że pokazujemy to na naszych ogromnych ekranach...". I zrobiliśmy to podczas „Zoo TV". Przyprowadzałem kogoś z tłumu i filmowałem od stóp do głów. To była świetna chwila. Moment prywatności, przekształcony potem w megamoment.

Podejście typowo reporterskie, bo w dzisiejszych czasach w telewizji właśnie o to chodzi.
Esencja *reality* TV: „Zoo TV", tylko że tym razem obiektami w zoo stali się ludzie. Jak nazywał się zakład dla umysłowo chorych, który odwiedzali Anglicy w epoce wiktoriańskiej? Bedlam. Ludzie płacili,

żeby dźgać laskami pacjentów i patrzeć, jak dostają szału. Myślę, że tego właśnie dokonał kwadrans Andy'ego Warhola.

Kiedy wracasz pamięcią do tamtych chwil, czy są jakieś, których żałujesz? Czy zdarzyło ci się pomyśleć: „Nie mam pojęcia, dlaczego to zrobiłem" albo „Kim wtedy byłem"?
Przypominam sobie, że podczas trasy „War" wszedłem w tłum z białą flagą. Pamiętam, że ludzie nie chcieli mnie przepuścić i zacząłem się z nimi przepychać. Jakiś mięśniak zastawił mi drogę i w ścisku spanikowałem. Broniłem się, rozdając szturchańce na prawo i lewo, demonstrując w praktyce własne przekonania względem pacyfizmu i niestosowania przemocy. [*śmiech*] Nie wiem, co mi wtedy strzeliło do głowy. Są zdjęcia, chyba nawet z tej samej trasy, w Los Angeles, jak skaczę z balkonu w tłum. Robert Hilburn, wielki krytyk amerykański, stwierdził, że był to jeden z najbardziej ekscytujących momentów, jakie widział na koncercie rockowym, i jeden z najgłupszych. [*śmiech*]

Te dwie cechy zwykle chodzą ze sobą w parze. Wiedziałeś, że ten numer z balkonem wymyślił pod koniec lat pięćdziesiątych James Brown?
Nie wiedziałem. Zaczerpnąłem to bardziej od Iggy Popa. Iggy Pop to moja definicja najlepszych występów na żywo. Miałem szesnaście lat, kiedy odkryłem go w sklepach muzycznych, o których była już mowa, w centrum Dublina, oglądając zdjęcia z albumów The Stooges. Rozpaliły moją wyobraźnię. Był skory do bójki, żywiołowy i szalony. Nigdy wcześniej nikogo takiego nie widziałem. Wykonawcy punkowi sprawiali wrażenie, że za chwilę zejdą ze sceny, ale w rzeczywistości tego nie robili. O n tak.

Słyszałem pewną historię, która wydaje mi się podsumowaniem rewolucji, jaka dokonała się w występach na żywo dzięki punkowi. Wydarzyła się podczas jednego z nielicznych koncertów, które w 1976 roku dali w Londynie Sex Pistols. W pewnej chwili Johnny Rotten zszedł ze sceny i jakby nigdy nic usiadł na widowni, oglądając występ

własnego zespołu. Stał się częścią widowni. Powiedziałbym, że zachował się mniej żywiołowo i brutalnie niż Iggy Pop, ale równie prowokująco.
Tak, to coś więcej niż przykład żywiołowej inteligencji. Od Sex Pistols zaczerpnąłem moralne oburzenie. A co do stawania się częścią widowni, przypominam sobie naszą pierwszą trasę koncertową po Stanach Zjednoczonych. W klubie było jakieś sześćdziesiąt, siedemdziesiąt, może sto osób. Na parkiecie nie było nikogo. Schodziłem ze sceny, dosiadałem się do stolików, piłem drinki gości i całowałem ich dziewczyny. Odjazd. Uwielbiałem to. Uwielbiałem stawać się częścią publiczności. U2 wywodziło się z publiczności i spodobał mi się pomysł, że można tam wrócić. W czasie ostatniej trasy podczas utworu *The Fly* zszedłem ze sceny, przepchałem się przez tłum, wyszedłem tylnym wyjściem, wsiadłem do taksówki i pojechałem do domu.

To znaczy, że nie dokończyłeś występu?
To była ostatnia piosenka. Może miała być jeszcze jedna, ale po prostu tak się zachowałem. Zrobiłem to, bo mogłem. Na koncertach zawsze szukam wizji. Podczas ostatniej trasy, w trakcie *Until the End of the World* sięgałem i chwytałem ręce, które potem kąsałem. Taka niby-kłótnia kochanków, kąsanie ręki, która karmi. Nazajutrz w gazetach zobaczyłem świetny tytuł: „U2 nadal głodni". [*śmiech*]

Na pierwszych koncertach U2 mogłeś naprawdę siadać na tych samych miejscach co publiczność. Teraz możesz tylko udawać, bo to gest ten już nie jest prawdziwy.
Zgadza się. Teraz trudniej się poruszać. Miło mi donieść, że obecnie działamy na zupełnie innym poziomie. [*śmiech*]

Koniec ze ślinieniem cudzych kufli.
Czasem brakuje mi tego, ale nie tak bardzo. Zamartwiałem się, ilu ludzi przyjdzie. To znaczy czułem się chory fizycznie, ponieważ chwile tuż przed wejściem na scenę są i tak bardzo trudne. Było tym trudniej, że nie wiedzieliśmy, czy w ogóle ktoś przyjdzie. [*śmiech*]

Wrócę do koncertu Live Aid w 1985 roku. Wszystko zaczęło się od tego, jak Bob Geldof w 1984 roku obejrzał program BBC o klęsce głodu w Etiopii. Jak się tym zainteresowałeś?
Wiesz, Irlandię łączy sporo więzów z Afryką ze względu na katolickie misje: zakonnice i księży. Jest bardzo wyczulona na problemy Afryki, chyba dlatego że wcale nie tak dawno temu przeżyła klęskę głodu u siebie. W połowie XIX wieku ludność Irlandii spadła z ośmiu do czterech milionów. Dwa miliony zmarły, a dwa pozostałe wyjechały i zostały policjantami w Nowym Jorku. [*śmiech*] No nie: w Bostonie i Londynie, San Francisco, Birmingham, Sydney. Ale więzi są silne. Może to pamięć zbiorowa, a może tylko wspólna przeszłość kolonialna? Te programy BBC były niesamowite. Na pewno mieliście podobne we Francji. Trudno było uwierzyć w to, co się dzieje. Naprawdę trudno. Patrzyliśmy na głodujące dziecko usiłujące stanąć na nogach. Wiesz, nadal mam je przed oczami. W świecie gdzie jest tak dużo wszystkiego, w świecie gdzie panuje dostatek, w świecie dobrobytu dziecko umiera z głodu! Trudno w to uwierzyć. Potem po koncercie Live Aid, kiedy Ali i ja pojechaliśmy tam, obrazki przestały być tylko obrazkami, a stały się dziećmi stojącymi przede mną czy raczej usiłującymi utrzymać się na nogach. Pamiętam, że postanowiłem: nie chcę żyć, nie będę żył w świecie, gdzie dzieje się coś takiego. Dzięki informacjom z DATA wiem, że możemy stać się pokoleniem, które skończy ze skrajnym ubóstwem, z ubóstwem powodującym, że dziecko może umrzeć z braku szczepionek albo z powodu pustego brzuszka. Ponieważ możemy, musimy tak postąpić. Owszem, zawsze będzie bieda, owszem, ludzie zawsze będą umierać na choroby, ale niech to nie będzie z głodu!

Racja. Lecz większość muzyków, którzy działają na rzecz Afryki, interesuje się także muzyką afrykańską. Na przykład Peter Gabriel. Paul Simon pojechał do Afryki Południowej nagrać *Graceland* i pracował razem ze słynnym chórem Zulusów Ladysmith Black Mambazo. Ty nie wybrałeś się tam z Edge'em, Larrym i Adamem. Pojechałeś tam jako osoba prywatna, nie jako muzyk.

Cóż, pamiętaj, że istniał kulturalny bojkot Afryki Południowej. Wielokrotnie proponowano nam przyjazd do Sun City, ale odmawialiśmy. Byliśmy pierwszym zaproszonym zespołem po zniesieniu embarga*. Pierwszym zespołem zaproszonym przez ANC było U2, ponieważ należeliśmy do środowiska sprzeciwiającego się apartheidowi w Irlandii i Europie. Ale nie odwiedziliśmy reszty Afryki subsaharyjskiej. Wówczas nie było zbyt wielu hoteli Holiday Inn, w których zespół mógłby wystąpić.

Jednak jestem pewien, że najważniejszy z twoich mentorów, Brian Eno, zaznajomił cię z muzyką afrykańską przed koncertem Live Aid.
Mówił o niej bez przerwy. Właśnie zrobił *Remain in Light* z grupą Talking Heads i pojawił się z głową pełną Afryki na naszej sesji nagraniowej *The Unforgettable Fire* na początku 1984 roku.

Znając żarliwość twoich uczuć do Afryki, jestem zdumiony, że nigdy nie znalazły swojego wyrazu w muzyce U2. Wasza muzyka była zawsze...
... raczej biała.

W zasadzie tak.
Zróbmy krok dalej. Irlandczycy nie są biali, jesteśmy raczej rumianoróżowi. [*śmiech*]

Tak jak Peter Gabriel. Ale on dość wcześnie zaczął współpracę z muzykami afrykańskimi.
Tak. W Irlandii w latach siedemdziesiątych były tylko trzy czarnoskóre osoby: jedna z nich śpiewała dla Thin Lizzy, inna, nasza najlepsza koleżanka, Sharon Blankson, opiekuje się garderobą U2, a trzecia zjadła parę osób. W tamtych latach miał miejsce głośny incydent, kiedy student medycyny w College of Surgeons zjadł kilka osób.

---

* Nelson Mandela został zwolniony z więzienia w 1990 r.

Naprawdę?
Nie zmyślam. Nazywał się chyba Mohangi. Zjadł swoją dziewczynę, a to, co zostało, serwował w restauracji, w której pracował. Słowo „Mohangi" weszło do ówczesnego słownika.

Nabierasz mnie?
To lepsze niż cię zjeść! Ale wiesz, bardzo niewielu emigrantów chciało wtedy wracać do Irlandii.

Rozumiem, że muzyki afrykańskiej nie nadawano w irlandzkim radio, ale dlaczego właśnie to miało cię powstrzymać przed podjęciem próby, skoro miałeś na to ochotę?
Słuchaliśmy tej muzyki, ale wtedy nie interesowaliśmy się nią. Staraliśmy się odnaleźć własne brzmienie. Tak się składa, że lubię afrykańską muzykę, nawet bardzo, ale wizja muzyki świata do mnie nie przemawiała. Poprawiał mi się nastrój, ilekroć słuchałem Youssou n'Doura i Angélique Kidjo. Moim ulubionym afrykańskim piosenkarzem jest Egipcjanin Oum Kalthoum. No i Salif Keita, King Sunny Ade, wszyscy nagrywali w naszej wytwórni Island Records. Uwielbiałem ich. Okazało się jednak, że muzyka w rytmie groove nie jest naszą silną stroną. Mój głos nie współbrzmi z nim dobrze. Chyba wolę zmiany akordów w bardziej zachodnim stylu. Właśnie o to chodzi. Przypominam sobie, że przychodziły nam do głowy całkiem dobre groove'y, ale piosenki nie były zbyt udane. Sporo eksperymentowaliśmy z Brianem Eno u steru, ale pamiętam, że w końcu powiedziałem do Edge'a: „Powinienem chyba zmienić sobie parę strun głosowych". Nie jestem czarnoskóry, jestem biały. Muszę się z tym pogodzić. [*śmiech*]

Ale wizja gwiazdy rocka, która jedzie do Afryki tylko wtedy, gdy wydarzy się tam wielka katastrofa, i nieszczególnie interesuje się tamtejszą muzyką ani ludźmi – to trochę przygnębiające.
Mówię ci, że jako Irlandczyk nie miałem kontaktu z Afryką jako źródłem wpływów kulturalnych, a raczej jako dylematem moralnym.

Rzeczywiście, szkoda, bo Afryka sąsiaduje z Europą. Z miejsca gdzie teraz jestem we Francji, jest tak blisko do Afryki jak z Toronto na Jamajkę.

Mogłeś popłynąć tam rano.
Chyba nawet próbowałem... zwiać przed tobą. [*śmiech*] Właściwie zabrakło mi powietrza. Prawda jest taka, że nie odczuwało się, że Afryka tak blisko sąsiaduje z Europą. Wyrośliśmy w przeświadczeniu, że leży dalej niż Australia. Szkoda, bo bardzo chętnie pojechałbym tam wcześniej jako turysta, a Afryka potrzebuje turystyki. Staram się tam teraz zabierać moje dzieci. Pojechałem tam jednak jako członek organizacji humanitarnej, jako pracownik, a to nie najlepszy sposób na poznanie kontynentu.

Jednak pojechałeś tam i jestem pewien, że kiedy zobaczyłeś go po raz pierwszy, przeżyłeś wstrząs. Bardzo chciałbym usłyszeć, jak relacjonujesz swoje przeżycia, podobnie jak opowiadałeś o pierwszej wizycie w Nowym Jorku. A więc znalazłeś się w Afryce po raz pierwszy w życiu. Właśnie wylądowałeś i przeszedłeś przez odprawę. Jakie jest twoje pierwsze wrażenie? Co widzisz? Jaki zapach czujesz? I gdzie właściwie jesteś?
W Addis Abebie. Jest upał, straszny upał i słychać odgłosy ruchliwego lotniska...

Jest z tobą Ali.
Tylko Ali i ja. Szukamy kogoś. Nazywa się Steve Reynolds i jest gościem, który dla nas wszystko zorganizował. Chyba trochę się boję, ale podoba mi się to odczucie.

Co jest takie groźne?
Nie wiem, co się czai za rogiem ani dokąd idziemy. Czy na lotnisku będzie ktoś na nas czekał? Czy wszystko się uda? Właściwie czuję się podobnie jak w Nowym Jorku. Słychać ten sam rodzaj piskliwego gwaru i ludzi krzyczących do siebie. W Afryce istnieje pewnego ro-

dzaju molekularne podniecenie, którym się zarażasz. Ma się odczucie, że cząsteczki szybciej wibrują. Potem wychodzimy na ulice i stawiamy czoło chaosowi Addis Abeby.

Nigdy tam nie byłem. Czy to duże miasto?
Duże. Byłem tam już kilkakrotnie. Nie pamiętam, gdzie się zatrzymaliśmy, jakoś wypadło mi to z głowy. Ale przed odjazdem ktoś nas zapytał, czy nie chcemy zwiedzić Addis Abeby. Powiedziano nam, że najlepiej zwiedzać konno. Więc zapytałem: „Konno?". A oni na to: „Tak".

Jeździsz konno?
Nie, nie przyznałem się, że nie umiem jeździć. Ale ty powinieneś wiedzieć.

Zgadza się. [*śmiech*]
Nie, ani słowa o tym, że nie umiem jeździć. Ali umie. Powiedzieli: „Możemy wziąć konie Hajle Syllasje". A ja na to: „Wolne żarty!". Oni mówią: „Nie. Teraz, kiedy Hajle Syllasje nie żyje, pałac przejęli komuniści".

Mengistu.
Właśnie. Ale jak się okazuje, gość nie interesuje się końmi cesarza. Ktoś dba o nie i można je wypożyczyć na cały dzień. Ogromne ogiery.

Jakiego koloru? Kare?
Kare. Musiałem się wdrapać na konia. Kiedy byłem dzieckiem w dublińskim Northside, zimą Cyganie puszczali swoje konie wolno. Przychodziły w nasze okolice i jeździliśmy na nich na oklep. Ale to zupełnie inna rzecz. Te są prawie dwa razy wyższe.

Takie piętrusy.
[*śmiech*] Piętrusy. Masz rację. Z całych sił staram się ukryć przed naszymi gospodarzami, że nie umiem jeździć, przecież wcześniej po-

wiedziałem im, że potrafię. Jedziemy więc bocznymi uliczkami i pamiętam wyraźnie scenkę z ludźmi towarzyszącymi amerykańskiej organizacji humanitarnej World Vision. Jedna z kobiet siedzących na koniu karmiła dziecko piersią. [*śmiech*] Czuła się swobodnie i wcale nie miała zamiaru być nietaktowna. Ale nie spodobało się to muzułmankom. Powychodziły na zewnątrz i zaczęły rzucać w nią kamieniami, bo pokazywała piersi. Uwielbiam, kiedy inni ludzie popełniają takie *faux pas*, chociaż zwykle to jestem ja. Ale konna przejażdżka uliczkami tej starożytnej stolicy była czymś niesamowitym.

A kiedy ludzie na ulicach zobaczyli białego człowieka, który wyglądał nieco zabawnie na tak wielkim koniu, [*śmiech Bono*] jak zareagowali? Machali do ciebie czy obrzucili cię kamieniami?
Machali i śmiali się. Chłopcy z dużymi perłowymi zębami śmiali się z Irlandczyków jak norki.

Pamiętam, że parę lat temu opowiadałeś o wyjeździe poza miasto, gdzie w jakimś świętym miejscu pokazano ci skarb. Pamiętasz?
Tak. Pracowaliśmy w północnym rejonie Etiopii w miejscu zwanym Ajibar, w pobliżu Wollo. Miejscowy przywódca komunistów zainteresował się mną i Ali, chyba z nudów. Zaprzyjaźnił się z nami, pytał nas, gdzie mieszkamy, a nawet o nasz adres. Miałem wrażenie, że ma zamiar zniknąć z Dodge City, jak mawiają Amerykanie. Byliśmy na wzgórzach, skąd widzieliśmy w oddali inne wzniesienia. Na szczycie jednego z nich na wielkim płaskowyżu ledwo majaczyły kontury jakiegoś klasztoru. Zapytaliśmy o niego „towarzysza Gormę" i pewnego dnia zabrał nas tam.

Konno?
Nie, pojechaliśmy jeepem. Potem przesiedliśmy się, chyba na osły. A może to były konie? Nie pamiętam dokładnie, jak dostaliśmy się na szczyt. Ale kiedy dotarliśmy do klasztoru, zdarzyło się coś niebywałego. Wszyscy mnisi zaczęli panikować, rzucili się na kolana przed tym wojskowym i zaczęli go błagać.

... żeby nie zrobił im krzywdy.

... żeby nie zrobił im krzywdy. To był szokujący widok. Potem wszyscy zaczęli mu wszystko pokazywać. Nie był aż tak przerażającym człowiekiem, ale to pokazuje, że samo wspomnienie rewolucji wzbudzało w mnichach przerażenie. Zaprowadzili go i nas idących za nim do silosa - chyba na ziarno albo coś w tym rodzaju. Do środka prowadziła drabina. Wspięliśmy się po niej, a następnie zeszliśmy po drugiej do wnętrza silosu, gdzie zawinięty w worki, znajdował się skarb, który ukrywali. Były tam korony, korony ze złota i przedmioty kultu religijnego. Nie wierzyłem własnym oczom. Zrobiłem zdjęcia. Nadal je mam. Jeden mnich podał koronę „towarzyszowi Gormie", a ten włożył ją na głowę Ali. Mam te zdjęcia. Klejnoty były bezcenne. Nie jestem wystarczająco obeznany, żeby stwierdzić, czy pochodziły z XIX czy z XI wieku. Ale kiedy odjeżdżaliśmy, poczuliśmy ogromny smutek, bo przeczuwaliśmy, że nazajutrz ich tam nie będzie. Nie wiem, dokąd udał się ten człowiek. Może teraz jest handlarzem antyków, a może się mylę. Może przekazał skarb do jakiegoś muzeum i tam go teraz można zobaczyć. Byliśmy w kryjówce cesarza Menelika. Menelik pochodził w bezpośredniej linii od króla Dawida. Etiopia... to tajemniczy kraj. Ludzie wyglądają tu tak dostojnie. Czytałeś o tym, jak król Salomon przybył do Etiopii, żeby poznać królową Sabę, i zakochał się w niej? Zupełnie, jakbyś na każdym kroku spotykał Boba Marleya. Mówi się, że to tutaj był Eden. A także, że właśnie tutaj została ukryta arka przymierza. To niesamowity, piękny kraj. Dlatego rozmiary dzisiejszego ubóstwa są tak zdumiewające.

Twój zachwyt nad pięknem tego miejsca trochę mnie zaskakuje. Przeżycie, które właśnie opisałeś, nie jest szczególnie smutne. Przebija się przezeń element dramatyczny, ale koncentrujesz się na przekazaniu piękna. Mimo to twoje wcześniejsze opowiadania o Afryce eksponują aspekt tragizmu i okropności.

Nie mogę się z tym zgodzić. Zawsze staram się mówić o potencjale ludzi i miejsca. Jak już wspomniałem, to miejsce rzadkiej urody. W albumie ze zdjęciami *A String of Pearls**, które zrobiłem, kiedy tam pracowałem, nie pokazuję chorych i głodujących, lecz powracających do zdrowia oraz zdrowych, bo chciałem przekazać, jak urodziwi i szlachetni są to ludzie. Zgadzam się, że to bardzo ważne opisywać Afrykę kategoriami innymi niż tragizm. Trzeba znaleźć sposób na wyrażenie miriad możliwości, gęstej dżungli i terenów skalistych. Serengeti, lśniące świątynie i nawoływania do modlitwy... Ich święte miasta, w których gra się na klaksonach jak na instrumentach muzycznych. I jeszcze jedno, ogromne słońce koloru krwi. Kiedy widzisz zachodzące słońce, instynktownie uchylasz się.

Zawsze gdy odwiedzam kraje rozwijające się, najbardziej uderza mnie szczęście w samym środku niedoli. Czytamy o wojnach i straszliwej biedzie, ale kiedy znajdziemy się na miejscu, widzimy uśmiechy, słyszymy śmiech ludzi, odczuwamy ich uprzejmość, a nawet radość.
Podziwiam ich i chciałbym móc, tak jak oni, przestać użalać się nad sobą. Cechę tę posiada kilkoro moich ulubieńców. Masz rację, śmiech przyprawiający o zawrót głowy. Wiesz, kiedy oboje tylko przez chwilę opiekowaliśmy się sierocińcem, nosiłem kolczyki. Nazwali mnie „dziewczyna z brodą", bo nie mogłem się ogolić.

Chyba przypadkiem przyszedł ci do głowy tytuł tego rozdziału.
Właśnie tak mnie nazywali, „dziewczyną z brodą". Razem z Ali opracowywaliśmy program nauczania dzieci poprzez piosenki i jednoaktowe sztuki. Mówią mi, że nadal z niego korzystają. Uczyliśmy ich tego, co musiały wiedzieć, żeby nie zachorować. Napisałem piosenki, które przetłumaczono na język amharski. Te piosenki gdzieś wciąż są. Jedna ze sztuk opowiadała o rodzeniu dzieci. Pracowaliśmy nad nią razem z miejscową pielęgniarką, przecięcie pępowiny i te sprawy. Miejscowa ludność praktykowała dość niebezpieczne obyczaje, na przykład używano krowiego łajna i tym podobnych rzeczy do dezynfekcji, a to wywoływało infekcje. Jednak chętnie nas słuchano. Po-

---

* *Sznur pereł* – ang. (przyp. tłum.).

tem dzieci chodziły i śpiewały piosenki, w ten sposób ucząc rodziców. Program trwał trzy tygodnie: piosenka, sztuka i opowiadanie, potem powtórka. Właśnie tym się tam zajmowaliśmy.

Zajmowaliście się też zatem stroną duchową i nie chodziło tylko o rozdawanie jedzenia.

W obozie rzeczywiście rozdawano jedzenie, lecz ja i Ali opiekowaliśmy się sierocińcem. Spaliśmy w namiocie. Rankiem, gdy podnosiła się mgła, widzieliśmy tysiące ludzi sunących gęsiego ku obozowisku, ludzi, którzy nocą przemierzali niemałe odległości. Mężczyźni, kobiety, dzieci, rodziny, które straciły wszystko, zabierając ze sobą skromny dobytek w podróż na spotkanie miłosierdzia. Niektórzy z nich, dotarłszy do obozu, padali na ziemię. Inni zostawiali dzieci przy bramie lub kładli przy ogrodzeniu martwe potomstwo, żeby je pochować. Obóz otaczał drut kolczasty. Miałem wrażenie, że wygląda jak obóz koncentracyjny.

Dlaczego zbudowano ogrodzenie z drutu kolczastego?

W przeciwieństwie do ogrodzenia obozów koncentracyjnych, miał powstrzymywać ludzi przed wtargnięciem do środka. Problem polegał na tym, że nie wystarczało pożywienia. Nie ukradłbyś jedzenia dla swojej rodziny? Bo ja bym ukradł. A z kolei ci ludzie, te kobiety i mężczyźni, emanują taką godnością, elegancją, uczciwością. Pozbawić ich tej godności, kiedy przybywają do stacji wydawania pożywienia, tej odwrotności Auschwitz...

Czy ludzie z zewnątrz grozili, że splądrują obóz?

Nie, nie przypominam sobie żadnego wrażenia agresji. Drut kolczasty pełnił raczej funkcję środka zapobiegawczego. Szczególnie zapamiętałem mężczyznę, który podszedł do mnie z dzieckiem, z synem. Było widać, że jest z niego bardzo dumny. Podał mi dziecko, mówiąc: „Proszę, weź mojego chłopca, bo jak zostanie ze mną, to na pewno umrze. Jeżeli pójdzie z tobą, będzie żył". Odmówić i odwrócić się jest bardzo... bardzo, bardzo, bardzo, bardzo trudno. Jedna część mnie tak postępowała, a druga, wiesz, druga nie. Właśnie ta cząstka mnie, która tam ciągle powraca. To bardziej niż krępujące uczucie. A teraz przenieś tę sytuację do własnego życia i pomyśl o swoim dziecku. Na co musiał się zdobyć ten mężczyzna, żeby wymówić taką prośbę... to porażające.

Zrobiłeś to zaraz po Live Aid, prawda?
Tak. Kiedy związałem się z Live Aid, powiedziałem do Ali: „Nie mogę zapomnieć o ludziach, których widziałem w telewizji. Musimy spróbować coś zrobić. Bez rozgłosu". Nie powiedzieliśmy nikomu, że wyjeżdżamy. Po prostu pojechaliśmy tam po kryjomu.

Te przeżycia wyraźnie odmieniły twoje życie. Wszystko, o czym ze mną rozmawiałeś, wszyscy prezydenci, papieże, wszystkie spory – wreszcie zdaję sobie sprawę, że wszystko to sprowadza się do jednego.
Chyba nie mogę już dłużej o tym rozmawiać. Zmieńmy temat.

Dobrze, dobrze. Wracając do muzyki, czy twoje postrzeganie muzyki afrykańskiej zmieniło się po tym wszystkim?
Przeżyłem swego rodzaju olśnienie, ale to się zdarzyło kilka lat później. Siedziałem sobie przed Sunset Sound Studios w Los Angeles, kiedy pracowaliśmy nad albumem *Rattle and Hum*. Studio znajdowało się we wschodniej części miasta, przy Sunset Strip. W sobotnią noc przyglądałem się paradzie meksykańskich stuningowanych czterech kółek, pikapów z wielkimi kołami, podrasowanych aut sportowych i ludzi, którzy słuchali rodzącego się w Ameryce rapu. Rok 1988 był niezwykły: niesamowite systemy nagłaśniające, subwoofery, kakofonia rytmów, monotonna recytacja, oderwane od siebie głosy, dobiegający ze wszystkich stron hip-hop. Olśniewająco skomplikowany pop. [*nagle naśladuje ludzki* beat box *i synkopowane rytmy*] I tak sobie myślę: „Znam tę muzykę, przecież to muzyka afrykańska". Olśnienie polegało na tym, że to technologia przyniosła muzykę afrykańską potomkom Afrykanów w Ameryce, ludziom, którzy nie mogli

mieć żadnych wspomnień o kontynencie będącym ich kolebką i żadnego bezpośredniego doświadczenia muzyki typu „wezwanie i odpowiedź", tak charakterystycznej dla Afryki. Jednak dzięki technologii, dzięki cyfrowym samplerom, starym płytom winylowym, swingowi, rock'n'rollowi, soulowi i muzyce elektronicznej ich muzyka ruszyła pod prąd do miejsca swych narodzin. W moich uszach brzmi jak hip-hop. Jak to się stało? Czysto afrykańska muzyka przybywa dzięki DNA, dzięki genom tych ludzi. Omal nie padłem z wrażenia. Pomyśl, co to nam mówi o zbiorowej pamięci, o tym, co wszyscy odziedziczyliśmy po naszych przodkach i nadal w sobie nosimy. Zresztą nie tylko muzykę, ale uzdolnienia, może nawet uprzedzenia.

A twoi przodkowie?

Rzecz dziwna, muzyka irlandzka ma niemało wspólnego z muzyką afrykańską czy bliskowschodnią. Wywodzi się z zupełnie innego źródła niż reszta Europy, powiedzmy, północnej Europy. Opiera się na pentatonicznej, nie na chromatycznej skali muzycznej. Na przykład *sean nós* - melodie śpiewane bez akompaniamentu - można też odnaleźć w północno-zachodniej Afryce. Kiedyś odwiedziłem w Kairze muzykologa, który zgadza się z teorią profesora Boba Quinna z University College Galway, twierdzącego, że szlaki morskie wiodące z Afryki jeszcze w czasach przedchrześcijańskich zaowocowały znacznie intensywniejszymi kontaktami pomiędzy zachodnią Irlandią, zachodnią Francją, zachodnią Hiszpanią a Afryką Zachodnią. Jeśli przyjrzysz się najsłynniejszemu irlandzkiemu rękopisowi religijnemu, *Księdze z Kells*, stwierdzisz, że przypomina rękopisy koptyjskie z tego samego okresu. Spróbowałbyś to powiedzieć mojemu staremu, Bobowi Hewsonowi, a nadziałbyś się nie tylko na groźne spojrzenie. Dostałbyś w ucho. Czarni, *Księga z Kells*. Pieprzysz! Widzisz, podstępny rasizm zakrada się wszędzie. Irlandczycy uważają, że sami wszystko wymyślili, a ja z tego powodu czuję się winny.

„Wszyscy prezydenci, papieże (...) – wreszcie zdaję sobie sprawę, że wszystko to sprowadza się do jednego" – powiedziałem Bono, kiedy zreferował mi swoje przeżycia w etiopskim obozie dla uchodźców w 1985 roku. Pod koniec lat dziewięćdziesiątych zaczął pracować dla DATA i odtąd dobijał się do wielu drzwi, spotykając się z niejedną głową państwa. Stąd portrety pamięciowe kilku Elvisów końca XX i początku XXI wieku: Tony'ego Blaira, Billa Clintona, George'a W. Busha, Władimira Putina, Gerharda Schrödera, Jana Pawła II, Jacques'a Chiraca. Czy wszyscy ci przywódcy świata chcieli usłyszeć melodię, jaką śpiewał im Bono? „Denerwujące pytanie", odparłby.

Mam wrażenie, że ty i Tony Blair zazdrościcie sobie nawzajem tego, co robicie.
W jednym przypadku, być może. [*śmiech*] Całkiem nieźle gra na gitarze – gra codziennie, tak mi powiedziała jego pani. Sprawdziłem jego gitarę, żeby się przekonać, czy jest nastrojona. Była, i to doskonale. W *college*'u miał zespół, Ugly Rumours*, tak się chyba nazywał. Nie zdawał sobie sprawy, że mogło to stać się jego przeznaczeniem. Ale mówiąc poważnie, razem z Gordonem Brownem naprawdę mogą zmienić świat, jeżeli będą kontynuować to, co robią w Afryce. Mogą stać się tandemem Lennon-McCartney globalnego rozwoju.

Masz na myśli bezustanne spory?
Najlepsze wyniki osiągają wtedy, kiedy pracują razem.

---

* Wredne Plotki – ang. (przyp. tłum.).

A twoje spory z Blairem?
No cóż, nie zgadzam się z Tonym Blairem w bardzo niewielu kwestiach. Jedną z nich jest decyzja o przystąpieniu do wojny z Irakiem. Wierzę jednak, że był w tym szczery - moim zdaniem, popełnił błąd ze szczerości. Niezwykłe było w nim to, że kiedy poparł wojnę, zrobił coś niepopularnego we własnym kraju i naraził się swojej partii. Nie poszedł w stronę popularności. Jak na polityka, zachowanie dość niezwykłe. Przydałoby się więcej jemu podobnych. Ale pamiętaj, mniej błędów.

A teraz druga część mojego pytania. Kiedy Bono zasiądzie w rządzie? Czy chce też zostać prezydentem?
[*śmiech*] Nie przeprowadzę się do mniejszego domu.

W porządku, ale bywałeś w mniejszych domach. To znaczy, że zajrzałeś za kulisy.
Byłem za kulisami, owszem, widziałem pralnię i kilka wystających ze ściany przewodów pod napięciem. Co polityka ma wspólnego z wyrobem kiełbasy? Gdybyś wiedział, co wrzucają do środka, nie jadłbyś gotowego produktu.

Jakie odkrycie dokonane w świecie polityki zaskoczyło cię najbardziej?
[*zastanawiając się*] To, że ogromne zmiany w sposobie myślenia zaczynają się pod natchnieniem chwili, a nie dzięki podpowiedzi intelektu. I że wielkie alianse powstają dzięki podobnemu poczuciu humoru lub spontanicznie uczynionej uwadze.

To mi przypomina zasłyszaną kiedyś anegdotę. Ktoś mi mówił, że rozmawiał z byłym członkiem rządu, a ten powiedział coś takiego: „Kiedy chodzisz do szkoły, spotykasz mniej więcej trzy grupy osób. Niektórzy są zwyczajnie wstrętni, inni zdolni i dość bystrzy, ale większość to tępacy, którzy czekają, aż to się skończy". Dodał, że kiedy znalazł się w rządzie, rozkład ludzkich charakterów był dokładnie taki sam.

[*śmiech*] Zgadza się. Tak to wygląda: w najbardziej niewiarygodny sposób przypominają ludzi, których znasz, zarówno z dobrej, jak i ze złej strony.

Władza bardzo często zajmuje się błahostkami. Znasz książkę polskiego dziennikarza Ryszarda Kapuścińskiego pod tytułem *Cesarz*? Wiem, że czytałeś *Heban*, w którym opowiada o latach spędzonych w Afryce w charakterze korespondenta wojennego, ale *Cesarz* traktuje o schyłkowych latach władzy ostatniego etiopskiego cesarza Hajle Syllasje. To niesamowity opis porządku władzy: niebywale rozbudowana skomplikowana struktura, kompletnie skoncentrowana na sobie, ślepa i głucha na spustoszenie szerzące się w kraju. Skrajny przykład, ale jestem przekonany, że połowa dnia prezydenta Chiraca albo każdego innego prezydenta wygląda tak samo: zastanawiają się, kogo zaprosić na taką czy inną uroczystość albo jak się przygotować do następnych wyborów. Władza często skupia się bardziej na samej sobie niż na robieniu pożytecznych rzeczy dla kraju i reszty świata.
Czytałem *Cesarza* - i to prawda. Biurokracja, bez względu na to, czy chodzi o przecięcie wstęgi w nowym szpitalu w tym samym dniu, kiedy tnie się wydatki na ochronę zdrowia, czy spętane ręce urzędników - machina polityki powoduje, że wprowadzanie wszelkich zmian przychodzi ciężko. Dobry przywódca potrzebuje dużych nożyczek, żeby nadać sprawom bieg. Uważam, że dobry przywódca musi mieć czuły słuch, przez co rozumiem wyrazistość poglądów. Ci, których spotkałem - jeśli w ogóle do czegoś się nadają - mają jedną cechę wspólną, mianowicie umiejętność przeniknięcia zgiełku, szczęku idei, rozmów i punktów widzenia, wyłowienia linii melodycznej i jej zrozumienia: właśnie to powinniśmy zrobić, to jest ważniejsze niż inne sprawy. Są jak łowcy talentów w biznesie muzycznym, jak selekcjonerzy tropiący idee. Bill Clinton był niezrównany w dostrzeganiu idei.

Byłeś świadkiem, jak jego talent sprawdza się w praktyce?
O tak! Sam mu jedną podrzuciłem.

Od razu ją podchwycił?

Widzisz, w jego administracji pracowało sporo ludzi w naszym wieku, to znaczy po trzydziestce. On nie tylko miał dobry słuch, ale aktywnie starał się wyczuć, co w trawie piszczy, żeby wyłowić świeże idee, nowe pomysły dla gospodarki, dla wszystkich dziedzin życia. Na dodatek potrafił je wszystkie spamiętać. Spotkałem się z nim parę razy, ale pamiętam, jak już wcześniej wspominałem, że musiałem pojechać i podrzucić mu pomysł Drop the Debt na Jubileusz Roku 2000.

Opisz tę chwilę.

Pamiętam, że tego dnia w Waszyngtonie było gorąco, a tego się nie spodziewałem. Ubrałem się w niebieski kaszmirowy płaszcz, moim zdaniem, dość elegancki. Na nogach miałem buty z cholewkami, ale sądziłem, że kaszmirowy płaszcz to wystarczające ustępstwo na rzecz elegancji Białego Domu. Ponieważ zrobiło się gorąco, musiałem go zdjąć i w Gabinecie Owalnym zostałem w T-shircie, bojówkach i ciężkich buciorach. Wyglądałem jak facet z naszej ekipy technicznej. Co prawda ludzie z naszej ekipy technicznej bardzo dbają o styl, ale niekoniecznie pasuje on do Gabinetu Owalnego.

Jak zostałeś przedstawiony?

Clinton czekał, siedząc w swoim fotelu, w historycznym gabinecie.

Za biurkiem?

Nie. Palił cygaro. Nie za dużym biurkiem, chociaż wspomniał o nim. To było biurko prezydenta Kennedy'ego. Teraz każdy prezydent ma do wyboru biurko jednego ze swoich poprzedników.

Jakie odniosłeś wrażenie, kiedy zobaczyłeś go po raz pierwszy? Wiem, że reagujesz bardzo instynktownie i potrafisz dostroić się do ludzi.

Pomyślałem... [*śmiech*] że bardziej niż ja przypomina z wyglądu gwiazdę pop. Pomyślałem jeszcze, że pewnie jest dokładnie takiego samego zdania, bo naprawdę wyglądałem tak, jakbym dopiero co wyczołgał się spod samochodu. Sprawiał wrażenie bystrego, jak zawsze, i tylko się uśmiechnął. Personel i on sam po prostu wybuchnęli śmiechem. Pomyśleli pewnie, że jestem...

... hydraulikiem?
Wolę ciesiołkę.

Jakie były jego pierwsze słowa?
Nie pamiętam. Może: „Proszę się poczęstować cygarem"? Był bardzo zajęty. To miłe z jego strony, że mnie przyjął. Wymieniliśmy uprzejmości i chyba trochę pośmialiśmy się z naszego pierwszego spotkania, które było bardzo zabawne. Wybieraliśmy się na mecz Chicago Bears i zaproponował nam wspólną przejażdżkę w swojej kawalkadzie. Ale zauważyłem, że skupienie miał nastawione na „średnie", co oznacza, że słuchał uprzejmości, ale niezbyt uważnie. Ożywił się dopiero, kiedy zapytałem, czy ma jakieś dobre pomysły dotyczące obchodów milenium, miał przecież z tej okazji wygłosić wielkie przemówienie. Historyczna chwila dla przywódcy wolnego świata. Co zaplanował? Wtedy zauważyłem, że zaczyna się interesować. „Bo ja", tłumaczyłem, „mam naprawdę świetny pomysł". Powiedziałem mu: „Durna parada i fanfary – czy to wszystko, co nam z tego zostanie? A może naprawdę zrobimy z tego historyczną chwilę? Może damy nowy początek ludziom, którzy najbardziej go potrzebują, czyli najbiedniejszym z biednych?". Po wielu pytaniach kupił temat i powiedział mi, że wspiera już program Heavily Indebted Poor Countries*, będący inicjatywą Banku Światowego. Jego celem było złagodzenie obciążeń wynikających z zadłużenia, ale nie sięgał wystarczająco daleko ani nie działał dostatecznie szybko. Dodałem, że milenium to taki hak, na którym trzeba zakotwiczyć cały pomysł, żeby ludzie z Bretton Woods**, czyli Międzynarodowy Fun-

* Program Redukcji Zobowiązań Najbiedniejszych i Najbardziej Zadłużonych Państw Świata (przyp. tłum.).

** Na międzynarodowej konferencji w Bretton Woods utworzono Międzynarodowy Fundusz Walutowy i Międzynarodowy Bank Odbudowy i Rozwoju (przyp. tłum.).

dusz Walutowy, banki i inni, poszli jeszcze dalej. Prezydent bardzo się tym zainteresował i wyraził poparcie, ale wiedział, że będzie miał kłopoty z własnym sekretarzem skarbu, bo Robert Rubin nie należał do zwolenników zniesienia zadłużenia. Okazuje się, że podziwiał Aleksandra Hamiltona, pierwszego sekretarza skarbu USA, który po uzyskaniu niepodległości, mając możliwość anulowania starych długów wobec Wielkiej Brytanii, postanowił je spłacić i w ten sposób zyskać wiarygodność.

A czy Clinton podchwycił coś, co mu wtedy powiedziałeś?
Sam pomysł nie był dla niego nowy. Nowością pewnie okazała się popularność mojej melodii – to, że ktoś taki jak ja zainteresował się nią, a on mógłby zaśpiewać coś w tym stylu w wigilię Nowego Roku 1999.

Czyli starałeś się osiągnąć konkretny cel. Chciałeś, żeby wspomniał o tym w swoim przemówieniu.
Nie chciałem, żeby tylko o tym wspomniał, chciałem, żeby poszedł za ciosem i napadł na bank, czyli na Bank Światowy! [*śmiech*] Przecież zniesienie tych długów kosztuje pieniądze podatników. Nie zdawałem sobie sprawy, jak bardzo popierał ten pomysł. Napisaliśmy całą masę listów, korespondowaliśmy, rozmawialiśmy. Ale dopóki nie przestał być prezydentem, nie miałem pojęcia, jak zaciekle musiał o to walczyć. Pamiętam, że jego główny doradca ekonomiczny, wspaniały człowiek nazwiskiem Gene Sperling, powiedział mi, jak bardzo Clinton czuł się sfrustrowany, nie będąc w stanie przeforsować mojej propozycji. Kiedyś napisałem do niego list. Gene został wezwany do górnej kabiny w Air Force One, a prezydent krzyczał na niego, wskazując na mój list: „Dlaczego tego nie zrobimy?". Wiesz, dzięki temu wierzyłem, że człowiek, który ma na głowie tyle spraw, nie tylko słyszy melodię, ale ma też serce dla biednych tego świata – zajmuje tak eksponowane stanowisko i ma serce dla ludzi, wali pięścią w stół z wściekłości, że jego urzędnicy nie potrafią tego przeprowadzić. Jeśli ktoś miałby więc jakiekolwiek wątpliwości co do osoby sie-

dzącej za tym biurkiem, które, tak na marginesie, zrobione jest z dębu irlandzkiego...

Skąd wiedziałeś, że to dąb irlandzki?
Mówię ci, że byłem stolarzem. Nie... on mi powiedział. To biurko należało wcześniej do Kennedy'ego. Chciałem tylko, żeby nam to nie umknęło. [*śmiech*]

Przewińmy parę lat do przodu. Wchodzisz do Gabinetu Owalnego i tym razem zastajesz George'a W. Busha. Co czujesz? Jesteś podenerwowany?
Hmm... nigdy się nie denerwuję, kiedy idę na spotkanie z głowami państwa. Uważam, że to oni powinni się denerwować, bo to oni odpowiadają za życie ludzi, na których ich decyzje mają największy wpływ.

Co podpowiadał ci instynkt, kiedy po raz pierwszy stanąłeś oko w oko z prezydentem Bushem?
Usiłuję sobie przypomnieć ten pierwszy raz. Zawsze wręczam upominek, kiedy mam prosić albo – jak w jego przypadku – od jakiegoś czasu prosiłem o dużo pieniędzy. [*śmiech*] Nie wolno im przyjmować kosztownych prezentów, dlatego zwykle daję im jakiś drobiazg, na przykład tomik poezji Seamusa Heaneya. Prezydent okazał się o wiele bardziej zabawny, niż przypuszczałem. Bardzo zabawny i bystry, wręcz błyskotliwy. Dość szybko przeszedłem do sedna sprawy, a ono nie podlegało dyskusji. Chodzi o to, że nigdzie na świecie poza Afryką nie do przyjęcia było to, że każdego dnia sześć i pół tysiąca ludzi umiera na chorobę, której można zapobiegać i leczyć. W obliczu Boga i historii tego rodzaju rasizm jest nie do pomyślenia. A on się z tym zgodził: „Tak, to nie do przyjęcia". Powiedział: „Właściwie można to określić jako ludobójstwo".

Właśnie takiego sformułowania użył?
Użył słowa „ludobójstwo", co rozumiem jako nasz współudział w zbrodni, z czym się w pełni zgadzam. Później jego ludzie próbo-

wali osłabić wymowę jego stwierdzenia, ale w Ogrodzie Różanym byli dziennikarze, a ja już użyłem tego słowa.

Było za późno, żeby cię powstrzymać.

Racja. [*śmiech*] Naprawdę pomógł nam, używając właśnie tego słowa. Wiedział, że to przenośnia, ale skuteczna. Wiesz, wcześniej korespondowaliśmy ze sobą i musiałem przejść przez wiele drzwi, zanim dotarłem do prezydenta Busha. Bardzo oficjalna okazja, włożyłem więc garnitur. Ale bez krawata. [*śmiech*] Teraz sobie przypominam. Powiedział coś o moich okularach - właśnie! - mówi: „*Wow!* Ale szpanerskie!". A ja na to: „Zazdrości pan? Chce pan takie?". Przekomarzaliśmy się. Jak ci wcześniej mówiłem, miał właśnie wypisać czek na dziesięć miliardów dolarów, nowe fundusze dla biednych. Postąpił właściwie. Panowała miła atmosfera, bo nie musiałem mu wciskać kitu. Podczas dyskusji na temat Millennium Challenge to on był rozgrywającym. Zgodził się, że tak to trzeba rozegrać, dlatego nastrój był inny. Przygotowywałem grunt pod następną zagrywkę, historyczną inicjatywę związaną z AIDS, ale nie chciałem się za bardzo ujawniać. Musisz wiedzieć, że przekonanie polityka do podpisania czeku i jego realizacja to dwie zupełnie różne sprawy. Nasza organizacja, DATA, i inne organizacje pozarządowe muszą bardzo ciężko pracować, pilnować, żeby wszyscy wywiązywali się ze swoich zobowiązań. Budżety są ustalane co roku, więc nasze pieniądze mogą skończyć na podłodze montażowni, tam gdzie obcina się wydatki.

Zostały zatwierdzone?

Nie tyle, ile bym chciał, ale owszem, zostały. Prezydent Bush, jeżeli dotrzyma swoich obietnic, podwoi pomoc zagraniczną dla Afryki, co będzie stanowić największy wzrost od czterdziestu lat. Jednak ze względu na deficyt budżetowy dojście do właściwej kwoty przypomina wyrywanie zębów. Muszę przyznać, że osobą, która poświęciła sprawie najwięcej czasu i która, jeśli to zatwierdzą, zasługuje na miejsce w podręcznikach historii obok prezydenta, jest Condoleezza Rice. Condi otworzyła dostęp do swojego biura angielskim działaczom – Jamiemu Drummondowi i Lucy Mathew z DATA – nie tylko gwieździe rocka i jednemu z Kennedych.

Kiedy Bush pojechał do Afryki, doradzaliśmy, co ma zobaczyć, zorganizowaliśmy spotkania z pewnymi ludźmi, dopilnowaliśmy, żeby poznał niektóre prawdziwe gwiazdy tej walki. W Ugandzie pracuje pielęgniarka nazwiskiem Agnes Nymura. Wiem, że jej wyznanie poruszyło go do łez. Objął ją, kiedy opowiedziała, jak AIDS zniszczyło jej rodzinę. W tym uścisku wyszeptała mu do ucha: „Wiem, że zrobił pan dla nas wiele, ale może by tak przeznaczyć trochę więcej pieniędzy na fundusz Kofi Annana na zwalczanie gruźlicy, AIDS i malarii?". To niesamowicie silna kobieta, spokojna kobieta, ale... może ktoś szepnął jej coś do ucha?

Jak zareagował prezydent?
Nie było mnie tam, ale jestem pewien, że jęknął. To bolesna kwestia. Zawsze domagamy się więcej, ale mamy rację. Stany Zjednoczone na liście dwudziestu dwóch najbogatszych krajów na świecie zajmują dwudzieste drugie miejsce pod względem odsetka dochodu narodowego przeznaczanego na pomoc krajom najbiedniejszym. A i tak pięćdziesiąt procent z tego wydają na dwa kraje: Egipt i Izrael.

A dobroczynność prywatna?
No, wliczając w to prywatną dobroczynność – a prywatnie Amerykanie są bardzo hojni – i dołączając do tego niesłychaną szczodrość Fundacji Billa i Melindy Gatesów, którzy robią w tej sprawie więcej, niż ktokolwiek kiedykolwiek uczynił, Stany Zjednoczone i tak plasują się na piętnastej pozycji. Powiedz to Amerykanom, a ze zdziwienia opadną im szczęki.

Sądzisz, że coś się zmieni w Ameryce pod tym względem?
Uważam, że Amerykanów czeka ponowne określenie siebie, własnej tożsamości poprzez stanowisko, jakie zajmą wobec tych problemów.

W jaki sposób?

Leki na AIDS są doskonałą reklamą tego, co na Zachodzie robimy najlepiej: naszej pomysłowości, osiągnięć naszej nauki. Za niewielką cenę możesz przekształcać społeczności, ocalać miliony istnień. Powiedziałem prezydentowi Bushowi: „Jeśli pan chce, można je pomalować na czerwono, biało i niebiesko, ale tam gdzie trafią, zmienią także sposób, w jaki jesteśmy postrzegani".

Ameryka zmienia swoją etykietkę w Iraku. Czy marka „USA" nie przeżywa kłopotów?

Istnieją poważne wątpliwości nie tylko w świecie islamskim, ale także w innych zakątkach świata co do tego, za czym my na Zachodzie się opowiadamy.

Kłopot w tym, że oni zdecydowanie zbyt często uważają, że nie opowiadamy się za niczym.

W miarę jak w latach osiemdziesiątych i dziewięćdziesiątych Stany Zjednoczone coraz bardziej się bogaciły i osiągały niewiarygodny dostatek - są najbogatszym i najpotężniejszym krajem, jaki kiedykolwiek istniał - w przeliczeniu na głowę mieszkańca przeznaczały coraz mniej na pomoc tym, którzy mieli kłopoty. Przeważało stanowisko: „Nasze siły zbrojne bronią demokracji na świecie. Wykupiliśmy już nasz bilet". Ale nie można sprzeciwiać się terrorowi i jednocześnie ustępować przed biedą. Jedno napędza drugie, doskonale się uzupełniają. Nawet Colin Powell, wojskowy, powtarza to od lat. Kiedy tacy ludzie przyznają, że siłą nie można wygrać wojny z terrorem, może powinniśmy ich posłuchać?

Wydaje mi się, że z perspektywy czasu wydarzenia z 11 września odsłoniły zjawisko, na które wcześniej zwracało uwagę niewielu ludzi: powszechna była niechęć, nawet nienawiść, do Stanów Zjednoczonych.

W tamtych dniach Ameryka przeżyła dwa wstrząsy: pierwszy, związany z samym atakiem, i drugi, kiedy okazało się, że w pewnych kręgach świata islamskiego zareagowano na niego z taką radością, z tak wielkim poparciem. Zdjęcia normalnych mężczyzn i kobiet z Palestyny, Indonezji i Pakistanu podskakujących, cieszących się z tego, że wieże Twin Towers obróciły się w proch, będą moim zdaniem postrzegane jako punkt zwrotny. Gdy przeszły nam obrzydzenie i złość, pojawiło się pytanie: jak doszło do tak silnej eksplozji nienawiści i pogardy dla najpotężniejszego kraju na ziemi, który walczył z faszyzmem i tyle poświęcił dla wolności?

Czy twoim zdaniem wojna w Iraku – mam tu na myśli jej cele – ma szanse doprowadzić do poprawy sytuacji?
Są tacy, którzy wierzą, że w dłuższej perspektywie czasu utworzenie przyczółku dla demokracji na Bliskim Wschodzie jest jedynym sposobem zapewnienia pokoju w tej części świata. Ja do nich nie należę. Wystarczy, że spojrzę na moją ojczyznę, i od razu widzę, jak dalece obecność obcych wojsk może się przyczynić do powiększenia szeregów terrorystów. Zdjęcia maltretowanych więźniów w Abu Ghraib przekonały wielu rozsądnych młodych Arabów i Arabek, że jeżeli chwycą za broń, to sami zostaną bojownikami o wolność. Martwię się tym i wszystko się we mnie przewraca.

Pytam cię po raz ostatni: czy naprawdę polubiłeś George'a W. Busha?
Bardzo dobrze się rozumiemy. Jak ci już mówiłem, nie mogłem przybyć z bardziej odmiennego świata. Nie zgadzamy się w bardzo wielu kwestiach, ale mówię ci, że był poruszony moją relacją o tym, co się dzieje w Afryce. Zaangażował się. Myślę, że kiedy siedzę z kimś ramię w ramię, to umiem powiedzieć, czy chodzi tylko o politykę. Wziął to sobie do serca. Uważam, że mimo całej teksańskiej buty posiada instynkt religijny, dzięki któremu potrafi zachować pokorę.

Chodzi ci o ten cały przerażający prawicowy fundamentalistyczny neokonserwatyzm?
Tak się składa, że jest metodystą. Trzeba przyznać, że większość członków jego gabinetu nie zalicza się do religijnych ekstremistów.

Ale w pewnych kwestiach musiałeś się z nim nie zgodzić.
Raz walnął pięścią w stół, kiedy wymyślałem mu, że leki na AIDS zbyt wolno docierają do potrzebujących. Jestem Irlandczykiem, a kiedy nas poniesie, nie robimy przerw na złapanie tchu, żadnych przecinków ani kropek. Uderzył w stół, żebym pozwolił mu odpowiedzieć. Z uśmiechem przypomniał mi, że to on jest prezydentem. Dyskusja była zaciekła. Podziwiałem go, że potrafi się tak zapalić. I spójrzmy prawdzie w oczy, tolerowanie irlandzkiej gwiazdy rocka nie zalicza się do jego urzędowych obowiązków.

Toleruje cię wiele urzędujących głów państw. Wymieńmy ich, skoro już o tym mowa. Czy kanclerz Niemiec Gerhard Schröder podchwycił melodię, którą mu zanuciłeś?
Spotkałem go tylko parę razy. Za pierwszym razem piliśmy piwo. Miałem wrażenie, że kiedy indziej byłby fajnym kompanem do kufla. Był na luzie, uśmiechał się. Później już nie był taki odprężony. Pewnie trudno się rozluźnić, kiedy ktoś taki jak ja pakuje ci rękę do kieszeni. Jego minister finansów to legenda: Hans Eichel. Wydaje się, że krótko trzyma kanclerzy. Ale nie można bez przerwy wymawiać się Niemcami Wschodnimi za brak zdecydowania w kwestii rozwoju świata. Politycy zachowują się tak, że odnosi się wrażenie, iż to właśnie oni potrzebują pomocy zagranicznej. Mówiąc poważnie, błagałem go, żeby nie znalazł się po niewłaściwej stronie historii. Są chwile, kiedy kraj musi sięgnąć do szkatuły i odżałować coś dla ludzi spoza własnych granic, i to jest właśnie jedna z takich sytuacji. Mam wrażenie, że wreszcie posuwamy się naprzód. Fischer, minister spraw zagranicznych, to bardzo pozytywna postać, otrzymałem też spore poparcie ze strony przedsiębiorców. Uważają, że nadszedł czas, żeby Niemcy odzyskały należną pozycję na świecie.

Próbowałeś włożyć rękę do kieszeni Putina? Podobno ma czarny pas karate.
Poprosił mnie o współpracę w kwestii rosyjskiego zadłużenia. Zażartował, ja w śmiech i skończyło się to jedną z najgorszych scen

uwiecznionych na zdjęciu. Podczas szczytu G8 w Genui mnie i Boba Geldofa przedstawił mu Tony Blair. Miasto wyglądało jak linia frontu, wielu ludzi odniosło rany w zamieszkach. Młody człowiek stracił życie z rąk włoskiego policjanta, a mnie sfotografowano, jak po drugiej stronie kordonu pikietujących śmieję się razem z politykami. Wtedy nie wiedziałem o tej tragedii, ale to przykład, że moją otwartość i gotowość do podania ręki można błędnie zinterpretować i że czasami nie jestem tak bystry, jak mi się wydaje. On był zawodowcem. Elegancko ubrany, każdy włosek w nosie na swoim miejscu, znać wielki umysł, poza tym bardzo czarujący. Nie pojechałem tam na rozmowę o Czeczenii. Może w ogóle nie powinienem był tam przyjeżdżać?

Czy często bywasz pod ostrzałem agresywnej lewicy? W takich chwilach znajdujesz się bardzo daleko od barykad.
Wiem, że wypadłbym znacznie lepiej z chustką na twarzy i koktajlem Mołotowa w ręce. Ale wiesz, jestem głęboko przekonany, że zdyscyplinowana argumentacja na rzecz naszej sprawy i zdobywanie jak najszerszego poparcia przez zakrojony na szeroką skalę ruch oddolny to jedyny sposób na jej załatwienie. Nie ma to nic wspólnego z lewicą ani z prawicą.

Ale czy nie bliżej ci do lewicy niż do prawicy?
Niekoniecznie. Lewica może oferować więcej pieniędzy na walkę z AIDS albo na złagodzenie obciążeń z tytułu zadłużenia, ale nabiera wody w usta, kiedy chcemy z rozmawiać o reformie handlu. Europejska Wspólna Polityka Rolna, tak popierana przez lewicę, blokuje afrykańskim towarom dostęp do naszych półek w supermarketach, gdy tymczasem my zalewamy ich kraje naszymi dotowanymi płodami rolnymi.

Mówiąc o Wspólnej Polityce Rolnej, zastanawiam się, co sądzisz o moim prezydencie [Chiracu], który stanowczo broni francuskiej polityki rolnej.

Handel to drażliwa i skomplikowana kwestia. Francuscy rolnicy korzystają ze znacznej ochrony swojego stylu życia. Na francuskie krowy wydaje się dziennie więcej pieniędzy, niż zarabia większość Afrykanów. Ale wiesz co? To jedyna kwestia, której gwiazda rocka po prostu nie może załatwić.

Dlaczego?
Z czystego tchórzostwa. Zaraz zaczną wrzucać mi owce do ogrodu. Nie podejmuję walki, której nie mogę wygrać.

Dyplomatycznie unikałeś zatem tematu podczas rozmowy z Chirakiem. Albo on udawał, że cię wtedy nie słyszy?
Nie. Przyznał, że niektóre rozwiązania będą musiały ulec zmianie. Zapytałem: „Kiedy?". Na to nie odpowiedział. Obiecał mi, że Francja będzie nadal występować jako płaszczyzna porozumienia między Europą a Afryką. Miałem wrażenie, że dobrze zna teren. Znacznie częściej jeździł do Afryki niż jakakolwiek nieafrykańska głowa państwa.

Z oczywistej przyczyny – to przecież dawne kolonie.
Owszem, przyznał to. Zdawał się rzeczywiście czuć i rozumieć, co się dzieje. Podczas naszych spotkań rzadko zwracał się do doradców. Zaangażował się emocjonalnie. A ja powiedziałem zgromadzonym na zewnątrz dziennikarzom, że celem mojej wizyty jest przekucie tych emocji w gotówkę.

Był pełen emocji. Ale czy był optymistą?
Tak.

Mówił poważnie?
Tak.

Kto jest twoim ulubionym politykiem?
To będzie zdecydowanie Gorbaczow, naprawdę nieszczęśliwa postać. Odważnie realizując swoje przekonania, otworzył się na kryty-

kę w dawnym Związku Radzieckim. Niektórzy ludzie nienawidzą go za zlikwidowanie starego giganta, ale bez niego XX wiek mógł zakończyć się zupełnie inaczej.

Jak często się z nim spotykasz?
Widywaliśmy się wielokrotnie i nawet teraz rozmawiamy co parę miesięcy. Kiedyś przyjechał do Irlandii, a ja zapomniałem powiedzieć Ali, że może do nas zaglądnąć. W Temple Hill była akurat pora niedzielnego lunchu. Nasz dom w niedzielę przypomina dworzec kolejowy. Ludzie wpadają na lunch, pogadać, napić się wina. Nagle zadzwonił dzwonek do drzwi na górze. Ali poszła otworzyć, nie spodziewając się, że zobaczy byłego przywódcę bloku sowieckiego z gigantycznym – naprawdę g i g a n t y c z n y m – misiem, prezentem dla małego Johna.

Nie miała pojęcia, że przyjdzie?
Nie umawialiśmy się dokładnie, a potem zupełnie zapomniałem o wszystkim.

Zapomniałeś o Gorbaczowie, więc teraz rozgrzeszam cię za te liczne okazje, kiedy zapominałeś o mnie. Wiem, że Ali sporo pracuje w Rosji, Dzieci Czarnobyla...
Tak. Nakręciła tam niesamowity film dokumentalny *Czarny wiatr, biała ziemia* i regularnie jeździ w konwojach z pomocą irlandzką dla Rosji.

Rzeczywiście sama prowadzi?
Tak, karetki. Prowadzi przez całą drogę.

Cieszę się, że to nie ty.
[*nie zwraca na mnie uwagi*] Na czele jej organizacji stoi wspaniała kobieta, Adi Roche. Wracając, przywożą chore dzieci na wakacje do Irlandii. Najdziwniejsze było to, że przebywało u nas jedno z jej ulubionych dzieci z Białorusi, Anastazja. Ali jest jej matką chrzestną.

Żartujesz.
Nie. Siedzimy wszyscy przy stole, prezydent Gorbaczow ze szklaneczką irlandzkiej whisky, paru starych przyjaciół: Quincy Jones, jego dziewczyna Lisette, Dean Ornish - sławny kardiolog, jego żona Molly i pełniąca funkcję tłumaczki prezydenta Gorbaczowa Nina Kostina, a tu nagle wchodzi Anastazja w aparacie ortopedycznym. W wyniku napromieniowania ziemi w okolicach, w których się wychowała na Białorusi, urodziła się bez nóg od kolan w dół. Kiedy weszła, wszyscy zamilkli. Kiedy powiedzieliśmy Gorbaczowowi, kim jest ta dziewczynka, nie mógł opanować wzruszenia. Widzieliśmy, że jest wstrząśnięty. Posadził ją na kolanach i powiedział zebranym, że może podzielić swoje życie na dwie części: przed Czarnobylem i po nim. Wtedy właśnie zdał sobie sprawę, że Związek Radziecki nie może tak dalej trwać.

Domyślam się, że nie opuszczała cię świadomość, iż ten człowiek kontrolował drugi co do wielkości światowy arsenał nuklearny.
Zapytałem go o to. Zapytałem go, czy kiedykolwiek był blisko otwarcia walizki. Popatrzył mi prosto w oczy i powiedział, że nigdy nie było i nie będzie okazji do użycia tej broni oraz że od wczesnej młodości wiedział, że to szaleństwo.

Czy z tego, co powiedział Gorbaczow, coś jeszcze utkwiło ci w głowie?
Zapytałem go: czy wierzy w Boga? On odpowiedział: „Nie, ale wierzę we wszechświat”.

14. NIE ZMIESZCZĘ SIĘ W TRUMNIE TUTENCHAMONA

Byłem zaskoczony, gdy asystentka Bono Catriona poinformowała mnie, że jej szef chce ze mną rozmawiać w dniu swoich urodzin. Przyjechał w interesach do Nowego Jorku i przywiózł ze sobą rodzinę. 10 maja 2004 roku przypadały także urodziny jego najstarszej córki Jordan, która kończyła piętnaście lat.

Kiedy zadzwonił, w Nowym Jorku była dziesiąta rano. Od kilku godzin był już na nogach. Powiedział: „Wstaję o wpół do siódmej. Rano widuję się z moimi dziećmi. Przepadam za tym. Kiedy jestem we Francji, wstaję i pływam, to prawdziwy odlot. Wtedy rozjaśnia mi się w głowie. A kiedy nie piszę, czytam. Potem, o dziewiątej, zaczynam zwykłe zajęcia, przeglądam listy i zabieram się za twoje e-maile i całe to okropieństwo. Ale te dwie godziny, od siódmej do dziewiątej, to pora kiedy mam najbardziej rozbudzoną wyobraźnię, wtedy wszystko wydaje się możliwe. Przez resztę dnia mam już z górki".

Miałem wrażenie, że jest w żartobliwym nastroju. Później powiedział mi, że wieczorem miał zabrać Jordan na premierę *Troi*, czym była szczególnie podekscytowana. „Niezła z nas banda, kiedy tak się razem wypuszczamy", wyznał z pewną dumą.

[Bono: *śpiewając*] „*Happy birthday to me, happy birthday to me* / Urodziłem się w zoo".

Jakie to żałosne: wybrać przypadkowy numer we Francji i samemu sobie życzyć wszystkiego dobrego z okazji urodzin. Naprawdę mi ciebie żal.

Wiesz, że wcale nie jesteś w błędzie?

Czy dzień twoich urodzin ogłoszono już w Irlandii świętem narodowym?
Nie. Ale z całego serca jestem za tym. Po co czekać, aż umrę? [*śmiech*] Mam umrzeć na krzyżu, zginąć z własnej ręki czy wyskoczyć przez okno? Albo czekać, aż Edge strzeli mi w tył głowy? Właściwie w przypadku Edge'a byłby to raczej płat czołowy. Czemu nie miałbym już teraz się pławić w całej tej aurze, która otacza zmarłych? Może ubilibyśmy na tym interes? Może pomyślelibyśmy o wycieczkach dla turystów?

Mogę się tym zająć.
Wyznaczyć parę tras. Tutaj umrze, a tutaj będzie pochowany. Jaki pogrzeb by ci odpowiadał? Pewnie wolałbyś jakąś bardzo dyskretną uroczystość, prawda?

Myślę, że coś takiego byłoby w lepszym guście.
Nie, nie. Gust jest wrogiem dobrej śmierci.

Bardzo trudno się z tym nie zgodzić.
Poproszę o dużo płaczu i zawodzenia. Do tego dobra muzyka: Bob Dylan zaśpiewałby *Death Is Not the End*. Chyba wezmę Pavarottiego, żeby zaśpiewał *Traviatę*. I jeszcze dużo irlandzkich dud i chór chłopięcy.

Mógłbyś mówić wolniej? Spisuję listę życzeń.
Proszę o siedem dziewic westalek. Naprawdę. Niech Ali i sześć innych dziewczyn ufarbuje sobie włosy na blond, łącznie z włosami łonowymi. I chciałbym, żeby to one niosły trumnę. Być może będą musiały pochodzić wcześniej na siłownię. Przygotować się na tę śmierć! Ale ma być dużo płaczu. A potem kilka awantur na stypie. „To był drań! Czy nikt nie wstanie i nie powie otwarcie, że był d r a n i e m?" Gavin Friday w końcu przełamie milczenie: „W latach siedemdziesiątych nie oddał mi albumów Briana Eno. A kiedy wreszcie do mnie wróciły, po obu stronach były popaprane dżemem". Wiesz, w tradycji Mao-

rysów jest coś, co się nazywa Tangi [skrót od Tangihanga] – i uczestniczyłem w jednej takiej uroczystości. Leżysz w otwartej trumnie. Przez trzy dni ludzie śpią z tobą w pokoju, wstają i mówią do ciebie. Ich zadaniem jest wyrzucić z siebie każdą złą myśl albo żal, jaki do ciebie czuli. Mają ci to wyznać i wypowiedzieć, nie przepraszać, ale po prostu przez to przejść. Jeżeli ktoś pożyczył pieniądze i ich nie oddał, złoszczą się i krzyczą na zwłoki! Szczerość ma ułatwić przejście do następnego życia. Niestety, zawsze się sprawdza.

Wiesz, co mi to przypomina? Pamiętasz ten fragment z *Braci Karamazow*? Zosima, stary pustelnik, który wychowywał Aloszę w klasztorze, umiera. Kiedy przy jego zwłokach czuwają mnisi, ciało zaczyna okropnie śmierdzieć. Wcześniej mówiono same wspaniałe rzeczy, jaki to był święty. Naraz ludzie zaczynają rozpowiadać: „Cuchnie jak zepsuta ryba!". Sądzę, że to wspaniały symbol tego, czego nie śmiesz powiedzieć o zmarłym – ale w końcu i tak wychodzi na wierzch.

Michka, uspokój się. Dziś są moje urodziny. [*śmiech*]

Przepraszam, ale to ty zacząłeś.

A tak przy okazji, mogę wrzucić kamyczek do ogródka krytyków? Pomysł, żeby z uznaniem wyrażać się o zmarłych – pamiętaj o tym. Poproszę o całą uprzejmość z góry...

Czy w swojej niedawnej mowie w obecności kanclerza Schrödera wspomniałeś o „dziennikarzach, którzy idą za tobą do łazienki, żeby zadać te denerwujące, ale ważne pytania"? Nie wiem, czy ubiegłego wieczoru zwróciłeś uwagę na dziwne odgłosy – to ja zakładałem ci w łazience kamerę internetową i montowałem mikrofony pod materacem, tak w stylu sowieckim, tudzież pobrałem próbkę twojego moczu do analizy.

Posłuchaj, nie mają wystarczająco dobrego wyposażenia, żeby zająć się moim moczem. To przeważnie Margaux rocznik 1982, przynajmniej tak mi się wydaje.

W związku z tym, że dzisiejszy dzień ma szczególny charakter, czy masz jakieś wspomnienia z uroczystości urodzinowych w Ballymun, kiedy żyła twoja matka?
Och, chyba nic nie pamiętam. Nie mam zbyt wielu wspomnień z dzieciństwa. [*pauza*] Pamiętam chyba moją osiemnastkę, bo napisałem na niej piosenkę pod tytułem *Out of Control*. Pamiętam, jak trzymałem gitarę, gitarę akustyczną mojego brata. Progi były trochę nadwerężone i musiałem dość mocno przyciskać struny. Słowa nie powalały na kolana, ale szło mniej więcej tak: „Poniedziałkowy ranek, osiemnaście lat brzasków / Zapytałem: »Jak długo?«, Zapytałem: »Jak długo?«/ To był jeden nudny poranek / Obudziłem świat krzykiem / Byłem bardzo smutny, oni byli bardzo zadowoleni / Miałem wrażenie, że wszystko wymyka się spod kontroli". Opowiadała o tym, jak w osiemnaste urodziny zdajesz sobie sprawę, że w kwestii dwóch ważnych wydarzeń w życiu, czyli urodzin i śmierci, nie masz nic do powiedzenia.

Za każdym razem, kiedy opowiadasz o swoim dzieciństwie, mam wrażenie, że wszystko spowija mgła. Z przyczyn oczywistych najwyraźniejszym wspomnieniem zdaje się pogrzeb twojej matki...
Racja. Właśnie się nad tym zastanawiam. Mam wyraźne wspomnienia związane z wagonem kolejowym, należącym do dziadka, w miejscu zwanym Rush, na plaży.

Opowiadałeś mi o tym.
Przypominam sobie plażę, piaszczyste wydmy i snucie się po okolicy. Naprawdę nie pamiętam, żebym był szczególnie towarzyski. Nie zależało mi na zawieraniu przyjaźni, więc sporo czasu spędzałem sam.

Trudno sobie wyobrazić, że byłeś taki nieśmiały.
Tak, ale przy Cedarwood Road, kiedy byliśmy dziećmi, bardzo zaprzyjaźniłem się z Guggim. Mimo że nie pamiętam żadnych konkretnych urodzin, przypominam sobie, że kiedy Guggi je obchodził, trzy dni po moich, cokolwiek dostał od swojej rodziny, jakieś pieniądze, dzielił się ze mną po połowie. W pewnym sensie nauczył mnie

jednej z najważniejszych rzeczy – mianowicie dzielenia się. Pod tym względem był niesamowity, bo jako dziecko nie dzielisz się niczym i chcesz mieć różne rzeczy dla siebie, ale jemu wpojono, że nie, cokolwiek masz, połowę z tego oddajesz przyjaciołom. Wiesz, że postępował tam samo, kiedy byłem w zespole i nie miałem ani pensa przy duszy. Przyjaciele nadal za mnie płacili. Nawet Ali. Mieszkańcy Dublina zawsze zachowywali się podobnie. Tyle pamiętam, jeżeli chodzi o urodziny – pamiętam urodziny Guggiego. Ale to wszystko. Chyba niczego więcej sobie nie przypomnę.

Pamiętasz, kiedy po raz pierwszy usłyszałeś muzykę, która zrobiła na tobie piorunujące wrażenie?
Tak, pamiętam. Te wspomnienia są bardzo wyraźne. Naprawdę bardzo wyraźne. Kiedy tak o tym mówisz, przypomina mi się bardzo dużo takich chwil, [*śmiech*] bo bardzo dokładnie pamiętam, że usłyszałem w radio *I Want to Hold Your Hand* Beatlesów. To był pewnie rok 1963, prawda? Miałem wtedy jakieś trzy, cztery lata.

Masz jeszcze przed oczami jakieś inne sceny?
Byłem w ogródku. Wtedy z tyłu domu rosły drzewa, ale zaczęli je wycinać. Uwielbiałem chować się na drzewach, wspinałem się na samą górę i cieszyłem się, kiedy matka, szukając mnie, wołała mnie po imieniu. Chciałem potrzymać ją za rękę. Pamiętam, że grało tranzystorowe radio i wszyscy mówili o tym zespole. Wielkie objawienie. Uwielbiałem Beatlesów. Dopiero niedawno zorientowałem się, chyba w zeszłym miesiącu, że nazwa zespołu The Beatles to dość marna gra słów. Pamiętam Boże Narodzenie, wstawałem z bratem i oglądaliśmy ich w dzień świętego Szczepana, w drugi dzień Świąt. Grali wtedy *A Hard Day's Night*, potem *Help!*, jeszcze później *Yellow Submarine*. Ich muzyka wywarła na mnie duży wpływ. A później, kiedy byłem trochę starszy, przyszedł czas na Elvisa.

Naprawdę? Ale nasze pokolenie trafiło na późny okres, na Elvisa z Las Vegas, więc powinieneś raczej sądzić, że był do niczego.

Nic podobnego, podobało mi się wiele jego filmów. Nie uważałem, że były do kitu albo gówno warte. A potem, oczywiście, przebłysk boskiego geniuszu: program „Elvis Presley's Comeback Special" z 1968 roku.

Obejrzałeś go na żywo?
Nie. Nie wiem, kiedy go widziałem, ale to była decydująca chwila. W „Zoo TV" ubrałem się tak jak on. Zrobiliśmy nawet małą estradę B. Tak, Elvis. A potem John Lennon. Kiedy miałem jedenaście lat, słuchałem *Imagine*. Naprawdę oszalałem na punkcie tego albumu, zastrzyk świeżej krwi.

Czy w twoim domu słuchano muzyki?
Owszem. Ojciec bez przerwy słuchał oper i puszczał je naprawdę głośno. Ten człowiek, wywodzący się z klasy robotniczej, stawał przed kolumnami z drutami mojej matki.

[*śmiech*] I dyrygował.
Tak, dyrygował. Tak robił. [*śmiech*] A my, dzieci, wołaliśmy: „Ścisz to!". Kiedy słuchał, zupełnie się zapominał.

Aż dziw, że nie znienawidziłeś opery.
Nie pamiętam, żebym wtedy za nią przepadał, ale w pewnej chwili przemówiła do mnie. Teraz, patrząc z perspektywy czasu, widzę, że mój ojciec przeżywał chyba własną operę. Nikt nie ma prostego życia, właśnie to jest w operze wspaniałe. A on kurczowo trzymał się tej muzyki. Tego właśnie słuchaliśmy. Później oczywiście przyszła muzyka mojego brata, bo jest ode mnie siedem lat starszy. Słuchał The Who, Jimiego Hendriksa. Potem przedstawił mi „duet" David Bowie & Hunky Dory*! Myślałem, że to duet jak Simon i Garfunkel i mówiłem bratu, że „oni" mi się podobają! [*śmiech*] A Bowie wyciągał takie wysokie tony, że odbijały się echem w głowie. Niesamowite wrażenie. Ziggy Stardust i The Spiders from Mars – to był chyba pierw-

* *Hunky Dory* to tytuł płyty Bowiego z 1971 r. (przyp. red.).

szy artysta, którego fanem zostałem. Marc Bolan i T. Rex, glam rock. Ale to przyszło po Johnie Lennonie i Bobie Dylanie. Słuchałem ich w wieku jedenastu i dwunastu lat, a kiedy miałem trzynaście, czternaście lat, zacząłem się przebierać.

Za kobietę?
Za kobietę? Nie. Nawet w sukience wyglądam jak Fred Flintstone.

Nigdy nie czytałem na temat muzycznych upodobań twojej matki. Czy kiedykolwiek śpiewała?
Nie. Tylko ojciec śpiewał.

Więc nie śpiewała. Ale czy lubiła muzykę?
Nie pamiętam. [*nagle*] O tak! Powiem ci coś. Była fanką Engelberta Humperdincka. Kiedy się tak zastanawiam, dochodzę do wniosku, że lubiła muzykę. Musiała, skoro była fanką Engelberta i Toma Jonesa. Ale ci dwaj ostro o nią konkurowali. Nie Beatlesi i Stonesi, tylko Tom Jones i Engelbert. [*śmiech*] Właśnie, nawiasem mówiąc, Michka, razem z przyjacielem Simonem Carmodym napisałem piosenkę dla Toma Jonesa. Dość zabawna. Nosi tytuł *Sugar Daddy*. Mieliśmy niezły ubaw. Jest świetna. Idzie tak: „Mam męską intuicję / Mam seksualną ambicję / Jestem ostatni z wielkiej tradycji / Wyjaśnię moją pozycję / Im robię się starszy, tym jestem lepszy / Ale to wszystko na pokaz... bum-bum / To wszystko dlatego / Że przedstawienie musi trwać / Co więcej mogę zrobić? / Na was wszystko zrzucić! / Bum-bum... *Sugar*... di di di / *Sugar daddy* / Dum... di di di/ *Sugar daddy*", ma świetną partię basową, taką „bu-bu-bum bu-bu-bum". Jest świetna.

Zupełnie jakbym słyszał Toma Jonesa!
Tak. Jest niesamowity. Kiedy jako dziecko oglądałem go w telewizji, pamiętam, że siedziałem z mamą i tatą i czułem podniecenie jego występem. Zatracał się w tym. Ten biały facet o przepojonym zmysłowością głosie czarnoskórego. Pamiętam, że miałem jakieś dziewięć, dziesięć lat i myślałem: „A to ci dopiero!". Podziwiałem go.

Tom Jones to piosenkarz dla dorosłych. Właściwie w latach sześćdziesiątych istniał wyraźny podział na muzykę dla dorosłych i muzykę dla dzieci. On cieszył się uznaniem gospodyń domowych.
Wszystkich. To było niezwykłe. Jego występ miał w sobie dużo zmysłowości – jak dla białych ludzi. Wcześniej nie widywało się tego, dopiero Elvis zaczął się tak zachowywać. [*przerywa znienacka*] Chodź tutaj! Właśnie dostałem piękny prezent urodzinowy. Najpiękniejsza dziewczyna na świecie, moja córka, wskoczyła obok mnie na łóżko. Wszystkiego najlepszego, Jordan! Wiesz, że mamy urodziny w ten sam dzień. Mam tu Michkę. [*przekazuje jej słuchawkę*]

Wszystkiego najlepszego, Jordan...
[*Jordan*] Dziękuję.

Ile masz lat?
[*Jordan odpowiada*] Piętnaście.

Trudno w to uwierzyć, ale ja ci wierzę.
[*Jordan się śmieje*] OK, dziękuję. [*Bono odbiera słuchawkę*] No widzisz.

Piętnaście! Toż to kobieta!
Wspaniała dziewczyna. Kiedy urodziła się Jojo, dostałem najlepszy prezent urodzinowy.

Mówiąc o urodzinach, które dorosłe urodziny uważasz za szczególne? Masz jakieś wyjątkowe wspomnienie tego, co robiłeś w tym dniu?
Pamiętam jeden szczególny wieczór. To były chyba dwudzieste pierwsze urodziny w Paradiso w Amsterdamie. Uwielbiam Holendrów. Jednym z moich najlepszych przyjaciół jest fotograf Anton Corbijn. Holendrzy są tacy postępowi. Pamiętam najbardziej nadzwyczajny, transcendentny wieczór urodzinowy. Paradiso, świetny klub, i jedna z tych imprez, kiedy czas i przestrzeń znikają, ty po prostu wchodzisz w życie innych ludzi, a oni wchodzą w twoje. Do czegoś takiego mo-

że doprowadzić tylko muzyka. Pamiętam też moją czterdziestkę. Była dość niezwykła, bo Ali zabrała mnie w podróż po Europie z czterdziestoma przyjaciółmi. Lecieliśmy samolotem jak z drugiej wojny światowej. Nie chciała mi powiedzieć dokąd. Odwiedziliśmy różne miejsca. Trwało to tylko weekend, a po drodze działy się bardzo surrealistyczne rzeczy. Ali świetnie radzi sobie z surrealizmem. Trzydzieste trzecie urodziny też były niezwykłe. Budowaliśmy w ogrodzie basen. Dla faceta z dzielnicy North Side w Dublinie coś takiego to wielka sprawa. Basen był duży i nie było w nim wody. No i Ali nakryła do stołu na dnie. Grała muzyka i mieliśmy markizę, [*z oddali dobiega głos Ali, jak gdyby w proteście*] właśnie mi przerwała. Co mówisz? Powiem Michce! Poczekaj chwileczkę. [*Bono wręcza słuchawkę Ali, która kontynuuje rozmowę*] Boże! On jest niemożliwy!

Och, cześć, Ali.
[*Ali*] Był tam cyrkowy namiot, cyrk i wiolonczele. Cześć, Michka.

Nie miałem pojęcia, że jesteś w pokoju. Miałem właśnie powiedzieć: o proszę, działa cenzura...
[*Ali mówi dalej*] Wiem, to okropne. Na dnie basenu stał namiot. Z jednej strony basen jest głębszy o dwanaście stóp, postawiliśmy więc namiot i rozwinęliśmy czerwony dywan aż na sam dół. Reszty zespołu nie było w kraju, ale w ogrodzie ustawiliśmy gigantyczne głowy Adama, Larry'ego i Edge'a, bardzo w stylu *Achtung Baby*, i rozpaliliśmy kilka dużych ognisk. A potem, kiedy szliśmy na miejsce, przygrywał nam kwartet smyczkowy. To była naprawdę bardzo ciekawa noc, bardzo operowa, bardzo w stylu Bono. Oddaję ci go, bo nie rozmawiam z dziennikarzami.

Właśnie to zrobiłaś. A więc jesteście w komplecie. Najpierw myślałem, że Bono jest sam. Potem słyszę Jordan, a teraz ciebie. Zaraz mi powiesz, że w pokoju jest jeszcze pięćdziesiąt osób.
[*Ali śmieje i ciągnie dalej*] Poczekaj sekundę. Jest tutaj. Trzymaj się, pa. [*Bono bierze słuchawkę*] Psychoanaliza? Odlewam się. Nie, wcale nie.

Nie musisz się tłumaczyć. Wszystko widzę na moim monitorze.
Nie sądzisz, że dobrze wyglądam? Schudłem.

Moim zdaniem, lepiej byś się ufarbował.
Nie. Chociaż - tak, niedługo będę miał rude włosy.

Jak Annie Lennox?
Chciałbym. Będę wyglądał jak przybysz z zachodniej Irlandii. Tak, kończy się okres grubego Elvisa. Mija rok bez trasy, jestem więc z rodziną, piję wino, jem makarony. Zanim się obejrzysz, stoisz na scenie w Vegas z dużą orkiestrą dętą i nie możesz dopiąć paska.

Właśnie przez pięć minut opisywałeś swój pogrzeb, myślę więc, że mi odpowiesz. W wieku czterdziestu czterech lat masz pewnie więcej lat za sobą niż przed sobą. [*Bono śmieje się sardonicznie*] Jak postrzegasz własną śmiertelność? Z jednej strony gwiazdy rocka mają kompleks Piotrusia Pana. A z drugiej, masz Keitha Richardsa, który mówi: „Im jesteś starszy, tym starszy chcesz być". No to po której jesteś stronie?
Podzielam opinię Keitha.

Na sto procent?
Tak. Wiesz, że wszyscy moi bohaterowie to starzy faceci. Zawsze szukałem błogosławieństwa starszych ludzi, począwszy od Franka Sinatry, przez Willie Nelsona, Boba Dylana, Johnny'ego Casha, a skończywszy na moim przyjacielu malarzu Louisie Le Brocquy. W Piśmie Świętym błogosławieństwo starszego człowieka niesie wielką siłę. Pomyśl o Jakubie, który podstępem wyłudził błogosławieństwo swojego ojca Izaaka, bo przebrał się za swojego brata. Okrył się koźlęcą skórą, bo jego brat miał owłosione ramiona. Poszedł do ślepego ojca, tuż przed jego śmiercią. A on pobłogosławił najstarszego syna. Jakub ukradł błogosławieństwo. Niesamowite jest to, że Bóg uznał błogosławieństwo ślepego starca. Często zastanawiałem się dlaczego. Głowiłem się nad tym. Jakub da-

lej trochę oszukiwał, dopóki nie stoczył walki z aniołem, uciekając od własnych obowiązków. To mu dało do myślenia, w końcu zwolnił [*śmiech*] i został ojcem wielkiego narodu. Ale zawsze mnie to zdumiewało. Na przykład: dlaczego Bóg uznał tego oszusta, człowieka, który ukradł błogosławieństwo swojemu bratu? Przyszła mi do głowy tylko jedna odpowiedź i może nie była taka zła: on bardziej pragnął tego błogosławieństwa. [*śmiech*] Myślę, że Bóg był tym poruszony. Jakub wiedział, że błogosławieństwo jest bardzo ważne, chciał je dostać od ojca i wiedział, że Bóg to pochwala. Gdy tylko rozdzielają jakieś błogosławieństwa, staram się je złapać. Od Franka Sinatry czy Williego Nelsona. Szokowałem i zaskakiwałem ludzi, prosząc ich o błogosławieństwo.

Naprawdę? Kogo?
Poprosiłem o błogosławieństwo arcybiskupa Tutu. Ukląkłem, a on mi go udzielił. [*śmiech*] Jest jednym z ludzi, których najbardziej w życiu podziwiam, i mam błogosławieństwo, które pomoże mi przejść przez niejedno.

Kogoś jeszcze?
Mnóstwo ludzi. Na czele listy musiałby się znaleźć Billy Graham. Dał mi swoje błogosławieństwo i położył na mnie dłonie. Cudowny człowiek, który potrafił swoim południowym zaśpiewem zmienić Pismo Święte w poezję.

Czy to nie zaskakujące, że kiedy wspominam o starzeniu się, pierwszym słowem, które przychodzi ci na myśl, jest „błogosławieństwo"? Tymczasem ludzie wzdrygają się na samą myśl o starości. Popatrz, jak sprzedają nam ideę wiecznej młodości. Żadnych zmarszczek, żadnych zbędnych kilogramów. Większość ludzi za największe życiowe błogosławieństwo uznałaby pewnie wieczną młodość.
Już tego tak nie postrzegam. Moim zdaniem, to kac lat sześćdziesiątych, obsesji młodości. Niektórzy ludzie umierają w wieku siedemnastu lat, ale pogrzeb odkładają, aż stuknie im siedemdziesiąt sie-

dem. Widuję wielu martwych młodych, widuję wielu żywych starców. To dla mnie bez znaczenia. Głos jest czymś niesamowitym. Weźmy Franka Sinatrę, uwielbiam jego głos. Kiedy przygotowywałem się do nagrania *Two Shots of Happy, One Shot of Sad*, słuchałem go bez przerwy. Nie wiem, czy rozmawiałem z tobą o jego darze interpretacji, reinterpretacji. Czy słyszałeś *My Way* z Luciano Pavarottim? Ta piosenka powstała jako przechwałka i na początku Sinatra śpiewał ją jak przechwałkę. Ale posłuchaj wersji nagranej do albumu *Duets* [wydanie rocznicowe *Sinatra 80th: Live in Concert*], gdzie wszyscy powtarzają, że nie umie śpiewać, a piosenka brzmi jak przeprosiny – a przecież to te same słowa i ta sama melodia. Nikt nie rozumie, o co chodzi w śpiewie. Popatrz na Pavarottiego, który w tym kawałku występuje z nim w duecie – ludzie mówią o nim: „Kiedy był młodszy, miał taką niesamowitą siłę, taki akrobatyczny głos". Słucham go i słyszę ten sam dar, ale to życiowe doświadczenie czyni go tak bogatym. Słyszę każdą uronioną łzę, każdą kłótnię, każdy kompromis. Ludzie po prostu nie rozumieją opery, jeżeli tego nie spostrzegają. Właśnie o to w niej chodzi. A przekonanie, że musisz śpiewać jak wyczynowiec na olimpiadzie, jakby to była jazda na lodzie, oznacza kompletny brak zrozumienia, że to sztuka, sztuka interpretacyjna. Uwielbiam to, co wiek robi z głosem. Popatrz, jak pięknie wygląda i śpiewa Willie Nelson. Kiedy będę po sześćdziesiątce, dopiero będę *cool*.

Podoba ci się, co wiek robi z głosem. A podoba ci się, co robi z tobą?
Tak.

Na pewno?
Tak sądzę. To znaczy, nie wszystko.

O to mi chodzi.
W sumie mi się podoba. Nigdy nie byłem bliżej mojego daru. Nigdy nie byłem bliżej moich przyjaciół. W tylu istotnych sferach życia odnajduję swój głos, nie tracąc go.

Może pociąga cię romantyzm zmierzchu młodości. Ale kiedy chodzi o twoją, to inna historia. W wieku czterdziestu czterech–pięciu lat zaczynasz myśleć: OK, więcej tego nie zrobię. Nie mam siły, żeby robić pewne rzeczy.
[*przerywając*] Może ty, staruszku. [*śmiech*] Ja jestem silniejszy. Mogę dalej pobiec. Mocniej gryzę. Może to ty jesteś wypompowany.

Aha, więc ty też masz w moim domu zainstalowaną kamerę! [*Bono się śmieje*]
[*Bez ostrzeżenia Bono zaczyna śpiewać całą piosenkę, o której istnieniu, muszę przyznać, nie miałem pojęcia. Zaczynała się od słów: „Włóż kluczyk do stacyjki / Gorący i świeży / prosto z kuchni...". W Internecie znalazłem, że był to utwór* Ignition *R. Kelly'ego, który Bono znał na pamięć i przytoczył bez wahania. Bono śpiewający o „kociakach po lewej" i „kociakach po prawej" brzmiał dziwacznie. Miałem wrażenie, że książę obsesji zawsze czający się w jego wnętrzu nieustannie prowokuje wymyślonego, skrzywionego fana U2, którego wizja rozrywki po dniu ciężkiej pracy polegała na oglądaniu w telewizji programu dokumentalnego o drugiej wojnie światowej albo wertowaniu książki o architekturze sakralnej. Bono przedstawił następnie własną egzegezę piosenki*]. Popatrz! Wkładam kluczyk do stacyjki, zapalam silnik i jestem gotów. Ruszam w drogę. Bez kierowcy. Jestem cały podekscytowany przyszłością.

Ale nie mów mi, że śmierć to coś, nad czym nigdy się nie zastanawiałeś. A może po prostu to w sobie tłumisz?
Nie. Myślałem o tym więcej niż większość ludzi. Musiałem.

O własnej śmierci?
O własnej? Tak, zastanawiałem się nad nią koło trzydziestki. Parę razy się przestraszyłem i myślę, że świadomość własnej śmiertelności, śmiertelności innych zaczęła się koło trzydziestki. Chyba wtedy myśli się o tym po raz pierwszy, bo koło dwudziestki jesteś nieśmiertelny. Ale mam tyle pytań do Boga. Wiesz, że każdej z moich nóg brakuje po dwa cale, to tak na początek. [*śmiech*] Żądam wyjaśnień!

Jesteś pewien, że to pierwsze pytanie, jakie zadasz Bogu?
Mam wiele pytań o wszechświat. Jest trochę do wyjaśnienia, nie przeze mnie, ale przez Niego. [*śmiech*] Jestem pewien, że w kwestii mojego złego zachowania będzie dysponował znacznie lepszymi wyjaśnieniami niż ja sam.

Co twoim zdaniem stanie się z tobą po śmierci? Miałeś jakąś wizję?
Wiesz, w tych sprawach nie miałem. Zamykam oczy i próbuję sobie wyobrazić niebo. Ale sądzę, że - podobnie jak piekło - raj jest na ziemi. Tak się modlę. Chrystus modlił się słowami: „Przyjdź Królestwo Twoje, bądź wola Twoja, jako w niebie, tak i na ziemi". Oto, gdzie dla mnie jest niebo. Powinniśmy zacząć teraz sprowadzać niebo na ziemię. Wyobrażam sobie niebo jako życie obecne bez dzisiejszego zła, które tylko drapie, kąsa i tyranizuje ludzi. Tak to widzę. Ale nie wiem. Nie potrafię sobie tego wyobrazić. Kiedy próbuję pomyśleć, „ile lat będziesz miał w niebie?", nie wiem. Mam za mały rozum na taką perspektywę.

Ale kiedyś mówiłeś mi, że gdy pisałeś piosenki, słyszałeś głosy.
Tak, słyszę muzykę.

Czy kiedykolwiek przyszło ci na myśl, że może odbierasz słowa zmarłych? Ludzi, których znałeś, a którzy wracają i nawiedzają cię?
Nie, nigdy. Myślę, że kiedy umierasz, to nie żyjesz. Potem pobudka, dzień Sądu Ostatecznego.

Czy śnią ci się zmarli? Większość ludzi śni. Wczoraj na przykład śnił mi się ojciec. Nie żyje od dwudziestu trzech lat.
Rety. I jak się czułeś, kiedy się obudziłeś?

Trudno to wytłumaczyć. Sądzę, że śni mi się nadal, bo byłem bardzo młody, kiedy zmarł. Chyba chcę jeszcze z nim porozmawiać i chcę, żeby rozmawiał ze mną.
Tak, spotkasz się z nim. Widzisz, to tylko chwila. I o to chodzi. Mgnienie oka, prawda? Co za różnica, dwadzieścia, czterdzieści,

sześćdziesiąt, osiemdziesiąt, sto? W porównaniu z wiecznością, to tylko ułamek sekundy. Żyjemy w świecie, który ma obsesję na punkcie doczesnego „ja". Za bardzo się na tym skupiamy i to nas bardzo unieszczęśliwia, bo ciało słabnie i robi się coraz trudniej. A tak naprawdę bardzo istotna jest podróż duchowa. Powinniśmy o tym trochę więcej pomyśleć.

Racja. Ale ty musisz odczuwać znaczną presję, żeby zachować młodość i sprawność ze względu na wykonywaną pracę. Czyli musisz ćwiczyć więcej niż przeciętny Joe.
O tak, to zauważyłem. Muszę bardziej się starać, żeby zachować sprawność. Nie mogę tyle samo pić, tyle samo jeść co kiedyś. Po prostu nie mogę. Nie funkcjonuję bez snu tak długo jak dawniej. Nie obawiam się tego. Co do śmierci, boję się śmierci innych. Brakowałoby mi moich przyjaciół.

Widać tu dwie skrajności. Jedna to Mick Jagger, który w wieku sześćdziesięciu lat nadal biega jak atleta, a druga – Bob Dylan, który zawsze wyglądał i zachowywał się tak, jak na swój wiek przystało. Ty znajdujesz się gdzieś pośrodku.
Będziemy musieli poczekać i zobaczyć, do czego mnie to doprowadzi. Moim bohaterem jest tu chyba Johnny Cash. Zawsze był bardziej męski niż chłopięcy. Sam nigdy nie miałem figury zniewieściałego rock'n'rollowca. Zawsze bardziej przypominałem z wyglądu boksera albo bandytę niż piosenkarza. [*śmiech*] Nigdy nie czułem potrzeby bycia modnym. Lubię się tym trochę pobawić. Ale film Marka Romanka o Johnnym Cashu śpiewającym *Hurt* to jedna z najwspanialszych rzeczy, jaką kiedykolwiek miała do zaproponowania kultura masowa. To koniec rock'n'rolla jako muzyki młodzieńczej. I oto pojawia się człowiek z godnością dopuszczający nas do własnej śmierci i jej „imperium brudu", by zacytować Trenta Reznora. Wyjątkowa piosenka. A jeszcze to! Pomyśl o Indiach. Jedź do Indii, a znajdziesz tam znacznie więcej szacunku dla podeszłego wieku niż dla młodości. Hołdy dla młodości pojawiły się w tym samym czasie co ograni-

czona trwałość produktów. W XX wieku odkryto, że jeśli samochody wytrzymują dwadzieścia pięć lat, to ludzie nie będą kupować nowych. Na tym to polega. Najlepszym tego przykładem jest rock'n'roll i kultura, która wraz z nim nastała. Spodziewamy się, że nasze gwiazdy rocka same się podpalą. Jesteśmy rozczarowani, jeśli tego nie robią. Jeśli nie umierają na krzyżu w wieku trzydziestu trzech lat, żądamy zwrotu naszych pieniędzy.

Nie jestem przekonany, czy to właśnie rock'n'roll wymyślił kult młodości. Wczoraj byłem w Bazylei w Szwajcarii, gdzie oglądałem wystawę o Tutenchamonie. Po raz pierwszy w życiu zobaczyłem wszystko, co odnaleziono w grobowcu. Wygląda na to, że opiewanie zdrowego, młodego ciała i sławienie młodości jest czymś, co można znaleźć w najodleglejszej starożytności. Spójrz na Europę sprzed drugiej wojny światowej, na symbolikę z czasów Mussoliniego albo Hitlerjugend, a nawet komunistycznego robotnika będącego uosobieniem młodego bohatera. Kult młodości nie narodził się wczoraj.
Moim zdaniem to rzeczywiście część rock'n'rolla, ale ma więcej wspólnego z homoerotyzmem. Uwielbienie świata mody dla chłopców albo dziewcząt wyglądających jak chłopcy – na mnie to nie działa. Nie zmieszczę się w trumnie Tutenchamona! [*śmiech*] Będziesz musiał odkopać Buddę.

Widziałem trzydziestometrowy posąg bardzo grubego Buddy w Hongkongu. Moglibyśmy zdjąć miarę.
Gdybym nie był taki próżny, mieszkałbym w domu Marlona Brando na Tahiti. Tylko ja i Marlon, popijalibyśmy doskonałe wina i kąpalibyśmy się nago w morzu.

Dlaczego nie?
A skąd wiesz, że nie planuję odejścia? Właśnie o tym powinniśmy porozmawiać. Nie o mojej rzeczywistej śmierci, ale o pozorowanej. Muszę to zorganizować: katastrofa samolotowa, potem prosto do Mar-

lona Brando. Mogę być Marlonem Bono. Mogę sobie tak leżeć na piasku i wtykać kwiaty we włosy przyjaciół i miejscowych*.

Tego bym się po tobie nie spodziewał. Myślałem, że udasz się do jakiegoś klasztoru albo groty w Indiach.

Nie, nie. To mój klasztor. Popatrz, czczę Boga o wschodzie słońca wtedy, gdy się kładę, i wtedy, kiedy wstaję. Na całym świecie widziałem najbardziej niesamowite wschody słońca, jakich nikt nigdy nie oglądał. Z drapaczy chmur w Tokio albo razem z Liamem i Noelem Gallagherami w zatoce San Francisco, patrząc na most Golden Gate, albo w Afryce, przebijając wzrokiem mgłę smutku nad obozem. Potworne kace i błaganie Boga o przebaczenie. Uwielbiam wschody słońca. I tak jak ci mówiłem, teraz wstaję wcześnie. Nie siedzę do późna, bo jestem nastawiony na pracę, a nie na karnawał. Teraz spotykam muzę, kiedy wraca do domu. [*śmiech*] Mimo że nie spędziłem z nią wieczoru, to i tak mi miło, że widzę ją wyraźnie, a nie z ociężałą głową. Taką mam z tego korzyść.

---

* Rozmowa miała miejsce na kilka tygodni przed śmiercią Brando w czerwcu 2004 r.

▪ KONCERT W CHORZOWIE
podczas „Vertigo Tour", lipiec 2005

15. OD NAMIOTÓW AMHARY PO NOC W ŁÓŻKU BREŻNIEWA

Droga Bono do Afryki była osobliwa. Ilekroć nadarzała się sposobność, Bono wykładał Afrykę na stół, bez względu na to, czy pytałem go o kliniczną depresję czy o opinię na temat prezydenta Busha. Moim zdaniem, od 1985 roku, odkąd wraz z Ali spędził trzy tygodnie w obozie dla uchodźców w północnej Etiopii, Afryka prawie zniknęła mu z pola widzenia. Nie postawił nogi na tym kontynencie aż do dnia, kiedy podczas trasy „PopMart" U2 przybyło do Kapsztadu, czyli do 16 marca 1998 roku. To prawda, że przez dwanaście lat, dopóki nie zatelefonował do niego ktoś poszukujący znanej osobistości, która włączyłaby się do kampanii Jubileuszu Roku 2000, Bono miał niewiele do powiedzenia i zrobienia w kwestii Afryki.

„Prywatnie to nieprawda - powiedział, kiedy o tym rozmawialiśmy. - Po prostu nie znalazłem żadnego nowego ani inspirującego rozwiązania tych problemów. To znaczy nie chciałem nikogo zanudzać. Nie chciałem o tym gadać bez przerwy, pozować na krwawiące serce bez strategii działania". Ale co był gotów robić prywatnie? - Moja definicja dobroczynności to stara zasada, że prawa ręka nie powinna wiedzieć, co czyni lewa. Jeśli coś się dzieje publicznie, to nie jest to dobroczynność, tylko PR. Chyba że chodzi o zajęcie stanowiska. A wówczas nie miałem żadnego stanowiska, które mógłbym przedstawić, poza tym, że „rock sprzeciwia się złu", co brzmi banalnie. W końcu sprawiedliwość jest bardziej przejmująca niż dobroczynność, która nacechowana jest protekcjonalnością. Kiedy w takim razie pojawiła się strategia? Lata 1997-1998 to czas, kiedy znów ruszyłem do boju. Jubileusz Roku 2000 miał świetną strategię, polegającą na umorzeniu długów krajów najbiedniejszych przez kraje najbogatsze, co miało stanowić część obchodów milenijnych.

W połowie roku 2002 Bono towarzyszył byłemu sekretarzowi skarbu Stanów Zjednoczonych Paulowi O'Neillowi w podróży po kilku krajach afrykańskich. Chciałem zapytać Bono, jak wyjaśni te „stracone lata" Afryki. Przede wszystkim uważałem jednak, że muszę zadać kłam jego wyobrażeniom o pomocy płynącej na ten kontynent, którym przeczyły ostatnio czytane przeze mnie doniesienia. Ponieważ nie posiadałem wiedzy z pierwszej ręki, oparłem się na książce Paula Theroux. Właśnie skończyłem lekturę jego *Dark Star Safari**. Jest to relacja z podróży po kontynencie afrykańskim od Kairu po Kapsztad. Autor wytrwale przemierzał drogę wyłącznie autobusem lub pociągiem, na pace jeepa lub ciężarówką. Jakieś czterdzieści lat później ponownie odwiedził miejsca i ludzi, których poznał jako młody członek amerykańskiego Korpusu Pokoju. Wnioski, jakie zaprezentował, są miażdżące: na początku XXI wieku Afryka jest uboższa niż na początku lat sześćdziesiątych, kiedy nowo powstałe państwa zaczynały uwalniać się spod władzy kolonialnej – i to nie mimo pomocy krajów zachodnich, ale, jak podkreśla, z jej powodu. Theroux ma bardzo negatywną opinię na temat rozmaitych organizacji dobroczynnych i ich przedstawicieli. Zastanawiałem się, jak na to zareaguje Bono. Zrodziła się z tego jedna z naszych najbardziej odkrywczych rozmów.

Obawiam się, że od rana będziesz dziś słyszał ode mnie same złośliwości.
O, matko!

Może zachęciło mnie to, co mówiłeś o negatywnym nastawieniu twojego ojca.
OK, strzelaj. Już się boję.

Przeczytam ci kilka fragmentów z książki pt. *Dark Star Safari* autorstwa Paula Theroux.
Tak, tak, czytałem ją.

---

* Paul Theroux, *Dark Star Safari: Overland from Cairo to Cape Town*, Boston 2003.

W takim razie wiesz, w czym rzecz. Chciałem z tobą porozmawiać o jednym fragmencie. Może pamiętasz opis pobytu Theroux w Etiopii w miejscowości Shashemene służącej rastafarianom za swego rodzaju azyl. Spotyka tam siedemdziesięciojednoletniego rastafarianina z krwi i kości oraz młodego zapaleńca imieniem Patrick, który mówi mu, że do Etiopii ma nadejść milenium, ale z pewnym opóźnieniem, bo etiopski kalendarz jest opóźniony o siedem lat i osiem miesięcy. Opowiada, że tym razem to nie będzie woda, lecz ogień. I że, na szczęście, Rift Valley ocaleje. Patrick zaprasza autora, aby się przyłączył: w ten sposób on i jego rodzina ocaleją. Oto jak Theroux podsumowuje ten fragment: „Podziękowałem mu i zmierzając do głównej drogi, zastanawiałem się, jak to możliwe, że Afryka, będąc tak niekompletną i pustą, stawała się miejscem, gdzie ludzie kreowali własne mity i oddawali się fantazjom o pokucie i odkupieniu, o melodramatach cierpienia i siły – opatrywaniu ran, karmieniu głodnych, opiekowaniu się uchodźcami, jeżdżeniu drogimi land roverami, a nawet przeżywaniu całej kosmologii stworzenia i zniszczenia oraz pisaniu na nowo Biblii jako afrykańskiego eposu o przetrwaniu". Zastanawiam się, jak zareagowałeś na ten fragment. Wiesz, że Theroux bardzo krytycznie odnosi się do działań wielu pracowników organizacji humanitarnych.

Tak, to pięknie napisana książka. Są w niej fragmenty, których nigdy nie zapomnę. Przemawia przez nią prawdziwa miłość do Afryki, jak również frustracje autora. Ale niektóre jego komentarze na temat pomocy humanitarnej od czasu publikacji zrobiły wiele złego. Jego zdaniem, w dyskusji przyda się parę brutalnych prawd. Rzeczywiście, był w Afryce, ale część jego analiz mija się z prawdą. Tak naprawdę nie do końca zdawał sobie sprawę ze szczegółów wysuwanych wówczas propozycji. Krytykował udzielanie pomocy rządom, którym powinno się pozwolić upaść. To była prawda i w niektórych przypadkach nadal pewnie jest. Ale wysuwany argument przeciw samej pomocy nie jest wiarygodny. Moim zdaniem, zachowuje się jak szajbus. Uwielbiam szajbusów! Mój kraj jest ich pełen, a ludzie powinni głośno wyrażać swoje opinie. Ale kiedy twoje życie zależy od leków, a ludzie liczą na pomoc, żeby wybudować szkoły, to takie komentarze robią wiele złego.

Podaje konkretne przykłady projektów humanitarnych, które kończą się fiaskiem, jak na przykład szkoła w Ugandzie sfinansowana przez Kanadę albo młyn sfinansowany przez Stany Zjednoczone.
Takie przykłady istnieją i po części stanowią przyczynę ograniczenia środków na pomoc Afryce w okresie ostatnich dwudziestu lat. Eksponowanie takich wyjątków jest niesłuszne, bo teraz sytuacje tego rodzaju nie stanowią reguły. Nie podobają mi się uwagi Theroux, bo przyczyniają się do lekceważenia problemów Afryki, szermując argumentem „pieniędzy wyrzucanych w błoto". Rozumiem jego rozżalenie z powodu korupcji. To prawdopodobnie największy problem stojący przed tym kontynentem, ale nie jedyny. Powtarzam, że istnieją nowe sposoby niesienia pomocy. Nie wspiera się skorumpowanych rządów, ale popiera rządy walczące z korupcją i posiadające plany walki z ubóstwem. Stworzono fundusz Millennium Challenge Account - pierwsze poważniejsze działanie, w które zaangażowaliśmy się razem z administracją Busha [zob. rozdział 4]. Założenie polegało na tym, żeby nagradzać dobre rządy, przejrzystość działania. Kraje miały dostawać specjalne granty, jeżeli naprawdę myślały poważnie o walce z nędzą, były otwarte na krytykę i wspierały społeczeństwo obywatelskie, wolną prasę i tak dalej. Jeśli władza działa poprawnie poprzez swoich przedstawicieli, kraj powinien szybko zakwalifikować się do zwiększenia pomocy. [*pauza*] To powiedziawszy, powinienem oddać sprawiedliwość Theroux. Może warto by porozmawiać o powtórnej wizycie w Etiopii, ponieważ w pewnym sensie jest ona najlepszym przykładem dla jego argumentacji - i mojej.

A to dlaczego?
Ponieważ po wielu latach pomocy kraj ten nadal trwa w głębokim kryzysie. Po tym wszystkim, po uwadze poświęconej klęsce głodu w latach osiemdziesiątych i dziewięćdziesiątych, kiedy tam wróciłem - jakieś trzy lata temu [około 2002 roku] - zdumiałem się, bo Addis Abeba bardzo się zmieniła. Dało się zauważyć, że nastąpiła ogromna

migracja z terenów wiejskich i wszędzie wyrosły nowe getta, szokujące getta. Spotykałem tam prostytutki - nie miały pojęcia o korzystaniu z prezerwatyw, były nosicielkami wirusa HIV, ale nie informowały o tym swoich klientów. Całe poniżenie, jakie nędza może na ludzi sprowadzić, znajdowało się w Addis Abebie. A byłem tam w okresie, kiedy komuniści trzymali wszystkich za twarz. Spotkałem się z przywódcą partyzantów, który walczył z komunistami.

Z Melesem Zenawi.

Tak. To człowiek, który wywarł na mnie ogromne wrażenie. Jest wspaniałym makroekonomistą. Wykształcił się sam w trakcie wojny partyzanckiej. Uczył się na BBC's Open University*. Studiował ekonomię, chyba był najbystrzejszym studentem, jakiego kiedykolwiek mieli. Spędziłem z nim trochę czasu, bardzo ciekawie opowiadał o studiowaniu ekonomii i nauk politycznych. Powiedział: „W Etiopii uczysz się wszystkiego, żyjąc wśród farmerów, bo oni w Etiopii są najsprytniejszymi ludźmi w kraju". Pytam: „Dlaczego?" A on na to: „Bo jak nie jesteś bystry, to głodujesz". To najbardziej twórczy ludzie, bo potrafią zrobić coś z niczego. Zenawi dowiedział się bardzo dużo o kraju, ukrywając się podczas wojny partyzanckiej. Ale trochę później mogłem się przekonać, że nie otrząsnął się jeszcze po wojnie i mimo znacznego postępu w wielu sprawach tak naprawdę nie promuje społeczeństwa obywatelskiego. Nadal sprawuje kontrolę nad państwem w stylu lewicowym. Jak na gościa zwalczającego komunistów, nie zależało mu aż tak na wolnej prasie, jak moglibyśmy się spodziewać. Mimo to w sumie uważam, że jest bardzo, bardzo dobrym człowiekiem, może nawet wielkim. Tylko że boi się stracić kontrolę nad krajem. Czas pokaże, co będzie dalej.

Co więc sądzisz o regresie w Etiopii?

Chcę ci powiedzieć, że widać tam i regres, i postęp. Dwa kroki naprzód, jeden krok wstecz. Pamiętaj, to kraj wyniszczony wojną i gło-

---

* Kursy edukacyjne telewizji BBC (przyp. tłum.)

dem. A jednak uratowano setki tysięcy istnień. Tymczasem Theroux dowodzi, że zagrożenie dotyczy teraz setek tysięcy innych, bo Etiopczykom i naszym organizacjom pozarządowym nie udało się wprowadzić mechanizmów, które zapobiegłyby powtórzeniu tej tragedii.

Czyli w tym przypadku ma rację.
Tak. Ale ostatnio to się zmienia i pozwól, że dam ci kilka przykładów na poziomie mikro i makro. Weź na przykład siostrę Jembę. Pracuje wśród mieszkańców Addis Abeby nad trwałą poprawą warunków mieszkaniowych i sanitarnych. Taka praca od podstaw i takie podejście ma szanse na trwałość. Na poziomie makro istnieje grupa zwana REST: Relief Ethiopian Society of Tigre, wspierana przez organizacje pozarządowe i rządy krajów-ofiarodawców w północnej Etiopii. Ich długofalowe, zintegrowane programy rozwoju regionów wiejskich realizowane wśród społeczności farmerów mają na celu podniesienie wydajności ziemi uprawnej. Na przykład w Degui zbudowano kamienne zapory, aby zapobiec erozji żlebów zbierających wodę deszczową i utrzymujących żyzność gleby. To, co kiedyś było ziemią jałową, teraz produkuje rocznie tysiąc pięćset beli dobrej jakościowo paszy dla inwentarza. Takie działania nie pozostają bez echa. Fundacja Save the Children realizuje program, który zmieni życie stu pięćdziesięciu tysięcy ludzi w rejonie Amhary. Nazywa się Linking Relief to Development, a polega na sprzedaży żywego inwentarza w celu zdobycia środków na żywność, ochronę zasobów naturalnych regionów Sekota i Gublafto przez trzy lata, czyli do osiągnięcia samowystarczalności. Zajmuje się lokalnymi problemami na wielu różnych poziomach: ochroną gleby i wody, integracją przedsięwzięć w skali mikro, i tak dalej. Wiem o tym i znam te niezwykłe nazwy plemion, bo rano nad tym pracowałem. To nie stary odgórny styl realizacji inwestycji, kiedy zjawiasz się w miasteczku niczym słoń w składzie porcelany i tratujesz ludzi, którym masz pomagać.

Ale nawet skuteczna pomoc nie jest rozwiązaniem na dłuższą metę, prawda?

Tak. To handel i dobre rządy. Powinniśmy postrzegać pomoc zagraniczną jako coś w rodzaju kapitału początkowego. Celem jest oczywiście samowystarczalność. Bardzo pouczającą podróż odbyłem w towarzystwie „przedsiębiorcy" w rodzaju Paula O'Neilla, amerykańskiego sekretarza skarbu. Przez cały czas powtarzał mi, że przyszłość Afryki to biznes i handel. I niby wiedziałem, że to prawda, ale nie tak bardzo, jak bym tego chciał, co sprawiło, że otworzyły mi się oczy na sprawy takie jak nieuczciwe relacje handlowe. Zaszokowało mnie odkrycie, że mimo całego gadania o wolnym rynku najbiedniejsi ludzie na ziemi nie mogą na równych warunkach zapełniać naszych półek swoimi towarami. Muszą negocjować rozmaite cła i podatki. I gdzie tu równość stron? My możemy sprzedawać im, ale oni nie mogą sprzedawać nam. Zacząłem sobie zdawać sprawę, że nawet najbardziej przyjazne Afryce osoby będą w Kongresie sprzeciwiać się reformie handlu. To lewica wspierała w Stanach Zjednoczonych projekt ustawy o farmerach, która subsydiuje amerykańskie rolnictwo i uniemożliwia afrykańskim rolnikom konkurowanie z nim. Wyobraź sobie szok, kiedy na targu w Accra w Ghanie, gdzie slumsy dosłownie pękają w szwach od bezrobotnych, ludziom, którzy dawniej uprawiali własny, sprzedaje się tani ryż amerykański i wietnamski.

Mówisz, że handel to przyszłość. Czy przyszłość już nastała?
Tak, ale następuje wolno, boleśnie wolno. Chcę, żebyś zrozumiał, że nieskrępowany wolny rynek też nie stanowi rozwiązania. Wszystkie gospodarki, które odniosły sukces, chroniły swój raczkujący przemysł, dopóki nie stał się wystarczająco silny, by sprostać konkurencji. Nie możemy zabraniać innym tego, czego żądamy dla siebie. Kwitnące gospodarki południowo-wschodniej Azji odbyły bardzo ostrożną, stopniową podróż ku konkurencji. Stanowią najlepszy przykład, jak może działać pomoc. Bez niej nie doszłyby do swojej pozycji.

Uzależniasz wzrost wsparcia finansowego od rozwiązań strategicznych, dobrych rządów i konsultacji z obywatelami.

Właśnie o to chodzi. Jak już mówiłem, taki plan Marshalla dla Afryki. Cofnij się myślą do drugiej wojny światowej, pomyśl o Stanach Zjednoczonych, które wyzwoliły Europę, a potem ją odbudowały, wydając jeden procent dochodu narodowego przez cztery lata. Amerykanie myśleli strategicznie, nie działali wyłącznie z pobudek serca, chociaż ten motyw nie był im obcy. Stany Zjednoczone odbudowywały Europę jako bastion obrony przed sowietyzmem w epoce zimnej wojny. Tego właśnie potrzeba w Afryce i niektórych rejonach Bliskiego Wschodu - bastionu przeciwko ekstremizmowi naszego wieku, który nazywam gorącą wojną. To sensowne postępowanie, nie tylko jako imperatyw moralny, ale także polityczny i strategiczny. Tak właśnie należy postąpić.

Chciałbyś więc, żeby wydatki na siły zbrojne przeobrazić w coś na kształt planu Marshalla? Czy to możliwe?
Chodzi mi o to, że jedno łączy się z drugim. Czy nie byłoby taniej zaprzyjaźnić się z potencjalnym wrogiem, niż później się przed nim bronić? Na początku stulecia ludzie nadal mówili o gwiezdnych wojnach, dyskutowali o budowie stacji kosmicznych z bronią nuklearną na pokładzie... Wolne żarty! Wystarczą samoloty pasażerskie, żeby wywołać chaos. 11 września jeden z takich samolotów zmierzał w kierunku budynku Kongresu Stanów Zjednoczonych pełnego ludzi, których znam, szanuję i z którymi teraz pracuję. Cały Kongres mógł zostać zmieciony z powierzchni ziemi przez jeden samolot, gdyby nie odwaga kilku znajdujących się na pokładzie osób. Gwiezdne wojny? Co oni sobie wyobrażali? Nadszedł nowy wiek. Potrzebujemy broni taktycznej - w innym sensie tego słowa. Trzeba wykorzenić nienawiść w inny sposób. Zniszczyć antyamerykańskie i antyzachodnie nastawienie, pilnując, żeby wiedzieli, kim jesteśmy, bardziej przykładając się do bliskowschodniego procesu pokojowego, karmiąc głodujących, sprowadzając nasze leki przeciwko AIDS. Afryka jest w czterdziestu procentach muzułmańska. Za cenę wojny w Iraku świat mógł ulec całkowitej zmianie, a ludzie, którzy teraz gwiżdżą i posykują na Amerykę i Europę, mogli na naszą cześć wiwatować. To

nie bujanie w obłokach, to nie jakiś wzruszający irlandzki nonsens, tylko *Realpolitik*.

Tkwisz w tym po uszy! Dlaczego aż tak się zaangażowałeś? Wydaje mi się, że to sprawa ostatnich pięciu lat. Mandelę uwolniono w 1990 roku, ale do Południowej Afryki zawitałeś dopiero pod koniec lat dziewięćdziesiątych.
Pierwszy raz chyba na trasie „PopMart". Jak mówiłem, U2 agitowało w pierwszej linii na rzecz ruchu przeciwko apartheidowi. Byliśmy pierwszymi artystami zaproszonymi do nowej Afryki Południowej przez Afrykański Kongres Narodowy [trasa „PopMart" dotarła do Kapsztadu 16 marca 1998 roku].

Czyli jakieś trzynaście lat później. Moim zdaniem, nieświadomie udzieliłeś już wyjaśnienia. Mam przed sobą tekst przemówienia, które wygłosiłeś kilka tygodni temu po otrzymaniu tytułu doktora *honoris causa* na University of Pennsylvania. Starałeś się w nim obudzić świadomość przyszłych amerykańskich decydentów w kwestii AIDS w Afryce: „Wiem, że idealizmu nie propagują teraz w radio. Nie ma go w telewizji, w obrocie jest ironia, znaczące aluzje, wyższość, oklepany żart. Wszystkiego już próbowałem. Idealizm stał się obiektem ataku, nękany materializmem, narcyzmem i wszystkimi innymi -izmami obojętności". Podkreślam tutaj stwierdzenie: „wszystkiego już próbowałem". Na początku lat dziewięćdziesiątych U2 bardzo się podobały nihilizm i ironia. Ty i zespół dokładaliście wszelkich starań, żeby nie być tak serio jak wcześniej. Czy to wyjaśnia, dlaczego ty sam zapomniałeś o Afryce?
Po pierwsze, pozwól mi powiedzieć, że wtedy muzyka nie była przesiąknięta ironią, tylko owiana ironią. W tych żyłach przez cały czas płynęła prawdziwa krew. Po drugie, jeśli chodzi o opakowanie i sposób podania, to myślę, że nawet wówczas nosiły ślady ironii w bardzo idealistycznym stylu. Co się tyczy zapomnienia o Afryce, razem z Ali przez cały czas byliśmy po cichu zaangażowani w działania pomocowe. Mówiłem ci już wcześniej, że to nie należało do planów U2.

Naprawdę nie sądzisz, że straciłeś idealizm i, żeby użyć twojej własnej terminologii, „poddałeś się światu i jego obyczajom", co niewątpliwie sugeruje uśmieszek?
Wiesz, nie chcieliśmy wyjść na zespół, który jest zbyt głupi, żeby cieszyć się z tego, że znalazł się na pierwszym miejscu! [*śmiech*] Ludzie nie są w stanie przyjąć niczego więcej od czterech gniewnych młodych ludzi. Nasze życie osobiste miało znacznie szerszy wymiar, więc chcieliśmy dać temu wyraz w naszym życiu publicznym. Śmiech jest dowodem wolności. Poczucie humoru to nie zawsze reakcja obronna. Może zmienić się w wielkiego psa bojowego. Opisaliśmy *Achtung Baby* jako ścięcie *The Joshua Tree*. Zgromadziliśmy spory bagaż moralny i po prostu chcieliśmy nieco ulżyć tym czterem zamarzniętym twarzom na okładce albumu. Zepchnęliśmy się w kąt, a chcieliśmy pojeździć dookoła placu. Każdy lewicujący ruch stukał do naszych drzwi. Nie mogliśmy się otwierać na każdą poważną kwestię. Kontynuowaliśmy naszą pracę z Amnesty International i Greenpeace. Właśnie przez te organizacje poznaliśmy szerszy świat. Razem z Kraftwerkiem i Public Enemy wzięliśmy szturmem Sellafield i to było niesamowite. Ale przyznaję, że w tym okresie bardziej skupiliśmy się na sobie niż na świecie zewnętrznym i w pewnej chwili - powiem szczerze - być może ucierpiała nasza perspektywa. Zmęczenie współczuciem - nie sądzę, że nas to dotknęło, ale gdybyśmy mieli jeszcze zająć się Afryką, nasza publiczność mogła czegoś podobnego doświadczyć. Czytałem o Afryce w gazetach i rozmaitych publikacjach specjalistycznych, ale nie miałem ochoty dogłębnie ich studiować. Na tamtym etapie nie dostrzegłem żadnych nowych pomysłów.

Podczas Live Aid i trasy „Conspiracy of Hope" działalność humanitarna wydawała się w centrum waszej muzyki. Ale później przerodziła się w drobny druk na liście podziękowań we wkładce do płyty kompaktowej. Zastanawiałem się, czy dotknęła was ta fala wstrętu do samych siebie, która przetaczała się przez lata dziewięćdziesiąte? Pojawiła się Nirvana, a wraz z muzyką grunge'ową wyłonił

się cały biznes nienawiści do samego siebie. To znaczy nie biznes, ale trend...
[*przerywając*] Nie, to j e s t biznes! [*śmiech*]

OK. Wyrażę się prościej. Czy przechodziłeś kryzys wiary?
Hmm... bardziej kryzys strategii niż wiary. Chodzi mi o to, że zabranie w trasę koncertową stacji telewizyjnej i wydawanie dziennie ćwierć miliona dolarów to nie wyłącznie dreszcz emocji. [*śmiech*] Przysparzało nam to poważnych zmartwień! Trwoniliśmy pieniądze na fajerwerki naszej próżności. Ale przynajmniej wydawaliśmy je na naszych fanów. Ryzykowaliśmy bankructwem, realizując przedsięwzięcie artystyczne.

Ale czy nie zaprzestaliście starań, żeby zmienić świat w sensie dosłownym? U2 z reguły nie kojarzy się z przedsięwzięciami artystycznymi.
A powinno, bo to jest projekt artystyczny, do tego komercyjny, duchowy i polityczny - wedle upodobania. Ciągle uważaliśmy, że gwiazda rocka ma dwa instynkty: chce zmieniać świat i chce się dobrze bawić. Jeśli potrafi robić jednocześnie jedno i drugie, to tak trzymać. Ale mimo że mieliśmy sporo ciekawych pomysłów artystycznych, które rozbłyskiwały wokół naszych drogich telewizorów, istota „Zoo TV" była nadal dość radykalna. Trwało oblężenie Sarajewa, a my to transmitowaliśmy.

To prawda, jestem niesprawiedliwy. Ciągle przeprowadzaliście podobne akcje. Ale o to właśnie chodzi, to były akcje.
Samo serce nie wystarczało, w latach dziewięćdziesiątych trzeba było sprytu. Próbowaliśmy czegoś nowego. Poszukiwaliśmy mocnych zestawień w stylu sztuki konceptualnej. To było niewygodne. Bo z telewizją jest tak: w jednej sekundzie przenosisz się od reklamy w stylu McDonald's do Afryki. I częścią tego wszystkiego było życie oparte na schizofrenicznym skakaniu po kanałach, które wszyscy wiedliśmy. W naszym arsenale potrzebowaliśmy nowej broni. Tym była właśnie „Zoo TV". Nazywaliśmy ją judo. Rozmawialiśmy już o tym?

Tak, wykorzystanie sił wroga do obrony. Przed czym musieliście się bronić?
Przed karykaturą w mediach. Redukowano nas do zwykłych kresek, bez cieniowania. Wyglądaliśmy naiwnie. Tak właśnie wtedy było. Nie sądzę, żeby to był kryzys wiary, nie. Po prostu poszukiwanie sposobu na wyrażenie dawnego idealizmu.

Czy w życiu osobistym nie trafiały ci się chwile zwątpienia? Mam wrażenie, że wtedy czułeś się trochę zagubiony.
Wprost przeciwnie, przechodziłem coś w rodzaju *głasnosti*. [*śmiech*] Politbiuro wychodziło właśnie z zamrażarki.

Nawiasem mówiąc, lata są te same: 1989–1990.
Wiem. Oczywiście, spałem w łóżku Breżniewa. Wszystko musiało się zacząć właśnie wtedy. Opowiadałem ci o tym, prawda? Z namiotów Amhary przeprowadziłem się do łóżka Breżniewa.

Nie pamiętam opowieści o Breżniewie.
Kiedy nagrywaliśmy *Achtung Baby*, przylecieliśmy do Berlina w ostatnią noc podzielonego miasta. Menedżer naszej trasy Dennis Sheehan znalazł stare pensjonaty dawnych sowieckich przywódców. Traf chciał, że spałem w pokoju Breżniewa. Kupa śmiechu! Pokój był brązowy. Pamiętam tylko, że wszystko było w brązie i wszystko miało wielkie gałki, nawet wieża stereo. Jeśli ci o tym nie opowiadałem, to pewnie powinienem. Powrót do Berlina to zupełne odejście od tematu, ale jak chcesz, opowiem o tym, bo w czasie naszego pobytu w pensjonacie zdarzyła się niezwykła rzecz. Trafiliśmy w sam środek uroczystości.

O tak, kiedy przyłączyliście się do niewłaściwego tłumu i znaleźliście się wśród ludzi demonstrujących przeciwko zburzeniu muru. Nie dziwi mnie, że wam się to przydarzyło. [*śmiech*]
Czy to nie kapitalne? U2 chce się wyluzować. Chcemy dołączyć do pochodu, do zabawy i świętować. Rozglądamy się i myślimy: „Ci lu-

dzie zupełnie nie mają pojęcia, jak się bawić". Słyszeliśmy o piwiarniach i wtedy pomyśleliśmy: „Oni wcale nie wyglądają na berlińczyków, o których słyszeliśmy...". Potem zaskoczyliśmy: „Ojej! Ci ludzie protestują przeciwko zburzeniu muru. To twardogłowi komuniści". Świetne zdjęcie, nie? „U2 protestuje przeciwko zburzeniu muru berlińskiego".

Znów zbaczasz z tematu. W przemówieniu na University of Pennsylvania powiedziałeś: „Wszystkiego próbowałem: wyższości, wyświechtanych żartów...". Czego dokładnie próbowałeś?
Ten uśmieszek zawsze mnie złości. To taki tik nerwowy, najczęściej oznacza, że czuję się nieswojo. Kiedy graliśmy ostatnio podczas Super Bowl, finału ligi futbolu amerykańskiego, zdarzyło się coś niesamowitego. W Stanach Zjednoczonych to megawydarzenie, najważniejszy dzień w roku. Musieliśmy zbudować scenę w sześć minut. Mieliśmy pomysł, żeby tłum stał na boisku, a my przechodzimy przez ten tłum na scenę. Miałem założone słuchawki. Zespół idzie wśród widzów, tuż przede mną kamera, tymczasem fani zaczynają mnie poklepywać po plecach. Wtedy zdaję sobie sprawę, że cienkie przewody są delikatne. Wystarczy tylko, że ktoś pociągnie za kabel, a jestem odłączony. Nic bym nie słyszał. Schodzę z anteny przed miliardową publicznością! A tu wszystko idzie na żywo i nie można nic zrobić. Ponieważ kabelek został na wierzchu, po cichu zacząłem panikować. Ale kiedy obejrzysz film, zobaczysz, że idę przed siebie z najbardziej irytującym uśmieszkiem na twarzy. Pomyślisz sobie: co za palant z tego faceta! [*śmiech*] Koszmarna pewność siebie. Nie cierpię każdego, kto demonstruje taką pewność siebie. W życiu daleko na niej nie zajedziesz, ale w moim przypadku jest widomym znakiem czystego przerażenia.

Nadal dokładnie nie rozumiem, o co chodziło z tym uśmieszkiem. Sugerowałeś rozmyślną zmianę wizerunku.
Zawsze czułem się jak gwiazda pop na pół etatu, nigdy nie czułem się w tej roli w pełni komfortowo. Przez kilka lat wkładałem ciuchy

i pewność siebie typową dla gwiazdy rocka, żeby przekonać się, dokąd mnie to zaprowadzi. Byłem zaskoczony.

No i dokąd cię to zaprowadziło?
Wszędzie.

Czyli?
Miałem lepszy ubaw, niż przypuszczałem.

Ale chyba tego żałujesz.
Nie. Brak pewności siebie może cię daleko zaprowadzić, a ten uśmieszek otwierał drzwi.

Nadal nie odpowiadasz. Drzwi dokąd?
Do zrozumienia.

Czego?
Jak ważny jest brak powagi.

Czy to było bolesne?
O, tak... [*śmiech*] Istna męczarnia!

Teraz masz to już za sobą.
Niezupełnie. Zabawnie być gwiazdą... niekiedy.

W okresie *głasnosti*, mimo że współpracowałeś z Amnesty International i z Greenpeace, nie zajmowałeś się Afryką. Pamiętałeś o niej?
Niestety, nie. Nie w takim stopniu, w jakim powinienem był. Trochę, ale niewiele. Pamiętam, jak razem z Ali po raz pierwszy wróciliśmy z Afryki. Kilka pierwszych dni w Europie to był istny szok kulturowy. Mieliśmy większy kłopot z powrotem niż z wylądowaniem w Afryce i ze zrozumieniem, dlaczego tak jest. Mówiliśmy do siebie: „Nigdy nie zapomnimy tego, co przeżyliśmy". Ale zapomnieliśmy. Życie toczy się dalej. Kiedy przy stole odmawialiśmy modlitwę, modliliśmy

się odrobinę żarliwiej. Szczerze. Jedzenie smakowało trochę bardziej. Jednak żyjesz dalej i znajdujesz miejsce, w które odkładasz Afrykę, ten piękny, połyskujący kontynent z wszystkimi jego plusami i minusami. Od czasu do czasu wyjmujesz ją, ponownie się jej przyglądasz i znów odsuwasz w to bezpieczniejsze miejsce, oddalone w czasie i przestrzeni. Mimo to zawsze wiedziałem jedno: problemom tego kontynentu towarzyszył aspekt strukturalny, którego byliśmy świadkami. Następnym razem chciałem mu poświęcić całą energię.

Po raz pierwszy od ponad dziesięciu lat Jubileusz Roku 2000 i DATA zaprowadziły cię z powrotem do Afryki. Czy spotkałeś się z Nelsonem Mandelą w Kapsztadzie, w czasie występów U2 podczas trasy „PopMart"?
Nie, nie spotkałem się, ale poznaliśmy arcybiskupa Tutu. Historia Nelsona Mandeli należy do najwspanialszych kart XX wieku, ale historia arcybiskupa Tutu jest jedną z najwspanialszych w XXI wieku.

Dlaczego?
Ponieważ lekcje płynące z jego Komisji Prawdy i Pojednania dadzą się odnieść do Bliskiego Wschodu, Irlandii, Kosowa, do tylu różnych miejsc. To najważniejsza historia ostatnich pięćdziesięciu lat. W jakiś sposób nowe afrykańskie władze zrozumiały, że czasami prawda jest ważniejsza niż sprawiedliwość. W zamian za uniknięcie oskarżeń dają ludziom szansę wyznania win z okresu apartheidu, bez względu na to, czy pracowali w policji, czy gdziekolwiek indziej, bez względu na kolor skóry; nieważne, jakie przestępstwa popełnili. Pamiętasz koszmarne „płonące opony"? To były straszne zbrodnie. Ale oni nie powołali sądów, tylko zapoczątkowali nową konwencję. Widzisz policjanta stojącego przed rodziną, nad którą się znęcał, i gospodarz domu, blaszanej chaty, zwraca się do niego: „Czy widziałeś wtedy kobietę w oliwkowej sukni?". A policjant odpowiada: „Nie pamiętam koloru". – „Miała na imię Melinda i była ubrana w zielonkawą sukienkę. Widziałeś ją? Pamiętasz, jak ją zastrzeliłeś? To była moja żona". I policjant, ze łzami płynącymi po policzkach, odpowiada: „Nie pamię-

tam jej. Pamiętam, że strzelałem do tłumu". Widzisz, to jest druzgocące. Ale arcybiskup Tutu uważał, że kraj musi się zdobyć na takie wyznanie, jeżeli ma pójść naprzód, musi żałować, i że może sprawa sądowa nie jest aż tak ważna. To niezwykła rzecz, musisz to zgłębić i o tym napisać. Kiedy po dziesięciu latach byliśmy w trasie podczas mojej pierwszej podróży do Afryki, U2 pojechało zobaczyć centrum prac komisji. Przyjechaliśmy we czwórkę. To było niebywałe. Zabrał nas do miejsca prawdy i pojednania. Osłupieliśmy, ale nie obyło się bez komedii. Pamiętam, że ten wielki człowiek mnie zganił... [*śmiech*] To był naprawdę punkt zwrotny.

Za co cię zganił?

Prowadziłem z biskupem uprzejmą rozmowę. Ludzie nazywają go „Arch". Więc wyglądało to tak: „Arch, to jest Edge"*. Śmiał się przez cały czas, uśmiechnięty człowiek o wielkim sercu i wielkim umyśle. Potem powiedziałem: „Jest biskup bardzo zajęty tymi wszystkimi sprawami. Czy zostaje chociaż trochę czasu na modlitwę i rozmyślanie?". Przerwał mi, mówiąc: „Co ty wygadujesz? Wydaje ci się, że dokonalibyśmy tego, gdybyśmy się nie modlili?". Odebrałem to jak napomnienie mojego własnego stylu życia, bo bywam bardzo zajęty i mam tyle spraw na głowie. Wówczas nie poświęcałem chyba tyle czasu na refleksję w modlitwie i rozmyślaniach, ile bym chciał. Nie żebym był mnichem, ale lubię spędzić trochę czasu w ciszy, a tego nie robiłem. Pamiętam, że odebrałem to jak naganę.

Tak to odebrałeś, ale pewnie nie to miał na myśli.

Może nie. Ma niesamowite poczucie humoru. Kiedy się śmieje, niebo, drzewa, pokój zmieniają kształty. Jak na świętego, jest dość sprytny. Powiedział nam: „Mam tu kilku ludzi, chciałbym, żebyście ich poznali. Pracują dla programu Prawda i Pojednanie. Moglibyście się z nimi spotkać?". No więc mówimy: „OK. Jasne...". Poszliśmy, a tam

---

* Gra słów: Arch (od *archbishop* - arcybiskup, ale też: *arch* - łuk), *edge* -krawędź - ang. (przyp. tłum.).

na sali siedzi sześćset osób. Wprowadził nas do środka. [*naśladując głos biskupa*] „Panie i panowie, przyprowadziłem wam zespół z Irlandii, który dla was zagra... U2!" Popatrzyliśmy tylko po sobie. Nie mamy nawet gitary akustycznej, co zagramy? Myśleliśmy, że to sesja zdjęciowa, wiesz, błysk flesza, uścisk dłoni.

No i co zrobiliście?
Zaśpiewaliśmy *a capella*.

Co zaśpiewaliście?
Eee... pieśń *Amazing Grace*.

Was czterech? Nawet Adam?
[*śmiech*] Nie nazwałbym tego śpiewem! Oni się przyłączyli, mieli o wiele lepsze głosy. Ale jego historia to opowieść o działaniu łaski w praktyce. Tu łaska znów przerywa karmę, właśnie o to chodzi w Prawdzie i Pojednaniu. Właściwie wydawało się nam, że to dobra pieśń. A potem zaśpiewaliśmy chyba *I Still Haven't Found What I'm Looking For*.

Znali słowa?
Do *I Still Haven't Found What I'm Looking For*? Znali przynajmniej refren, takie jest życie. Windy, zespoły w hotelach Holiday Inn, prawdopodobnie nigdy nie słyszeli, jak śpiewamy. Właściwie U2 jest w Afryce Południowej dość popularne. Miałem nadzieję, że załapią.

Jak zachowywała się publiczność w Afryce Południowej? Reagowała w ten sam sposób jak słuchacze w Europie lub w Ameryce czy zupełnie inaczej?
Wiesz, kiedy grasz duże koncerty w Afryce Południowej, jesteś podekscytowany integracją i tym, przez co przeszli i co przetrwali – przez apartheid. Wytrzymali, a teraz muszą zmierzyć się z plagą AIDS. Myślisz sobie: ci ludzie są tak dynamiczni, tak niesamowici. Jedziesz i grasz, jakbyś bawił się w „szukaj czarnego". [*śmiech*] Właściwie patrzysz na nich jak na irlandzką widownię. Przypominają

Irlandczyków... OK, może tylko w dziesięciu procentach, ale tylko dlatego że nieszczególnie interesują się rockiem. Żadna sprawa, ale jest zabawnie. Koniec apartheidu jest wszędzie, tylko nie w muzyce. [*śmiech*]

Jak to było, kiedy po raz pierwszy spotkałeś Nelsona Mandelę?
Nie widzieliśmy go w czasie pierwszej podróży. Poznałem go w jego domu w okolicach Kapsztadu. W jednym z domów, nie jestem pewien gdzie. Piękny dom, słoneczny dzień, piękne duże drzewa za oknem. Siedział razem z kilkoma członkami rodziny. Jest człowiekiem wspaniałego ducha, o ujmującym sposobie bycia. Mówi do mnie [*naśladując głos Mandeli*]: „Po co przyjeżdżasz spotykać się z takim starym człowiekiem jak ja?". Natychmiast wszystko odwraca... Chce ci się śmiać! Zawsze tak robi.

Łatwo ci było się z nim porozumieć? To przecież postać wielkiego formatu.
No cóż, wcale nie zachowuje się w taki sposób. To chodząca lekcja pokory. Jeśli Tutu jest „łaską w akcji", to on jest „przebaczeniem w akcji", nie chowa żadnej urazy. Po dwudziestu trzech latach spędzonych w więzieniu w ciągu sześciu miesięcy po wyjściu zaprzyjaźnił się z wieloma niegdysiejszymi wrogami. Jego ponowne wejście do prawdziwego świata polityki i kompromisu było nie z tej ziemi. Ogłosiwszy pewnego razu, że znacjonalizuje wydobycie diamentów, szybko się z tego wycofał, kiedy stwierdził, że być może nie należy do osób, które powinny się zajmować wielkimi narodowymi zasobami i ośrodkami zatrudnienia.

Okazuje się, że diamenty mają więcej wspólnego z show-biznesem, niż przypuszczasz. W ziemi znajduje się ich o wiele więcej, niż przeciętny jubiler chciałby przyznać. Ich wartość utrzymuje się dzięki bardzo ostrożnej manipulacji rynkiem. To nie jest jeszcze kartel, ale przemysł wydobycia diamentów działa bardzo sprytnie, bo jeden fałszywy ruch i ślubna obrączka szczęśliwych małżonków przestanie być rodzinnym skarbem.

Takie rzeczy wiele mówią o Mandeli i o jego gabinecie po przejęciu władzy. Jednym z największych cudów naszego wieku jest to, że uniknęli rozlewu krwi i rozgoryczenia.

Co najbardziej wyróżnia Mandelę?
Jego wyobraźnia. Jego umiejętność widzenia, smakowania i niemal dotknięcia przyszłości, która jeszcze nie nadeszła. Na jego miejscu większość ludzi skupiłaby się na tym, co utracili - na przeszłości, a on myśli tylko o przyszłości. Czytałem artykuł o jego amatorskim malarstwie. Miał wtedy osiemdziesiąt lat i oznajmił dziennikarzowi, że pasja malarska przyda mu się na emeryturze. To dopiero twardziel.

Pojawiłeś się z nim na scenie. Kiedy miał miejsce ten pierwszy raz?
Pojechałem z nim na imprezę w Barcelonie, na którą obaj wyraziliśmy zgodę. Nazwa może niezbyt wyszukana, ale za to wpadająca w ucho - nazywała się „Frock and Roll"! Moda i muzyka na rzecz Funduszu Nelsona Mandeli. Zorganizowała ją moja przyjaciółka Naomi Campbell. Zgodziliśmy się przyjechać, ale pojawiła się cała fura nieporozumień z organizatorem, miasto się wypięło i nikt nie wiedział, czy impreza się odbędzie, czy nie. Ludzie wycofywali się aż do ostatniego dnia. W końcu zostałem chyba tylko ja, Wyclef Jean, Alexander McQueen, Galliano i parę innych osób. O siódmej godzinie na sali mieszczącej dwadzieścia tysięcy widzów zostało jakieś pięćset osób. O ósmej było około dwóch tysięcy. Mandela miał się pojawić o ósmej. Więc opóźnili trochę jego wejście. Powstał zamęt. Ludzie sądzili, że występ odwołano. Czekaliśmy do wpół do dziewiątej. Zjawiły się jakieś cztery tysiące. Ludzie poszli chyba do domów i sprowadzili swoich krewnych. Organizatorzy nie chcieli go martwić, przygasili więc światło.

To znaczy chcieli go nabrać, by uwierzył, że przyszły tłumy.
Właśnie, w taktowny sposób. Ale on nie daje się łatwo nabrać. Wyszedłem z nim na scenę, ja po lewej, a Naomi po prawej stronie. Staliśmy tam, mały tłumek bił brawo i wiwatował na jego cześć jak należy,

a on po prostu wziął mikrofon i odezwał się, spoglądając tymi swoimi mądrymi oczami [*naśladując głos Mandeli*]: „Niebezpiecznie mieć wysokie oczekiwania. A przyznam się wam, że przyjeżdżając do Barcelony, takie miałem". Widownia nieco się zaniepokoiła.

Nie wspominając o tobie, jak sądzę.
Wbijam wzrok w czubki butów. Robi długą przerwę, podczas której wszyscy zalewają się potem, a on z doskonałym wyczuciem dramatyzmu mówi dalej: „Chcę, żebyście wiedzieli, że jest to powitanie, na jakie nigdy nie zasłużyłem i jakiego się nie spodziewałem. Dziękuję, że przyszliście mnie zobaczyć i wspomóc Fundację Nelsona Mandeli. To, że przyszliście, jest dla mnie wielkim zaszczytem i powodem do dumy!". Popatrzyłem na widownię... i nagle wydała się pełna! Ludzi tyle samo, ale nie wygląda już na pustą. Bo on w taki sposób postrzega świat. Gdybyś spędził dwadzieścia parę lat w kiciu, to każdy dzień na wolności stałby się dobry. On zniewala skromnością. Dał mi tam prawdziwą lekcję patrzenia na świat. Pamiętam, że kiedy byliśmy młodzi, zerkaliśmy, pytaliśmy naszego menedżera: „Ilu ludzi jest na sali?". Mówił: „Jest sto dwadzieścia osób. Mieści się pięćset, ale jest nieźle, jest OK...". Pamiętam, że było mi niedobrze, kiedy graliśmy w Bristolu dla jedenastu osób. Zawsze staraliśmy się zagrać jak najlepiej, bez względu na to, kto przyjdzie. Ale Nelson Mandela nauczył nas niesamowitego sposobu postrzegania świata – to, co już masz, to czasem więcej niż dosyć.

Poruszyłeś temat występów. Coś mi się właśnie przypomniało. Czy będąc na scenie, nigdy nie czułeś się dziwacznie przed wielbiącymi cię ludźmi, wielbiącymi bez względu na to, co zrobisz?
[*przerywając*] Ale oni nie nas wielbią...

W porządku, nie was wielbią. Chodzi mi o to, że są gotowi dobrze się bawić bez względu na to, co zrobisz, nawet jeśli masz zły dzień, nawet jeśli nagłośnienie jest do niczego, a ja z pewnością przeżyłem taki występ. Nie dziwi cię to?

No cóż, nie sądzę, żeby się dobrze bawili. Jak ci wcześniej mówiłem, te okrzyki i wycie wyrażają ich własny nastrój. To samo dzieje się na występach U2, na wielu koncertach rockowych. Ludzie krzyczą ze wszystkich sił, krzyczą w swoim imieniu, bo te piosenki wiążą się z ich życiem. Zaczynamy śpiewać, a oni eksplodują. Widzisz, tu wcale nie chodzi o nas – tylko o nich. Gdybyśmy nie byli świetni, następnym razem by nie przyszli. Tak to już jest. Ludzie są wymagający, a bilety kosztują. Ludzie przychodzą dlatego, że na naszych koncertach na żywo naprawdę dajemy z siebie bardzo dużo. Nie traktuję więc tego jak wyrazu uwielbienia ze strony publiczności. Moim zdaniem to pomysł rodem z Hollywood. To, co się dzieje, jest o wiele bardziej złożone. Oni tak naprawdę wcale nas nie uwielbiają.

Naprawdę? Mówisz poważnie?
W Chile zdarzyła się niebywała rzecz – i to dobrych kilka razy. Można to chyba nazwać różnicą zdań. Nieważne, jak to określisz, ale myślę, że obala twoją teorię o uwielbieniu.

Zamieniam się w słuch.
W Chile śpiewaliśmy *Mothers of the Disappeared*, piosenkę bardzo w tym kraju kontrowersyjną. Wielu rodzinom „zniknęły" dzieci aresztowane przez policję. Poprosiliśmy, żeby tamtego wieczoru nasz występ transmitowała telewizja. Większość ludzi nie mogła sobie pozwolić na kupno biletów i zobaczyć go na żywo. Przyprowadziłem na scenę *madres*, a one wypowiadały do mikrofonu imiona zaginionych dzieci. Potem zwróciłem się do Pinocheta, jakby tam był, jakby oglądał telewizor, czego na pewno nie robił. Powiedziałem po prostu: „Panie Pinochet, Bóg pana osądzi, ale niech pan przynajmniej powie tym kobietom, gdzie pogrzebano ich dzieci, bo po tylu latach nadal nie wiedzą, gdzie są ich najdrożsi...". Uważają, że on albo jakiś inny generał to wie. A tłum szybko podzielił się na dwie części. Jedna wiwatowała, a druga wyła, bo w kraju nadal panują mieszane uczucia na temat tego, co zaszło. Pomyślałem: „Ha! Tu są nie tylko ludzie, którzy opowiadają się po naszej stronie. Nie zgadzają się z nami, dają nam to te-

raz odczuć...". Dwie piosenki później znów wiwatowali. Ludzie są bystrzy. Nie muszą się z tobą zgadzać przez cały czas. Rockowa publiczność, publiczność U2, jest bystrzejsza niż przeciętny niedźwiedź. To nie zbieranina zgrywających się na znawców, to nie intelektualiści, ale ludzie myślący.

Mam wrażenie, że w muzyce nie chodzi o to, co myślisz. Bardziej chodzi o to, co czujesz. A muzyka U2 nie stanowi tu wyjątku.
Święta racja. Uczucie jest o wiele silniejsze niż myśl.

Ale U2 zawsze chodziło o idee. Może istnieje tu jakaś sprzeczność?
Nie postrzegam tego jako sprzeczności. Uważam, że jedno współdziała z drugim. Poza tym muszę już lecieć.

16. WIARA KONTRA FART

W czerwcu 2004 roku, pierwszy raz od osiemnastu miesięcy, pojechałem znów do Killiney. Pragnienie, żeby „usiąść z Bono i razem przejrzeć tekst", kilkakrotnie dawało znać o sobie, ale ciągle je odkładałem. Perspektywy były więc pomyślne. Po szybkiej kawce w kuchni Ali wyszła i dom zdawał się opuszczony. Zanim zabraliśmy się do roboty, Bono koniecznie chciał, żebym wysłuchał kilku dopiero co ukończonych piosenek. Jedną z nich była *Sometimes You Can't Make It on Your Own*. Bono śpiewał ją wcześniej na pogrzebie ojca. Nie działał żaden odtwarzacz, ani ten w kuchni, ani ten w gabinecie. W końcu wysłuchaliśmy niedokończonego studyjnego CD na przenośnym odtwarzaczu jego córki Eve. Jak można było przewidzieć, zaserwowałem żart o szewcu chodzącym bez butów. U Eltona Johna było tak samo, zdradził Bono.

Pamiętam, jak kiedyś mi powiedział, że fani U2 znają go lepiej niż przyjaciele, bo przez słuchawki śpiewa im prosto do ucha. Czy mogę temu zaprzeczyć? Rzeczywiście, śpiewa przyjaciołom do ucha. Szła piosenka, siedziałem obok niego, a on bez przerwy śpiewał do wtóru, niczym działający na nerwy pasażer w samochodzie. Z tą różnicą, że nie irytował, lecz poruszał. Trzy piosenki, które usłyszałem, zrobiły na mnie ogromne wrażenie, zwłaszcza *City of Blinding Lights*: słychać w niej było smutek i pulsującą melancholię starego U2, przeszytą tym samym desperackim pragnieniem. Zespół brzmiał na swoje dwadzieścia pięć lat, ale jednocześnie grał jak nowo narodzony.

W każdym razie wydarzenia – jak można było się spodziewać – nie potoczyły się zgodnie z planem. Owszem, miałem Bono do dyspozycji przez parę godzin, ale pomysł „przejrzenia" zapisków nie wchodził w grę. Przyniosłem tekst cały upstrzony znakami zapytania, lecz Bono nie miał pojęcia, gdzie podział się jego egzemplarz, i wcale się tym nie przejmował. Jeden z rozdziałów znalazłem obok telefonu, na środku jednej z jego odpowiedzi widniało tajemnicze kółko (nie, nie była to plama po filiżance kawy). Chciałem, żeby opowiedział coś więcej o swoim ojcu i dzieciństwie. Można było odnieść wrażenie, że niechętnie o tym rozmawiał. Poznaliście już wynik, został przedstawiony w rozdziałach 1, 2 i 4 tej książki.

Pamiętam, że kiedy otworzyła się brama, żeby przepuścić jego nowe maserati („Nie powinniśmy zostawiać wszystkiego w niemieckich rękach", stwierdził), podśpiewywał w takt nowego singla U2 *Vertigo*, który brzmiał jak niepublikowany przebłysk punkrockowego geniuszu z 1979 roku. Zauważyłem nieoczekiwaną parę - stali przy bramie i czekali, żeby rzucić okiem na Bono: dostojny ojciec z synem, machający z pewnego rodzaju pokorną dumą do króla Bono, powożącego własnym pojazdem. Zdawało mi się, że składają wyrazy uszanowania dziewiętnastowiecznemu poecie i bohaterowi narodowemu, a nie gwieździe rocka.

Kilka tygodni później znów rozmawialiśmy przez telefon. Okazało się, że myślimy o tej samej sprawie. „Wall Street Journal" podał właśnie do wiadomości, że Bono miał dołączyć do rady nowej spółki, inwestującej kapitał wysokiego ryzyka, Elevation Partners. Oto relacja Roberta A. Gutha:

> Bono, lider zespołu rockowego U2, aktywnie działający na rzecz zwalczania nędzy, otwiera nowy rozdział swojego życia: inwestycje w media i rozrywkę. Czterdziestoczteroletni artysta dołącza do Elevation Partners, nowego funduszu rodem z Doliny Krzemowej, założonego na początku tego roku przez weterana inwestycji w nowe technologie Rogera McNamee oraz Johna Riccitiello, który dla Elevation opuścił w kwietniu stanowisko prezesa Electronic Arts Inc. zajmującego się wytwarzaniem gier wideo. Do funduszu dołączy także sześćdziesięcioletni Fred Anderson, który w tym miesiącu odszedł na emeryturę ze stanowiska szefa finansów Apple Computer Inc. Obecność Bono powinna znacząco podnieść status firmy. Osoby wtajemniczone twierdzą, że początkowo zamierza

zgromadzić miliard dolarów na zakupy i inwestycje w firmy zajmujące się mediami i rozrywką, wykorzystując zamieszanie panujące w tych sektorach. Elevation zamierza inwestować przede wszystkim w firmy związane z mediami i rozrywką osłabione pojawieniem się Internetu oraz innych technologii cyfrowych. Przemysł muzyczny, filmowy, wydawnictwa oraz inne tradycyjne media zmagają się z problemem, w jaki sposób wykorzystać nowe kanały dystrybucji – w tym Internet i telefony komórkowe – przy jednoczesnym ukróceniu piractwa, które technologie te ułatwiają.

Odpowiadając na moje trzecie pytanie, Bono raz jeszcze znalazł sposób, aby wtrącić do rozmowy kwestię Afryki. Chyba jednak znalazłem zręczny sposób, aby wymanewrować tego spryciarza.

Wydaje mi się, że dziś czeka mnie rozmowa z biznesmenem.
Pewnie. Widziałeś ten artykuł w „Wall Street Journal"?

Owszem, ale do tego jeszcze dojdę. Zastanawiałem się, jak powinienem się do ciebie zwracać, skoro zostałeś jednym z przewodniczących rady. Może „panie prezesie"? To mi przypomina głupią, ale śmieszną historyjkę, którą kiedyś opowiadał mi ojciec. Wychował się w Mediolanie. Wiesz, że Włosi uwielbiają wielkopańskie tytuły do tego stopnia, iż zwrócenie się do kogoś *per* „proszę pana" – „*signore*" – uznawane jest niemal za obrazę. Przez ulicę w Mediolanie przechodzi jakiś roztargniony człowiek, za około dziesięć sekund uderzy w niego samochód. Ktoś desperacko stara się zwrócić mu uwagę: „*Attenzione, dottore!*". Brak reakcji. Woła głośniej: „*Avvocato, attenzione!*". Dalej żadnej reakcji. Wtedy na całe gardło woła, załamując ręce: „*Commendatore! Attenzione!*". Mężczyzna ani się obejrzy. A nikt na ulicy nie śmie zawołać „*signore!*". No i bach, samochód wpada w nieszczęśnika, który leży nieżywy na jezdni otoczony tłumkiem gapiów z szeroko otwartymi ustami. Po przeczytaniu wzmianki w „Wall Street Jour-

nal" zastanawiałem się: „I jak mam się teraz zwracać do Bono na jego nowym stanowisku?". Jeżeli ludzie nie odważą się więcej mówić do ciebie „Bono", może się to okazać dla ciebie niebezpieczne. Co byś powiedział na: „Ty brudna kapitalistyczna świnio"? Czy to załatwi sprawę? [*śmiech Bono z całego serca*]

Winien, wysoki sądzie! Tak, to wielki komplement, dla mnie całkiem niezły. Świnie są pożyteczne. To najczystsze zwierzęta w gospodarstwie i żywiciele rodziny.

Chciałbym poznać szczegóły twojego wspaniałego świńskiego życia. Przede wszystkim: czy naprawdę chciałeś zostać tą świnią? Czy w zespole U2 jesteś urodzonym biznesmenem?

Pierwszy raz, kiedy szliśmy podpisać umowę na nagranie płyty, wystąpiłem w charakterze menedżera zespołu [*śmiech*], co było ciekawe, bo Paul [McGuinness] powiedział, chyba dość rozsądnie: „Nie jesteście jeszcze gotowi na zawarcie umowy na nagranie płyty". Nie chciał chodzić po wytwórniach, dopóki nie napiszemy lepszych piosenek. Ale ja uważałem, że w naszych piosenkach jest coś, więc pojechałem z Ali do Londynu. W 1978 roku mieliśmy osiemnaście i siedemnaście lat. Nigdy wcześniej tam nie byłem. To była dla nas niezwykła wyprawa. Zatrzymaliśmy się w pensjonacie. Nosiłem naszą demówkę po wytwórniach, a potem po redakcjach magazynów „NME", „Sounds" i „The Record Mirror". Pamiętam, że wpadałem z taśmą, dawałem ją redaktorowi, którego teksty czytywałem i z którym chciałem się spotkać, i prosiłem o przesłuchanie. Zwykle odpowiadali: „Wiesz, jak mi się spodoba, to oddzwonię". Wpadałem im w słowo: „Zadzwonię do pana za godzinę". [*śmiech*] A oni na to: „Co takiego?".

Rzeczywiście, tak to wtedy wyglądało. Otwierałeś drzwi do redakcji czasopisma muzycznego. Nie było ochrony ani nic z tych rzeczy i podsuwałeś swój kawałek – taśmę albo artykuł.

Dziennikarze odnosili się do mnie bardzo uprzejmie. Chodziłem z muzyką jak domokrążca, po czym dwie wytwórnie płytowe zdecydowały się zaproponować nam umowę, zanim Paul został naszym menedżerem. Trochę się przestraszył, kiedy wróciłem do domu. Mieliśmy dwie wytwórnie, które myślały o podpisaniu z nami umowy, a on nawet nie był naszym menedżerem. Szybko podpisał z nami kontrakt. Widzisz, te umowy nigdy nie doszły do skutku. Ale chodzi o to, że zawsze czułem, że razem z talentem przychodzi pragnienie, by go strzec. Nigdy nie podpisywałem się pod komunałem w stylu: „Jestem artystą. Trzymajcie mnie z daleka od obrzydliwej mamony i kiczowatego świata muzycznego biznesu". To totalna bzdura. Bzdura! Tak jest od lat. Chcę tylko powiedzieć: „Skończcie z tym!". Wiem, bo wyrastałem z wieloma zespołami. Niektórzy ludzie w świecie biznesu to najokropniejsze, najbardziej samolubne typy spod ciemnej gwiazdy. A z innymi z wytwórni, którzy wieczorami wracają do swoich żon, mógłbyś zechcieć pojechać na wakacje. Znam kilku niesamowicie natchnionych, postępujących etycznie biznesmenów i znam też kilku prawdziwych dupków, którym z ust leje się miód. Po prostu w ten sposób nie dzielę świata.

Jaka była wasza pierwsza istotna decyzja biznesowa?
W zespole założyliśmy coś w rodzaju spółdzielni. Wydawaliśmy wszystko wspólnie po równo. To szybko rozwiązało wszelkie typowe dla innych grup spory o to, czyja piosenka znajdzie się na płycie, a czyja nie. Tak zarządził Paul i od wielu lat bardzo mądrze nam doradza. To on uznał, że byłoby świetnie zachować prawa do naszych piosenek, a nawet taśm-matek. W pewnym momencie, to był chyba rok 1985, renegocjowaliśmy naszą umowę z Island Records, zgodziliśmy się na niższe tantiemy, ale na koniec, czyli po wygaśnięciu kontraktu, jak ci już chyba mówiłem, wszystkie taśmy-matki i prawa autorskie wróciły do nas. To kolejna rzecz, za którą będę dozgonnie wdzięczny Chrisowi Blackwellowi.

U2 bardzo szybko zostało więc skażone obrzydliwą mamoną i przyziemnością muzycznego biznesu.
U2 nigdy nie podejmowało głupich decyzji w interesach. Po prostu mieliśmy w sobie silne pragnienie przetrwania. Mieszkając w Dublinie, a nie w Londynie czy Nowym Jorku lub Los Angeles, założyli-

śmy własną wytwórnię płytową. Nie siedzimy i nie rozmyślamy całymi dniami o pokoju na świecie. Nie zachowujemy się jak zgraja hipisów. Wywodzimy się z punk rocka i całkiem nieźle sobie radzimy. Chciałbym, żebyśmy radzili sobie jeszcze lepiej, ale to ważna część naszej historii. Rozmawiałem właśnie z różnymi ludźmi biznesu. Są zupełnie zaskoczeni, kiedy opowiadam im naszą historię. Nie mają o niczym pojęcia. Myślą, że nazwę U2 wymyśliła wytwórnia płytowa! Albo uważają, że to nasz menedżer zaplanował nam karierę. Nie można bardziej mijać się z prawdą. Paul McGuinness podrzucał nam zasady, które okazały się najlepszymi z możliwych, a wytwórnia płytowa pomogła nam w naszej podróży. Ale nasz los spoczywa pewnie w naszych rękach i tak było zawsze. Uważam, że to naprawdę ważne.

Przypominam sobie, że opisałeś siebie jako „wędrownego handlarza". [*śmiech Bono*] Tymczasem wielu artystów woli ukrywać swoją smykałkę do interesów.
Tak. Nie! Szczególnie że w ostatnich latach w związku z moją pracą w Afryce doznałem olśnienia w kwestii handlu. To całkowicie zmieniło moje nastawienie. Zaczynasz dostrzegać, że Afrykanie poszukują jakiegoś wyjścia, opierając się na handlu. Jednym z poważnych zadań w Afryce jest promocja kultury przedsiębiorczości. Zaczynasz zauważać, że dostaje im się cienki koniec kapitalistycznego klina, a przecież istnieje jeszcze szerszy koniec. Globalizacja obrosła w negatywne skojarzenia, ale to nie ma znaczenia. Globalizacja jest jak komunikacja. Oficjalnie rozpoczęła się w latach osiemdziesiątych po deregulacji międzynarodowych przepływów pieniężnych. Ale można powiedzieć, że globalizacja rozpoczęła się wcześniej, wraz z żeglugą i handlem. I okazuje się, że żegluga uczyniła więcej dobrego...

... niż złego...
... niż złego. Teraz Afryce potrzeba więcej globalizacji. To naprawdę dziwne. „Globalizacja! Patrzcie, co robi z Afryką!" Na to Afrykanie: „Co ty opowiadasz! Przydałaby nam się!". Krytycy mają raczej na myśli złe wykorzystanie globalizacji.

Wydaje mi się, że unikasz tematu.

Mówię tylko, że zabrałem się za zakładanie firm. Zacząłem postrzegać handel - świadomy handel - jako drogę do rozwoju Afryki. Na przykład razem z żoną i projektantem Rogunem założyliśmy firmę pod nazwą Edun, która będzie produkować odzież. Ruszamy w tym roku na wiosnę [2005]. Zainwestowaliśmy w nią sporo czasu, energii i kapitału. Chcę, żeby biznes się kręcił, firma przynosiła zyski, ale chcę też, żeby dała coś każdemu ogniwu tego łańcucha. U podstaw naszego działania leży koncepcja „poczwórnego szacunku". Po pierwsze, szacunek dla miejsca, w którym wytwarzane są ubrania. Docelowo wszystkie mają pochodzić z Afryki, a już na pewno z jakiegoś kraju rozwijającego się. Po drugie, szacunek dla ludzi, którzy je wytwarzają. Po trzecie, szacunek dla materiałów, z których są szyte. Tam gdzie to możliwe, staramy się wykorzystywać naturalną bawełnę. I po czwarte, szacunek dla ludzi, którzy będą je kupować, czyli dla klientów. Chcemy robić interesy z Afryką, bo oni tego chcą. Pragnę się do tego przyczynić. I powiedzieć przez to, że możesz zarobić, nie zdzierając z ludzi - czy to kupującego, czy to produkującego. Chcemy, żeby nasze ubrania opowiadały własną historię, wspaniałą historię. Bo kiedy kupujesz parę dżinsów, ich historia: gdzie uprawiano bawełnę, kto ją uprawiał, jak traktowano szwaczki w fabryce, to wszystko jest wplecione w twoje dżinsy, czy ci się to podoba, czy nie. Jeżeli istnieje szczęśliwy początek, środek i koniec, to znaczy, jeżeli każdego po drodze traktowano uczciwie, to wtedy [*śmiech*] gdy wkładasz te ubrania, będziesz się czuł lepiej w nich i wobec siebie. Wynikanie z tego dobra karma. Ale nie wtedy gdy robiły je dzieci. Ali powiedziała mi: „Chcę kupować dziecięce ubranka, których nie szyły dzieci". Te związane z handlem pomysły bardzo mnie teraz ekscytują.

Czy Edun przypomina twoją inną firmę, Nude?

Edun to Nude czytane wspak. Razem z bratem założyliśmy Nude jako sieć zdrowych fast foodów. Teraz rozwija się w linię przyjaznych ciału produktów, które będą wytwarzane podobnie jak czekolada i kawa w Afryce, a produkty kosmetyczne w Indiach. Ekscytujące jest tworzenie asortymentu takich produktów, w wypadku których interesuje cię nie tylko towar, lecz także jego historia i to, skąd się wziął.

Bono, masz przecież pozycję lidera zespołu. To twoja pierwsza praca, tymczasem zmieniłeś się w dorywczego bojownika humanitaryzmu. Za chwilę zmienisz się w pełnoetatowego biznesmena. Czy nie obawiasz się, że przez to jeszcze bardziej oddalisz się od magii U2? Albo, cytując twoje słowa wypowiedziane w Bolonii, od „zmysłowości" bycia w zespole rockowym?
Ale tak się nigdy nie stanie. Interesami zajmuję się przez jeden dzień w tygodniu. Jeżeli nie mogę ich załatwić w jeden dzień, nie chcę się tym zajmować. I kropka. Prowadzę je z żoną. Więc w zasadzie robi to Ali. Tak samo jest z funduszem Elevation Partners. Powiedziałem im, że mam na to jeden dzień w tygodniu.

Przepraszam za banał, ale niewiele w tym rock'n'rolla, prawda?
Uważam, że z lat sześćdziesiątych wyniesiono sporo bagażu ideologicznego, według którego muzyk nie powinien być biznesmenem, ponieważ - hej, człowieku! - powinieneś się pokazywać, popalać trawkę, moczyć nogi w rzece w otoczeniu wianuszka pięknych dziewcząt rozczesujących ci włosy, podczas gdy ty patrzysz, jak wschodzi słońce.

Nie mów mi, że nic takiego ci się nie przydarzyło.
Muszę przyznać, że kiedy się nad tym zastanawiam, brzmi to coraz bardziej obiecująco... [*śmiech*]

Z twojego głosu przebija entuzjazm.
W połowie lat dziewięćdziesiątych robiłem wiele rzeczy przy wschodzie słońca. Teraz nie potrafię wymyślić nic lepszego poza umyciem głowy. Uwielbiałem lata sześćdziesiąte, renesans popu. Ale nowe czasy wymagają innych strategii. Popatrz na kulturę hiphopową, te stare uprzedzenia do handlu po prostu nie mają zastosowania. Ludzi rajcuje, że Jay-Z albo Sean „P. Diddy" Combs mają własną markę ubrań.

To się podoba. Chcą widzieć ducha przedsiębiorczości, a nie chcą, żeby ich gwiazdy wypadły na aut.

Może się wydawać, że w muzyce istnieje pewnego rodzaju podświadomy apartheid. Z jednej strony masz czarną muzykę miejską, która otwarcie zajmuje się sprawami materialnymi, a z drugiej – białą muzykę, która nie powinna dotykać pieniędzy ani biznesu.
Zgadza się. Istnieją niepisane zasady, co wolno zespołowi rockowemu. A zasady są po to, żeby je łamać. Zaczęliśmy je łamać od razu wraz z „Zoo TV". Chcemy zaczerpnąć kilka dobrych pomysłów z lat sześćdziesiątych, ale odrzucimy niektóre bardziej rygorystyczne. Mówimy po prostu: „Nie, z tego nie skorzystamy". Co jest złego w tym, że chce się występować na stadionach, a nie w klubach? Co jest złego w sprzedawaniu płyt? Co jest złego w tym, że chce się tworzyć nośną muzykę? Co jest złego w pisaniu oper? Opery były popularne... W tamtym czasie poważni muzycy traktowali je z góry. Taki był duch czasów: „Opera to tylko rozrywka. Nie traktujmy jej poważnie. To nie jest prawdziwa muzyka". Odrzuciliśmy wiele takich poglądów. Są przestarzałe. Wchodzimy w biznes i niesiemy nasz idealizm w każdy zakątek świata, w którym akurat przebywamy.

Nadal próbuję zrozumieć, jak powstał ten pomysł i jak rozwinął się w twojej głowie. Znasz kogoś z branży, kto zrobił coś wielkiego ze swoimi pieniędzmi?
Moim zdaniem, w muzyce istnieje bardzo niewiele takich przypadków. Ale osoba, która wywarła na moje życie największy wpływ, to Bob Geldof. Po pierwsze, dzięki Live Aid wylądowałem w Afryce. W moich podróżach chodziłem jego śladami. Przez cały czas mnie zachęcał i służył mi pomocą. Ale dał mi także pewność siebie, żeby być tym... kim jestem. Nie musisz być politykiem, żeby się z nimi zadawać. Nie musisz nosić garnituru, żeby być biznesmenem. Możesz być sobą przez cały czas. Jak chcesz, możesz należeć do cyganerii. Przede wszystkim chodzi o jakość idei. Taki właśnie jest Bob. Dla niego wzorem wielkiego bohatera jest Samuel Pepys, osiemnastowieczny angielski pisarz

i biznesmen*. Koniec końców, napędzają nas idee – filozoficzne, handlowe czy polityczne, chociaż ja nazwałbym je raczej melodiami. Muszę ciągle słyszeć świetne melodie, nawet jeśli to nie są piosenki.

Mnóstwo ludzi wpada na genialne pomysły. Ale życie uczy, że nader często liczne przeszkody uniemożliwiają wcielenie ich w życie. Rozmawialiśmy o rozbieżnościach między wspaniałymi pomysłami i nie tak wspaniałą rzeczywistością Afryki. Czasem nie wiesz, jak sobie poradzić z przeszkodą.
Tak, mam taki martwy punkt. To znaczy mam ich kilka. [*śmiech*] Jeden z nich polega na tym, że czasem nie widzę przeszkód.

Pewnie, ale w pewnym momencie na nie wpadasz.
Tak, parę razy zdarzyło mi się podbite oko. Wiem, że przez cały czas muszę je pokonywać. Ale zwykle dopisywało mi szczęście. Gdybym wcześniej dostrzegł przeszkody, mógłbym po prostu zarzucić pomysł. Na szczęście U2 potrafiło przezwyciężać trudności, odkrywając niesamowitych ludzi. Zawsze wiedzieliśmy, że jeżeli my ich nie znamy, to znajdziemy kogoś, kto zna kogo należy. I tak w U2 otoczyliśmy się najlepszymi ludźmi z biznesu. Prawnicy i księgowi, wytwórnia płytowa oraz osoby, które prowadzą nasze firmy, to najlepsi ludzie w swoim fachu. Moim zdaniem to znacznie ułatwia pokonywanie przeszkód. Przekonamy się. Edun, nasza marka ubrań, to zupełnie nowy sposób robienia interesów. Powiedziano mi, że przy przemyśle odzieżowym biznes muzyczny wygląda jak festyn parafialny. [*śmiech*] Rekiny krążą i tylko czekają, żeby mnie pożreć. Czas pokaże. Znalazłem jednak kilku świetnych ludzi, którzy prowadzą mnie i Ali. Uważam, że pomogą nam przepłynąć te niebezpieczne wody.

Skoro mówimy o rekinach, czy kiedykolwiek zostałeś pogryziony w swojej karierze biznesmena? Zostały jakieś blizny?
Tak, popełniałem błędy.

---

* Samuel Pepys (1633–1703), najbardziej znany ze swoich dzienników.

Który był największy?

Zarobiliśmy dużo pieniędzy na sprzedaży Island Records, bo część wytwórni należała do nas. I powierzyliśmy forsę kilku prywatnie przez nas lubianym osobom, które wbrew swoim przypuszczeniom okazały się nie aż tak biegłe w dziedzinach, w jakie inwestowały. I straciliśmy kupę szmalu.

W co zainwestowali?

W grę wchodził cały portfel inwestycji. Niektóre były świetne, a niektóre naprawdę kiepskie, a my daliśmy im bardzo dużo forsy. Kiedy ten statek zaczął tonąć, człowiek, który kierował funduszem, zamiast wyskoczyć, wydawał jeszcze więcej naszych pieniędzy, żeby utrzymać go na powierzchni. Teraz patrzę na to z perspektywy czasu, ale, moim zdaniem, od początku widać było, że kupiliśmy dziurawy statek. [*wybucha śmiechem*] Sporo się nauczyliśmy. Nie chcę, żeby to zabrzmiało zbyt nonszalancko. Strata pieniędzy nie jest niczym miłym i trzeba mieć się na baczności, bo nic bardziej nie rozpala miłości do pieniędzy niż ich strata. Ale zmusiło nas to do zadbania o własne interesy. To się stało chyba na samym początku lat dziewięćdziesiątych. Musieliśmy traktować nasze sprawy finansowe bardzo poważnie, co oznacza, że kiedy obraca się takimi kwotami, trzeba wykazać szczególną ostrożność, żeby pieniądze nie tylko nie wypaczyły ludzi wokół ciebie, ale żeby i tobie nic się nie stało. [*śmiech*] Pieniądze to wielka sprawa, zwłaszcza jeżeli ich nie masz. Musisz je szanować, ale nie powinieneś darzyć ich zbyt wielką miłością. Czasem trzeba usiąść na tyłku i przedzierać się przez wszystkie nudne duperele, podczas gdy wolelibyśmy tworzyć muzykę. Ale jeżeli ma się właściwe podejście, wystarczy temu poświęcić jeden dzień w miesiącu albo, jak w moim przypadku, jeden dzień w tygodniu.

Czy planowanie strategii biznesowej przyprawia cię o dreszcz emocji, jak to się dzieje w przypadku szachisty przewidującego kilka ruchów naprzód?

Może w trochę dziwny sposób. Uwielbiam obserwować ludzi, jak razem pracują i wspólnie coś tworzą. Kiedy tworzymy muzykę, to tak jakbyśmy robili krzesło. Björk powiedziała mi [*naśladuje akcent*]: „Jestem hiii-drauliiikiem... i robimy hiiidrauliiikę". [*śmiech*] Pomysł, że artyści są inni niż wszyscy, jest niebezpieczny i arogancki.

Czasami odnoszę wrażenie, że jesteś manipulatorem. Istnieje cząstka ciebie, którą można by nazwać... czy ja wiem – „perwersyjna" byłoby lekką przesadą...
[*przerywając*] Nie, niewielką. [*śmiech*]

Jest w tobie coś naprawdę dziwnego. Wielu ludzi postrzega cię jako osobę szczerą, pełną irlandzkiej egzaltacji...
Chyba raczej irlandzkiej whisky.

Możliwe. Ale jednocześnie mam wrażenie, że masz w sobie coś z hazardzisty albo szachisty...
Naprawdę nie czuję się jak hazardzista. A grę w szachy lubię dlatego, że każdy ruch ma niezliczone konsekwencje, ale zależą one tylko od ciebie. I to twoja zdolność przewidywania przyszłości i skutków podjętych przez ciebie decyzji przesądza o tym, czy jesteś dobrym, czy złym graczem. To nie fart. Tak się składa, że już nie gram dobrze. Tymczasem... w hazardzie nie wiesz, co się stanie. A ja nie chcę nigdy znaleźć się w takiej sytuacji. Uważam, że w biznesie trzeba wykluczyć jak najwięcej przypadków.

Czy uprawiałeś kiedykolwiek hazard w Vegas lub Monte Carlo, dla samej adrenaliny?
Bardzo rzadko.

Wygrałeś czy przegrałeś?
Miewałem i wielkie szczęście, i wielkiego pecha. Zabawne. Ale nie robię tego zbyt często. Wiara kontra fart to mój ulubiony temat.

Dziwne. Sądziłem, że w stu procentach jesteś po stronie wiary.
Tak, ale lubię wiedzieć, co mnie czeka. Fart to przeciwieństwo, jeśli nie przeciwnik, wiary. Ale pozwól, że dam ci zupełnie odwrotny przy-

kład. Wiele lat temu przeżyłem coś bardzo dziwnego. Mój przyjaciel się żenił, a był zupełnie spłukany. Ja też. Ale czułem, że w jakiś sposób pomogę mu sfinansować wesele. Nie wiedziałem jak, ale wiedziałem, że mi się uda. Byłem jak dziecko, które wierzy, że każda modlitwa zostanie wysłuchana. W tym tak naprawdę się nie zmieniłem. Moim zdaniem, tak bywa, ale niestety „nie" zdarza się znacznie częściej, niż byśmy chcieli. [*śmiech*] Wtedy tego nie wiedziałem. Pomyślałem sobie więc naiwnie jak dziecko: „Na pudełku płatków kukurydzianych są takie kupony konkursowe i można wygrać samochód. Może powinienem wysłać kupon? Założę się, że wygram i dam mu samochód". W końcu nie wysłałem kuponu z pudełka, a ślub zbliżał się wielkimi krokami. W swojej głupocie myślałem: „Wobec tego wygram na wyścigach...". W weekend odbywała się Grand National, największa gonitwa w Irlandii. Stwierdziłem: „To jest to. OK. Muszę tylko zdobyć typ". Miałem właśnie poznać rodziców Ali. Nadal byliśmy dzieciakami, mieliśmy po jakieś osiemnaście, dziewiętnaście lat, kiedy więc nas zaprosili na weekend do County Cork, to była wielka sprawa. Ali była podekscytowana, ja zdenerwowany: po pierwsze, bo próbowali mnie rozgryźć, a po drugie, bo mogliśmy nie zdążyć na gonitwę. Oboje czuliśmy się nieswojo. Myślałem: „Cholera! Grand National. Nie dam rady pójść". Ale po południu w dniu wyścigów znaleźliśmy się w pubie Swan and Signet w Cork. Siedzę i zastanawiam się: „Co mam robić? Jeszcze tylko kwadrans. Nie mam pojęcia o koniach", kiedy - mówię serio - z toalety wychodzi sobie kloszard, dziwne indywiduum z psem i daje mi typ. Niestety, nie pamiętam, jak nazywał się koń. Coś w stylu Rolled Gold: „Rolled Gold w gonitwie National!" - wymamrotał pod nosem. Ja na to: „Proszę bardzo. W porządku, mam typ". Odwróciłem się, z trudem przełknąłem ślinę i zwróciłem się do Ali i jej rodziców: „Wiem, że to głupio zabrzmi, ale bardzo chciałbym obstawić gonitwę w Grand National". Oni na to: „Naprawdę? Ale przecież jesteś bez grosza?". Odparłem: „Chciałbym postawić na niego funta". „W porządku. OK. Jeśli naprawdę chcesz". Nie pochwalali tego, ale poszliśmy do bukmachera, a ja cichaczem postawiłem dwadzieścia funtów na Rolled Gold. Weszliśmy, miałem dwadzieścia funtów. Podatek wynosił chyba dwa funty. Obstawiłem osiemnaście na konia. Dziesięć do jednego na tego konia. Po wyjściu od bukmachera opowiedziałem im całą historię: mam przyjaciela, żeni się, jest bez pieniędzy. Chcę mu dać forsę i mam przeczucie, że uda mi się mu pomóc. Taki byłem pewien tego typu. Oni na to: „Co takiego?". A ja: „To prawda". Popatrzyli tylko na mnie z półuśmieszkiem, jaki mają rodzice, kiedy córka przyprowadza do domu niewłaściwego chłopaka. Powiedziałem im, że nawet nie chcę oglądać gonitwy. Miałem taką pewność. Czy to wiara? Nie wiem. Sam powiedz. Potem poszliśmy na spacer. Dwie godziny później ojciec Ali, Terry, mówi: „Chcesz wrócić i sprawdzić, kto wygrał?". Odparłem: „Nie, nie spieszy mi się. Wiem, kto wygra". I tak, trzy godziny później, wróciliśmy. Nie pamiętam, ile tego było - prawie pięćset funtów. Dałem je koledze, a on się ożenił. Ojciec Ali do dziś ma niezły ubaw, kiedy to opowiada. Sam nie wiem, co o tym myśleć. Dowód, że Bóg ma poczucie humoru? Fuks? Historia ku przestrodze? Albo jeśli naprawdę - gdzieś głęboko w twojej podświadomości - wiesz o jakiejś dziwnej rzeczy...

A więc wiara czy fart?
Wolę myśleć, że wiara.

Wróćmy do Elevation Fund. Naprawdę jestem ciekaw, jak wygląda twoja strategia w przemyśle muzycznym. W artykule z „Wall Street Journal" znajduje się fragment, który mnie naprawdę zastanowił: „Elevation zamierza inwestować przede wszystkim w firmy związane z mediami i rozrywką osłabione pojawieniem się Internetu oraz innych technologii cyfrowych. Przemysł muzyczny, filmowy, wydawnictwa oraz inne tradycyjne media zmagają się z problemem, w jaki sposób wykorzystać nowe kanały dystrybucji - w tym Internet i telefony komórkowe - przy jednoczesnym ukróceniu piractwa, które technologie te ułatwiają". Ukrócenie piractwa? Jak tego dokonasz?
[*śmiech w zwolnionym tempie, jak Francuz*] Michka, czy mógłbyś choć raz nie zadawać trudnych pytań? Nie wiem jak, ale mogę powiedzieć dlaczego. Widzisz, nastaje taki moment, kiedy czujesz, że ziemia

trzęsie ci się pod nogami. A potem przychodzi chwila, gdy zupełnie usuwa ci się spod nóg. W muzyce i filmie wkraczamy właśnie w fazę, w której wszystko się zmienia, gdzie sprawy takie jak sposób kupowania i sprzedawania muzyki zmienia rodzaj muzyki kupowanej i sprzedawanej. Przykładowo, w wypadku ściągania muzyki przez Internet dzieci popu nie kupują całego albumu, tylko wybierają najlepsze kawałki. W wypadku muzyki popowej pieniądze zarabia się na albumie, a nie na singlu. Singel ma jedynie zachęcić do kupienia albumu, z którego połowa jest nieciekawa.

Ale dzieciaki nie kupują już płyt. Przynajmniej moje nie kupują. Mój syn ma teraz czternaście lat i zupełnie wystarcza mu dyskografia Nirvany. A moja jedenastoletnia córka odkryła w sobie zamiłowanie do starego albumu zespołu The Bangles. Nie wiem, jak twoje, ale moje dzieci nie wyglądają na obiecujących konsumentów przemysłu muzycznego, chociaż są wielkimi fanami muzycznych technologii.
Madonna nie chciała sprzedawać swoich utworów pojedynczo *online*, bo uważała, że tworzy albumy jako całość, i nie chciała, żeby ludzie ściągali po kilka piosenek. Ja to rozumiem. Ale to trochę tak jak z królem Kanutem, który siedział na tronie na brzegu morza i chciał mocą swojego majestatu powstrzymać przypływ. Ludzie i tak wybierają piosenki, czy ci się to podoba, czy nie. Podobnie jak Madonnie, U2 bardzo, bardzo zależy, żeby ludzie kupowali cały nasz album, zamiast wyławiać pojedyncze piosenki, ale czujemy, że ludzie mają prawo samodzielnie o tym decydować.

Jak to wygląda, odkąd wydaliście *How To Dismantle an Atomic Bomb*? Czy ludzie częściej wybierali piosenki, czy też kupowali cały album*?
Powinienem zapytać o dokładne dane, ale z radością informuję, że w przypadku najczęściej ściąganego zespołu większość interesowała się całą płytą.

---

* Pytanie to dodałem w ostatniej chwili.

Mimo że w roku 2004 *Vertigo* było najczęściej ściąganą piosenką na świecie, ty uważasz, że Internet ma mniejszy wpływ na muzykę rockową niż na pop. Powiedziałbym, że ty i Madonna nie do końca gracie na tym samym boisku.
Bardziej doceniłbym tu Madonnę, ale w muzyce rockowej ten problem występuje na mniejszą skalę niż w popie. Historycznie rzecz biorąc, fani rocka bardziej interesują się albumami. Oto przykład, jak zmienią się inwestycje w pop, jeżeli nie uda się już sprzedać słuchaczom całego albumu. W ten sposób przemysł muzyczny osiąga zyski. Środki wydane na promowanie gwiazd muzyki pop spadną albo zostaną przekierowane ku innym gatunkom, gdzie format albumu nadal funkcjonuje. Weź Norah Jones. Wyrosła z jazzu i jest teraz najbardziej utalentowaną piosenkarką popularną. Daleko odbiega od typu artysty poszukiwanego w eliminacjach do programu *Idol*, ale jest fenomenem pod względem sprzedaży, bo jej płyty kupują ludzie po trzydziestce.

Jasne. To muszą być ludzie tacy jak ja. Nadal nie wiem, jak się wypala kompakty.
Masz absolutną rację. Wielu z nich nie potrafi ściągać muzyki. Istnieje ogromna liczba odbiorców, którą ignorowano od lat, podczas gdy osiemdziesiąt pięć procent energii i środków poświęca się, aby skierować ofertę muzyczną do ludzi poniżej dwudziestego piątego roku życia. Nowe kanały dystrybucji spowodują, że oblicze przemysłu zmieni się nie do poznania. Kolejnym zjawiskiem jest telefonia - wpływa na sposób, w jaki się porozumiewamy: poprzez SMS-y. Zmianie uległy składnia i ciąg zdania. Poczekaj, a przekonasz się, co to spowoduje w przemyśle muzycznym: nie tylko dźwięki dzwonka! Będziesz w stanie znaleźć każdą piosenkę o każdej porze, oglądać wideo, jeśli przyjdzie ci ochota, dowiedzieć się, gdzie w pobliżu koncertuje zespół, i kupić bilety. Chcę powiedzieć, że jestem podekscytowany tym, co niesie przyszłość. Nadchodzi bardzo szybko, a ja nie chcę, żeby mi podcięła nogi. Chcę, żeby U2 było częścią przyszłości i miało udział w jej kształtowaniu. Elevation Partners to dla mnie okazja, żeby za-

angażować się w biznes, który kieruje moim życiem. Nie chcę stać się ofiarą. Nie chcę, żeby w przyszłości biznes mnie zastraszył. Słyszałem taką historię: Jack Lemmon uczestniczy w spotkaniu z wpływową hollywoodzką szychą. Przedstawia coś, nad czym pracował od lat. Wielki geniusz amerykańskiego kina nie skończył objaśniać propozycji, a tu dzwoni telefon. Szycha odbiera i mówi: „OK, OK, zaraz będę. Dobra, posłuchaj, Jack, projekt jest świetny, ale będziemy musieli do tego wrócić, bo muszę już iść...". Jack zostaje bezceremonialnie wyproszony z gabinetu, bo... [*robi dramatyczną pauzę*] wchodzi Tom Cruise. A przecież Tom Cruise nie chciałby, żeby z jego powodu skądkolwiek wypraszano Jacka Lemmona. Jest inny. Ale ta historia utkwiła mi w pamięci. Przyszło mi do głowy, że możesz robić najlepszą na świecie robotę, ale przychodzi taka chwila, kiedy jakiś facet może cię wpuścić lub wyprosić. Nie chcę nikomu dawać takiej władzy.

Ale czy ci ludzie już nie posiedli takiej władzy nad U2?
Nie, wcale nie. Na razie panujemy nad wszystkim, ale za pięć albo sześć lat może nadejść taka chwila, sam nie wiem. Mamy teraz w wytwórni wspaniałych ludzi i świetne z nimi układy. Jimmy Iovine, który kieruje Interscope, to najbystrzejszy i odnoszący największe sukcesy człowiek związany z muzyką ostatnich dziesięciu lat. Jest jak krewny. Jego przywiązanie do nas, podobnie jak nasze do niego, wykracza daleko poza interesy. Co by się stało, gdyby go nie było? Gdyby nam się nie układało z osobą, która akurat by się tym zajmowała? Jako U2 nie chcemy się znaleźć w tej sytuacji. Ostatnia płyta przed *All That You Can't Leave Behind* nazywała się *Pop*. Sprzedała się chyba w siedmiu milionach egzemplarzy albo coś koło tego, co było ogromnym sukcesem. Ale w porównaniu z oczekiwaniami innych rozczarowała. Ktoś mógł powiedzieć: „Wiecie, rozumiecie, to koniec lat dziewięćdziesiątych. Wasz czas minął. Nie będziemy w was więcej inwestować".

Faktycznie usłyszeliście coś podobnego?
Nie, nie. Mówię tylko, że to mogło się zdarzyć. A wtedy *All That You Can't Leave Behind* nigdy by nie powstała.

Twoim zdaniem zatem, biorąc pod uwagę to, co się teraz dzieje w biznesie muzycznym, nawet najlepiej sprzedający się artyści są w niebezpieczeństwie.
Myślę, że ten biznes przeżył prawdziwy szok. Chociaż nie sądzę, żeby firmy muzyczne we właściwy sposób wykorzystywały swoje relacje ze słuchaczami. Uważam, że artysta i fan to przegrani muzycznego biznesu. Żaden z nich nie odniósł korzyści z boomu na płyty kompaktowe w stopniu takim, jak powinien. Cena muzyki wzrosła, ponieważ na początku koszt produkcji był wysoki, a potem pozostał na tym samym poziomie, nawet wówczas gdy wytwarzanie kompaktów znacznie potaniało. Myślę, że w przyszłości wszystkie trzy strony mogą więcej zyskać: więcej dostanie wytwórnia płytowa, fani i artyści, ale tylko wtedy gdy będziemy ze sobą lepiej współpracować. Nigdy wcześniej nie słuchano muzyki tak wiele i tak powszechnie. Zamiast jednego magnetofonu, jak w latach siedemdziesiątych, w każdym amerykańskim domu znajduje się przeciętnie osiem odtwarzaczy CD. Do tego samochód, bo ludzie słuchają muzyki w czasie jazdy. Wraz z iPodem pojawiła się najpiękniejsza ikona sztuki użytkowej od lat. Z dumą muszę powiedzieć, że U2 ma własnego czarnego iPoda. Krępuje mnie to, że trzeba było człowieka od technologii, Steve'a Jobsa z Apple, aby rozwiązać największy problem przemysłu muzycznego – ściąganie muzyki. Witryna iTunes firmy Apple udowodniła, że ludzie są gotowi zapłacić za muzykę *online*, pod warunkiem że jest to łatwe, zabawne i rozsądnie wycenione. Moim zdaniem, biznes muzyczny może prosperować, ale zanim to nastąpi, musi się nad sobą ponownie zastanowić.

A skąd wiesz, że w ogóle przetrwa? Popatrz na to, co zrobił Prince. Powiedział: „Nie potrzebujemy już wytwórni płytowych. Musimy tylko produkować muzykę, a potem rozprowadzimy ją przez Internet i nie będziemy żywić żadnych pasożytów w przemyśle płytowym".
Ale nie sprzedał żadnych płyt ani kompaktów. Przynajmniej nie tyle, ile można się spodziewać po artyście jego formatu. To był odważny i śmiały ruch, ale nie docenił, jak ważni są w procesie ci wszyscy specjaliści. Wcale nie są pasożytami. Są ważni. Dawniej Prince miał

osobę, która chodziła do NRJ* lub Radio One i mówiła: „Ten nowy singel Prince'a jest świetny!". Oni na to: „Od jak dawna się nie pokazuje? Dawno go nie słyszałem...". A facet: „Nie, jest świetny. Posłuchajcie". Potem ktoś inny idzie do Virgin, Tower albo FNAC** i mówi: „Nowy album Prince'a jest doskonały. Chcę, żeby miał całą półkę tylko dla siebie. I chcę tu mieć jego kartonową podobiznę". Oni odpowiadają: „No nie wiem, właśnie wychodzi Britney Spears". – „Nie, nie, Prince! To wielki artysta. Potrzebujemy go. Proszę". Między nimi istnieje więź. W Nicei, Paryżu lub Santiago są osoby, które pracują dla ciebie, pracują z tobą. To ważni ludzie, którzy cię reprezentują. Biznes muzyczny jest niezbędny.

Jak przetrwa w świecie przez ciebie opisywanym?
Ludzie będą płacić za ściąganie muzyki. Pobrany utwór będzie jak książka w miękkiej oprawie, a kompakt – w twardej. Ale płyta kompaktowa jako obiekt będzie musiała stać się ciekawsza. Zamiast małego pudełka z wkładką z dwudziestoma stronami albumowi U2 towarzyszy cała książka – to rzeczy, których nie można pobrać z Internetu. Chcieliśmy znów stworzyć dzieło sztuki. Kiedy Beatlesi wydali *Sierżanta Pieprza*, nie powstała tylko płyta do słuchania. To było przeżycie artystyczne, niesamowitą szatę graficzną autorstwa Petera Blake'a można było oglądać i mieć na własność. Uważam więc, że zmiany doprowadzą do powstania kilku nowych formatów, różnych formatów. Cynicy mawiają: „Dlaczego ludzie mieliby kupować coś, co mogą sobie ukraść za darmo?". Pomyśl o wodzie w butelkach. A przecież możesz mieć wodę z kranu, nie ryzykując odpowiedzialności karnej.

Mniej ludzi kupuje książki w twardej oprawie niż w broszurowej, zgadza się?
Tak, ale milion ludzi kupi przedmiot wart dwadzieścia pięć dolarów. To bardzo dużo pieniędzy.

---

* Francuska stacja radiowa emitująca muzykę pop.
** Francuska sieć sklepów multimedialnych.

Ile sprzeda U2?
Milion.

Ale dlaczego teraz inwestujesz w ten biznes? Skąd ten pośpiech?
[*żarliwie*] Ponieważ chcę go lepiej poznać! Nie rozumiem go tak dobrze, jak mógłbym. Nie lubię nie wiedzieć, co się dzieje za rogiem. Niektórzy ludzie mówią, że kiedy skręcisz za róg, ktoś cię napadnie, prawda? Pracuję od dwudziestu lat. Jesteśmy właścicielami taśm-matek, praw autorskich do naszej muzyki. Nie chcę, żeby to nie miało żadnej wartości. To dla naszych dzieci.

Jaka jest więc twoja wizja przyszłości? Jak daleko w nią wybiegasz? Rozmawialiśmy o szachach. Ile ruchów naprzód potrafisz przewidzieć?
No cóż, [*odkasłuje*] jeśli chodzi o muzykę, teraz pasjonuje mnie to, jak iPod zmieni się w telefon. Będziesz miał w telefonie całą kolekcję nagrań przy sobie, dokądkolwiek pójdziesz. Jeżeli Internet to autostrada, twój telefon to samochód. Po raz pierwszy U2 bierze pod uwagę partnerów technologicznych. Musimy zrozumieć sposób, w jaki nasza muzyka będzie kupowana i sprzedawana, oraz rodzaj systemów dystrybucji. Teraz planujemy zaznajomić się z firmami telefonicznymi. Chcemy poznać ludzi z Vodaphone. Lubimy tych z Apple'a. Gdyby Jonathan Ive, geniusz, który projektuje dla Apple'a, miał fan club, zaraz bym się do niego zapisał. Mówiłem ci, Steve Jobs sprawił, że ściąganie muzyki przez iTunes stało się seksy, tymczasem biznes muzyczny był skłócony. To on stworzył piękne przedmioty, zwane Apple Macami. Nawet ich reklamy są wspaniałe. Chcemy w nich występować, zmieniać je w muzyczne filmy wideo.

Chyba rozumiem, do czego zmierzasz. Ale mam mieszane uczucia co do świata, w którym artyści stają się biznesmenami, a biznesmeni – artystami.
Świat z pewnością wyglądałby inaczej. Dlaczego tacy ludzie nie projektują samochodów? Drogi są zapchane kiepskimi pomysłami,

brzydkimi przedmiotami pozbawionymi wdzięku, poczucia humoru, seksu. Jeśli zadaniem sztuki jest pozbycie się brzydoty, to zacznijmy od dróg i samochodów. Niech się tym zajmą ludzie tacy jak ci z Apple'a. Chcę kształtować relacje, przynoszące wzajemne korzyści, a nie niekorzystne dla U2.

Czy pozostali członkowie U2 podzielają twoje poglądy na ten temat?
Wydaje mi się, że zespół coraz bardziej się tym interesuje. Niektórzy ludzie odmówili przyjęcia ogromnych sum pieniędzy od firm komercyjnych tylko dlatego, że nie uważali tego układu za uczciwy. Przychodzi do nas firma samochodowa i proponuje dwadzieścia trzy miliony dolarów za starą piosenkę. To duże pieniądze i niełatwo z nich zrezygnować. Moglibyśmy je rozdać. Tak się składa, że gdyby chodziło o inny utwór, może byśmy się zgodzili, ale piosenki, o którą im chodziło, nie chcieliśmy widzieć w reklamie samochodu. Odrzuciliśmy kolejną niewiarygodną sumę od firmy komputerowej za *Beautiful Day*. Co gorsza, polubiliśmy ludzi, którzy byli w to zaangażowani. Ale wtedy nie chcieliśmy pracować dla kogoś. Możemy współpracować, jeżeli dopuszczą nas do swojej firmy, żebyśmy popracowali z ich naukowcami. Rozmawiamy z rozmaitymi ludźmi. Pierwsze pytanie naszego menedżera do Carly Fioriny z Hewlett-Packard, kiedy się do nas zwrócili, brzmiało: „Czy wpuścicie Edge'a do waszego laboratorium?". Ona odparła: „Tak". Przyznaję, że to wszystko może wyglądać na megalomanię. Tylko jaka jest alternatywa? Pozwolić, żeby świat się po prostu toczył? Zostać w tyle albo gorzej: rozwalić się na środku informacyjnej autostrady i dać się przejechać ciężarówce? A ciężarówka ma z boku napis „Na sprzedaż". Dlaczego? Bo dawniej rozwoziła kompakty w starym stylu. [*śmiech*]

Zajmujesz się także grami wideo?
Gry wideo dotarły obecnie do etapu, na którym znajdowało się kino w 1920 roku, ale jako medium są znacznie mniej pasywne. Ojcowie grają ze swoimi dziećmi. Randki nigdy nie będą takie same, a z gigantycznymi ekranami i dźwiękiem surround to zupełny odjazd. Po-

wstała nowa globalna forma sztuki. Język jest barierą w filmach, ale nie w grach wideo.

Słyszę, że w Chinach ludzie szaleją na tym punkcie.
Widzisz, jeżeli w roku 2005 świat nie pogrąży się w recesji, to stanie się to dzięki dwóm krajom: Indiom i Chinom. Jeżeli teraz dwieście milionów ludzi w Indiach i dwieście milionów Chińczyków ma przyzwoity dochód, którym może rozporządzać – to tylko pomyśl. Nadal trzeba przezwyciężyć wielkie ubóstwo, niemniej jednak w światowej gospodarce pojawia się nowa klasa średnia licząca czterysta milionów osób. Podobają się im nasze samochody, nasze filmy i nasza muzyka, szczególnie w Indiach, ale wolą własną. [*śmiech*] Pod Delhi mają Bollywood. W Chinach uwielbiają gry wideo *online*, nie ma więc nawet problemu piractwa. Jeśli stworzyłeś świetną nową grę wideo, nie będziesz jej sprzedawał tylko w Stanach Zjednoczonych i Europie czy Australii. Będziesz ją sprzedawał w Chinach, Indiach, wszędzie. Dla aktu twórczego świat nabrał kompletnie innych wymiarów. Zdarzy się to samo, co stało się z filmami na przełomie stuleci. Gry interaktywne ze względu na wielką popularność zaczną przyciągać najbardziej kreatywnych i utalentowanych ludzi, nawet spoza filmu i muzyki. Powinieneś poznać mojego przyjaciela Johna Riccitiello, najbystrzejszego faceta w tym biznesie. Pracuję z nim w Elevation. Jest wspólnikiem. Pamiętam, jak go zapytałem: „Co zrobić, żeby gry wideo były emocjonalne?". A on odparł: „No, no! To jest projekt, w którym każdy chce uczestniczyć". Czy jestem tym tak samo podekscytowany jak szczepionką przeciwko AIDS? Nie. Ale tak się sprawy mają. Dla mnie to nadal bardzo ważne.

17. SPRZĄTAM SWÓJ POKÓJ

Nasza ostatnia rozmowa odbyła się w sierpniu 2004 roku w willi Bono w pobliżu Nicei. Po blisko dwóch latach musieliśmy gdzieś postawić kropkę. Pisząc te słowa, nie pamiętam dokładnie, co się działo ani w jakiej kolejności. W mojej głowie pojawiają się oderwane obrazy. Synowie Bono, Elijah i John, na rozkaz ojca atakują mnie w basenie... Jest kwadrans po ósmej, słońce już przypieka, w domu cisza, Bono i ja przeglądamy tekst na ekranie mojego komputera, od czasu do czasu wybuchając śmiechem... W przerwach między kawałkami z nowej płyty U2 odtwarzanej na domowym sprzęcie chwilami dobiegają surrealistycznie rzadkie oklaski niewidzialnych włoskich fanów leżących na wąskiej plaży poniżej. Znów białe wino... Ali zamyka drzwi, żeby nie słyszeć albumu po raz kolejny... Więcej wina... Sczytywanie kończące się długo po północy, Bono nawet nie mruga okiem, kiedy mówię, że musimy przejrzeć jeszcze jeden rozdział... Bezustanny odgłos cykad, zagłuszający głos Bono na moim dyktafonie... O świcie siedzimy obok siebie w nijakiej kafejce po drugiej stronie ulicy wśród obojętnych bywalców, czytamy dalsze rozdziały, usiłujemy wygładzić język, dodajemy nowe linijki... Bono pedałuje i wyciska z siebie poty na siłowni na dole, dosiadając machiny wymyślonej chyba przez samego diabła... na koniec machnięcie ręką na pożegnanie i szeroki uśmiech.

Myślę, że jest jeszcze coś, co musimy sobie wyjaśnić. W zeszłym roku napisałeś i wygłosiłeś długie przemówienia do niemieckich prominentów, do studentów University of Pennsylvania, a zwłaszcza do amerykańskiego Kongresu. Napisałeś parę scenariuszy, a twój przy-

jaciel Wim Wenders nawet sfilmował jeden z nich, *The Million Dollar Hotel*. Bob Dylan ma właśnie wydać pierwszy tom swoich *Chronicles. To znaczy, że nic nie stoi na przeszkodzie, byś napisał pamiętnik. Jestem pewien, że wielu ludzi zobaczy tę książkę i powie: „Po co, do diabła potrzebny mu jakiś Francuz o dziwacznym nazwisku? [*śmiech Bono*] Nie mógł sam opowiedzieć, co najbardziej liczy się dla niego w życiu? Dlaczego sam tego nie zrobił?".**

Trochę to przypomina grę w piłkę ręczną. Trzeba mieć twardą głowę, żeby służyła za ścianę. Prędkość piłki wyznacza nastrój gry. A ty naprawdę jesteś wolny.

Wielkie dzięki.

Oczywiście, mogłem napisać książkę, ale to nie byłaby ta książka. I trwałoby to rok.

Albo dziesięć lat... W każdym razie wynik nie byłby taki sam.

To się zgadza. Wynik nie byłby taki sam. W pewnym sensie byłaby bardziej interesująca, ponieważ byłaby jeszcze bardziej osobista. Ale też mniej interesująca, bo brakowałoby jej elementu sporu. Lubię, jak mnie ktoś popycha, jak drąży temat, znam to uczucie. Uważam, że nadszedł czas, by coś wyjaśnić.

Wyjaśnić? Ale kto o to prosi?

Mówię tu chyba o naszej publiczności, tej, która dała mi to niesamowite życie. Wywiady w czasopismach często wymagają skondensowanych wypowiedzi, chwytliwych cytatów i wyjaśnień.

Nadal nie wiem, dlaczego czujesz potrzebę tłumaczenia się przed kimkolwiek.

Może usiłuję wytłumaczyć się przed samym sobą?

---

* Książka Dylana *Chronicles. Volume One* została wydana w październiku 2004 r. Znajdują się w niej fragmenty rozmów Dylana z Bono: „Spędzanie czasu z Bono było jak jedzenie kolacji w pociągu - miało się odczucie, że się porusza, dokądś zmierza. Bono ma duszę starożytnego poety i musisz przy nim uważać. Potrafi zaryczeć, aż ziemia się trzęsie".

A, to do tego potrzebna ci moja twarda głowa.
Powiedziałem ci na początku, że nie lubię odwiedzać miejsca zwanego przeszłością. Nasze przedsięwzięcie zmusza mnie do takiego powrotu, do uporządkowania w głowie kilku spraw, zanim będę mógł ruszyć naprzód. Zwykle nie mam czasu na takie myśli. Na ogół nie wpatruję się w samego siebie. Zawsze uważałem, że odnajduje się siebie w innych ludziach. Jestem tu tylko przejazdem i nie chcę się urządzać na stałe.

Dlatego nigdy nie myślałeś o psychoanalizie. A może się kompletnie mylę? Może właśnie pomyślałeś?
Mówiłem ci już, że bliżej introspekcji już nie będę.

Stałem się więc dorywczym psychiatrą gwiazdy. Powinienem się wstydzić.
Psychiatrą albo księdzem – wybór należy do ciebie.

Przepytującym gliną, skoro o tym mowa. A może barmanem? To znaczy ja dostarczam alkohol (co rzeczywiście robię za każdym razem, kiedy przyjeżdżam w odwiedziny), a ty mi opowiadasz różne historie.
Doskonale. Chociaż wino może zmącić obraz. Tutaj trzeba chyba starej dobrej wody, zimnej i przejrzystej.

Domyślam się, że głowa może pęknąć od nadmiaru. O mało ci się to nie przytrafiło.
Mam taki pokój, mój własny mózg, w którym panuje bardzo, bardzo duży... bałagan! Wszędzie walają się jakieś rzeczy. Obok bardzo ważnych zamysłów leżą bardzo głupie. Jest butelka wina otwarta pięć lat temu i lunch, którego nie zjadłem od zeszłego lata. Są twarze dzieci, które mogą umrzeć, ale nie muszą. Jest twarz mojego ojca każącego mi posprzątać mój pokój. To właśnie robię – sprzątam swój pokój.

I naprawdę uważasz, że rozmowa pomaga ci w tym?
Mógłbym o tym napisać, mógłbym to namalować. Zwykle o tym śpiewam. Ale zazwyczaj wymawiam się od zrobienia czegoś, a nie mówię o tym, co zrobię.

Wiem, że ważną dla ciebie postacią jest malarz Louis Le Brocquy. W domu w Dublinie masz płótno Basquiata. Twój najlepszy kumpel Guggi został malarzem. Sam szkicujesz. Powiedziałeś mi kiedyś, że jedną z najważniejszych osób, które poznałeś w życiu, był Balthus. Wydaje mi się, że w pewnym sensie był dla ciebie tak samo ważny jak Johnny Cash.
Bardzo podobnie.

Żałujesz, że nie zostałeś malarzem?
Istnieją dwie bardzo odmienne czynności, które da się jednocześnie w pełni wykonywać. Możesz malować i słuchać muzyki - i, co ciekawe, całkowicie nad nimi panować. Malarstwo uderza mnie jako sposób dotarcia do tych uczuć, które są gdzieś daleko. Podobnie jak pisanie piosenek, jak rozmowa z tobą, ono pozwala mi oczyścić umysł, w którym panuje bałagan, i pozbierać z podłogi porozrzucane rzeczy. Po malowaniu czuję się lepiej.

Czy posunąłbyś się do tego, żeby użyć słowa „skrucha"?
Masz na myśli smutek, że tego nie robię? Nie. Z wiekiem robię to coraz częściej.

Nie spodziewałem się, że tak od razu się poddasz, kiedy porównałem znaczenie, jakie mieli dla ciebie Louis Le Brocquy i Johnny Cash.
To dwaj ludzie, którzy zostawili mi najważniejsze wskazówki, jak powinienem żyć. Obaj prezentowali niesamowitą godność, niesamowitą uczciwość. Louis jeszcze żyje.

Zawsze szukam wskazówek. Niektórzy ludzie je dają, innym zupełnie brakuje tej umiejętności. Wtedy rzadziej przebywam w ich towarzystwie. Nigdy nie uważam, że kogoś przewyższam, ale jestem po prostu podekscytowany, kiedy obracam się wśród starszych, bo mają znacznie więcej do zaoferowania. Dziś wysiadywanie z jakimś punkrockowcem, który właśnie odkrył, jak dobrze wyglądać w lustrze, już mnie naprawdę nie bawi. [*śmiech*]

Nie wiem zbyt dużo o twoich związkach z Balthusem.

Istniała między nami bardzo niezwykła więź. Pełna emocji. Balthus żył w odosobnieniu, niektórzy powiedzieliby, że jak samotnik, w Rossinière w Szwajcarii, w niesamowitym *grand chalet*. Poznałem go przez Louisa Le Brocquy, który poznał się na Balthusie, kiedy ten szefował Villa Médicis [od 1961 do 1976 roku]. Miał wtedy jakieś osiemdziesiąt lat. Louis poradził mi, żebym przywiózł Balthusowi butelkę irlandzkiej whisky. Razem z żoną, Setsuko, wiedli życie w stylu XIX wieku. Uwielbiam tę kobietę. Kiedy ją poznałem, miała na sobie tradycyjne japońskie kimono. Zaprzyjaźniłem się z Harumi, ich córką. Zajmuje się jubilerstwem, bardzo utalentowana dziewczyna. Poznałem także Stasia i Teo, dzieci z poprzedniego małżeństwa. Zaprzyjaźniłem się chyba z całą rodziną. Pamiętam, jak Balthus pokazał mi pokój urządzony na cześć Harumi, zwany „pokojem pełnym zabawek". Zapełnił go wszystkimi jej zabawkami z dzieciństwa, jakby kolekcjonował dzieła sztuki. W innym pokoju było pełno ptaków, piękne okazy, po prostu latały sobie wolno. Naprawdę magiczne miejsce. Gdy tylko tam zaglądałem, chciał zamienić ze mną kilka słów, ja z nim też. Spotykaliśmy się i rozmawialiśmy o wszystkim: o Bogu, śmierci, seksie, malarstwie i muzyce. Przerodziło się to w niekończącą się dyskusję. Zaprosił mnie na swoje osiemdziesiąte piąte urodziny [rok 1993]*. Przychodzę, a tu pełno przyjaciół, rodzina, parę twarzy sławnych, parę zwyczajnych miejscowych, kilku przedstawicieli, można powiedzieć... szlachetnej zgnilizny. [*śmiech*] Stare rody europejskie. Bardzo ciekawe. Czułem się zaszczycony, że mogę w tym uczestniczyć. Przyszła chwila, kiedy Setsuko wyjaśniła mi, że to bal kostiumo-

---

* Balthus urodził się w 1908 r. i zmarł w 2001 r.

wy. Odparłem: „Nie wiedziałem. Nie chodzę na bale kostiumowe". Weszła do mojego pokoju i powiedziała: „Balthus wybrał coś dla ciebie. Jest jedyną osobą, która będzie tak samo przebrana". A to był... strój samuraja! [*śmiech*] No to w porządku. Przebrałem się za samuraja. W końcu ja i Balthus zostajemy sami w kostiumach. Chciał porozmawiać. Nie wiem, czy miało to związek z Irlandią, czy z muzykami, ale myślę, że bardziej chciał porozmawiać o sztuce i muzyce. Spędzaliśmy więc razem sporo czasu. W pewnej chwili zaprowadził mnie do swojej pracowni. Wpatrywał się w coś, co było chyba jednym z jego ostatnich obrazów. Zapytałem, czy malowanie sprawia mu trudność. Odparł: „Nie, mogę malować". Ciągnął dalej: „Najbardziej brak mi rysowania. Świetnie rysowałem, a teraz nie mogę rysować. Dlatego boję się przyszłości". W tym momencie ten wielki człowiek wyglądał na osamotnionego, porzuconego przez przyszłość. On, przez całe życie oskarżany o arogancję, ukorzył się przed muzykiem. Zapytałem go, czy się modli. Rozejrzał się po wszystkich niedokończonych płótnach w pracowni: „To są moje modlitwy". I rozpłakał się. Brak mi słów, żeby ci opisać, jak ta chwila zmieniła mnie jako artystę. Ten stary dostojny malarz – jedyny malarz, o którym Picasso wypowiadał się z zazdrością, mimo że uwielbiał Matisse'a – jeden z wielkich mistrzów XX wieku, szlochał przede mną dlatego, że mógł teraz jedynie malować, a nie był w stanie rysować.

Domyślam się, że nie odważyłeś się wspomnieć, że sam rysujesz i malujesz.

Nie, to nie była dobra chwila, żeby zaatakować go moimi demonami. [*śmiech*] Pamiętaj, że ostatnio sporo rysuję.

A tak przy okazji, co wolisz: rysować czy malować?

Powiedziałbym, że chyba rysować. Właśnie przy tym zdarzają się przełomowe chwile. Malując, realizujesz to, czego się nauczyłeś w tych przełomowych chwilach. W Balthusie uderzyło mnie to, że próbował przekształcić życie w sztukę, podobnie jak pracę... a nawet śmierć. Jego pogrzeb był wyjątkowy. Najbardziej niesamowita rzecz.

Co w nim było niesamowitego?

Odbył się w Rossinière. Grano na dwudziestostopowych rogach alpejskich, żałobnik w czarnym cylindrze powoził karawanem. Poprzedniego wieczora wspaniała córka Balthusa Harumi odebrała mnie z dworca kolejowego. Pojechaliśmy do *grand chalet*. Leżał w swoim łóżku, przy otwartych oknach, do środka padał śnieg. Spędziliśmy z nim w milczeniu kilka chwil, a ja myślałem sobie: „Nie spędziłem z nim tak wiele czasu, dlaczego więc czuję się tak blisko związany z tym człowiekiem, z jego rodziną?". Potem weszła żona Balthusa Setsuko i zadała mi najbardziej rozbrajające i niespodziewane pytanie. Wyjaśniła mi, że jest buddystką, ale chciała zostać katoliczką. Powiedziała: „Z Rzymu przyjeżdża kardynał. Chcę zostać katoliczką. Zostaniesz moim ojcem chrzestnym?" - to dla mnie jedna z najbardziej poruszających chwil. Teraz mam japońską chrześnicę koło sześćdziesiątki, która - mogę to powiedzieć - młodnieje z każdym rokiem. Nie jestem dobrym ojcem chrzestnym. Zapominam o życzeniach na Boże Narodzenie, lecz ona zawsze mi je przysyła. Jest aniołem na czubku mojej choinki.

Czy Balthus kiedykolwiek mówił ci coś o muzyce, twojej albo w ogólnym sensie?

[*pauza*] Nie. Nie rozmawiał o niej zbyt wiele. Nie znał naszej muzyki. Mnie znał tylko z rozmowy. To wszystko.

Wiedział, że jesteś muzykiem.

Dla niego muzyką była rozmowa. Nie wydaje mi się, żeby w ogóle słuchał piosenek U2. Tylko ze sobą rozmawialiśmy. Ktoś mi kiedyś opowiadał, że przy jakiejś okazji siedział przy stole z dwudziestoma czy trzydziestoma ludźmi, „śmietanką literacką". Uderzył pięścią w stół i najzwyczajniej zapytał: „Czy ktoś tu w ogóle ma coś ciekawego do powiedzenia?". [*śmiech*] Widzisz, nie jestem pewien, czy ja miałem. Ale może to był po prostu inny akcent, odmienny punkt widzenia. Jego prace odzwierciedlały obsesję na punkcie młodości... i niewinności oraz chwili jej utraty.

Gnijąca niewinność. To temat płyty *Pet Sounds* zespołu Beach Boys i, rzecz jasna, albumu U2 *Boy*. Nawet na *How to Dismantle an Atomic Bomb* znów wracacie do tego tematu.
No właśnie. Nie pomyślałem o tym, ale to szczera prawda. Myślę, że miał to, co niektórzy z nas - coś w rodzaju zespołu Tourette'a. Polega on na tym, że mówisz rzeczy, których nie powinieneś mówić. Najlepszy znany mi przykład pochodzi z kościoła w Dublinie. Kiedy ludzie wychodzili rano z kościoła, żona pastora mówiła: „Do widzenia, pani Andrews! Pieprz się, suko!", „Witam! Jaka miła pierdolona suka!". To zdumiewająca przypadłość. Ja ją dzieliłem z Balthusem, jeżeli chodzi o temat naszej sztuki. W jego czasach jedynym tematem, do którego nie mogłeś podejść z ciekawością, był okres dojrzewania. Nie wolno było się do niego zbliżyć, więc on musiał to zrobić. Dla rock'n'rolla - i dla mnie - była to duchowość. Nie wolno jej było tknąć, więc ja się nią zająłem. Moim zdaniem, to przypomina trochę zespół Tourette'a.

Co zostawił ci Balthus?
Zostawił ideę, którą najlepiej ujął Dalajlama: „Jeśli chcesz medytować o życiu, zacznij od śmierci". Tam jest początek. Zawsze uważałem starszych ludzi za bardziej interesujących, poczynając od Franka Sinatry, a kończąc na Willie Nelsonie, Johnnym Cashu, Balthusie. Pod tym względem mam więcej wspólnego ze społecznościami hinduskimi niż z judeochrześcijańskimi, w których jesteśmy opętani młodością.

Zacytowałeś zmarłego przyjaciela Michaela Hutchence'a, który powiedział: „W tym biznesie pieprzy się artystów, ale najgorzej robią to oni sami". Ale mnie się wydaje - i dobrze, że wspomniałeś o swoim związku z Balthusem - że jesteś większym fanem niż gwiazdą. Uważam cię za superfana oraz za supergwiazdę.
Fajnie!

Spośród wszystkich poznanych przez ciebie gwiazd co, twoim zdaniem, te największe mają ze sobą wspólnego? Przez gwiazdy rozu-

miem tu osoby, które osiągnęły coś nadzwyczajnego. Ludzi kalibru Franka Sinatry lub Balthusa.

[*zastanawia się*] No cóż, im starsze gwiazdy na firmamencie, im bardziej antyczne, tym częściej patrzę na nie tylko po to, żeby pojąć, jak to się dzieje, że nadal są na niebie, kapujesz? Mądrość. Ona wystarczy, żeby zaskarbić sobie moją fascynację. Ale gwiazdy, których światło pozostanie ze mną na długo po tym, jak się wypalą, to te obdarzone łaską, bo rzadko się zdarza, że dar idzie w parze z łaską. Masz dar - nie masz łaski. Kilku największych dupków, jakich kiedykolwiek spotkałem, to osoby wyjątkowo utalentowane. Kiedy dostajesz obie te rzeczy naraz, jak w przypadku Louisa Le Brocquy, Nelsona Mandeli, Johnny'ego Casha czy Williego Nelsona, pozostawiają niezatarte wrażenie. Na tym polega syndrom „pięknej dziewczyny". Być utalentowanym to jak urodzić się pięknym. Nie musisz przepracować ani jednego dnia w życiu. Z tym się urodziłeś. W pewnym sensie to jak błękitna krew, pieniądze albo uroda. To przymioty, które powinny uczynić z ciebie najbardziej pokornego z ludzi, bo na nie nie zapracowałeś, tylko zostałeś nimi obdarowany. Jednak z doświadczenia wiem, że to one najbardziej psują ludzi. A czasami najbardziej pokorni są ci, którzy pracują najciężej i pokonali najwięcej przeszkód w życiu, i którzy mają powody do arogancji. Nie mogę się z tym pogodzić. Jeśli dla mnie to jest nie do wytrzymania, jak bardzo nie do wytrzymania musi to być dla Boga udzielającego tych darów. Nie wiem do końca, w jaki sposób je rozdaje, czy przez DNA, czy jakoś inaczej okazując szczególne względy, ale to dla mnie niesamowite. Uporać się z sukcesem i zachować maniery, zachować ciekawość intelektualną, utrzymać godność to naprawdę... rzadkość.

To znaczy istnieje niewiele takich przykładów.

No cóż, nie należę do nich, ale chciałbym. Myślę, że jest ich bardzo niewiele. W muzyce najtrudniej zachować wszystkie klepki na swoim miejscu. [*śmiech*] I co z tego, że nawet jesteś sympatyczny, ale... prochy! Patrzysz na człowieka i widzisz, że ma jedno oko. Myślisz sobie: czy było warto? Dlaczego to zrobiłeś? A on patrzy na ciebie, jakby był van Goghiem, który musiał obciąć sobie ucho. Myślę: „Wiesz co? Nie musiałeś sobie obcinać ucha. Podobały mi się twoje obrazy, zanim je obciąłeś". Nie chcę, żeby ktoś włazil na krzyż i w wieku trzydziestu trzech lat umierał, żeby zostać wielkim muzykiem. Moi bohaterowie to ci, którzy przetrwali, ci, którzy przeżyli: taki Bob Dylan. Zachował prywatność dzięki serii misternie przygotowanych masek, unikając głównego nurtu i wydeptując własną ścieżkę w gąszczu. Takich ludzi uwielbiam. Jestem nimi o wiele bardziej zainteresowany niż jakąś nową gwiazdą lub gwiazdką.

Zastanawiam się, czy kiedykolwiek fascynowały cię kultowe postaci, jak na przykład Syd Barrett. Takie, które umierały lub zaszywały się w samotni, kiedy były młode?
Kult śmierci.

Tak.
Nie. Nigdy.

Chodzi mi o to, że w kulturze rocka mitologia spadającej gwiazdy jest dość rozpowszechniona.
Wolałbym być Gwiazdą Polarną. Jak mawia Bob, według niej można znaleźć drogę.

Mówiąc o gwiazdorstwie i sławie, wiesz, że jesteś postacią kultową. I to ogromną. Zgadza się?
Czy to lepiej niż osobistość?

No wiesz, jest bardzo wielu maniaków mających obsesję na punkcie Bono.
Hmm... hmm...

Czy istnieje w tobie jakaś cząstka, która myśli sobie: „Jasne, jestem dumny z tego, co U2 i ja osiągnęliśmy, ale co, u diabła, oni we mnie widzą?" albo „Nie, coś im się pomyliło, nigdy nie chciałem być postacią kultową"?

Rozumiem ten mechanizm... Mówi się, że najbardziej zagorzałymi zwolennikami, najbardziej opętanymi fanami magii są... magicy. Wiedzą, że wcześniej włożyli do cylindra królika, ale nadal nie posiadają się ze zdumienia, gdy go stamtąd później wyciągają. [*śmiech*] Nie mam żadnych złudzeń co do ludzkiej sympatii do mnie. Wiem, dlaczego mnie lubią. Gram w świetnym zespole, który trzyma się razem. W muzyce jestem otwarty i wrażliwy i uchodzi mi to na sucho. Koniec historii. To wszystko wyjaśnia, prawda? Dlatego przysięgam na Boga, że nawet się nad tym nie zastanawiam. W ostatnich dniach czasami zapominam, że jestem w zespole. Dziwne. Tak przywykłem do dodatkowej nogi, że już jej nie dostrzegam. Właściwie jestem teraz na takim etapie, że znów czuję się osobą prywatną.

Twierdzisz więc, że jest ci obojętne, czy jesteś postacią kultową, czy nie.
Ktoś powiedział: „Nie oceniaj swoich fanów po ludziach, których spotykasz". Myślę, że to chyba byłem ja. [*śmiech*] Nie wiem, bo w moim przypadku to się nie sprawdza, ponieważ fani U2 są właściwie łatwi w obejściu. Ogólnie mówiąc, mamy bardzo dobre układy z naszymi fanami, ale czasami posuwają się za daleko. Wiem, że ludzie o skrajnych zachowaniach, którzy odmawiają ci prywatności i grzebią w naszych koszach na śmieci - ostatnio mieliśmy właśnie kogoś, kto zabierał nasze kosze - to nie nasza publiczność. Nie osądzam naszych słuchaczy według tych typów.

Bob Dylan trafił na faceta o nazwisku A.J. Weberman, który obwołał się „dylanologiem" i rzeczywiście kiedyś przeszukał jego kosz na śmieci. Mogę cię zapewnić, że nie jestem jeszcze gotów, by na ścianie przytwierdzić sobie plakietkę z napisem „bonolog".
Kiedy w 1980 roku po raz pierwszy przyjechałem do Los Angeles, chciałem wpaść do domów Boba Dylana i Briana Wilsona. Mówiłem ci o tym? Pierwsza rzecz, jaką chciałem zrobić. Muzyka tych dwóch ludzi zmieniła mi życie. Nie mogłem oddać im tego, co dali mnie. Chciałem im oddać hołd, po prostu pójść i podziękować. Potem po-

wstrzymałem się, bo pomyślałem: „A może nie chcą, żebym im dziękował". I zatrzymałem się. Jest we mnie tolerancja. Kiedy ludzie przyjeżdżają pod mój dom, tłumaczę im: „Nie mogę z wami teraz rozmawiać, bo żona się ze mną rozwiedzie". Włosi mówią: „To *Mamma*!". A ja mówię: „Tak, właśnie tak. [*wymawiając słowa jak dziecko, z włoskim akcentem*] *Mamma* zabije Bono!". [*śmiech*] To nie tak, że patrzę na nich i wzdycham [*udaje głębokie westchnienie poirytowania*]. Wiesz, nie wściekam się jak rozkapryszona gwiazda filmowa.

Jak reagujesz na pochlebców?
Pochlebców? Jakich? Zawołaj tu kilku! [*śmiech*] Jestem w zespole. Przez całe życie otaczają mnie spory. Wszyscy moi kumple, z którymi się wychowałem, są brutalnie prawdomówni. Pochlebcy? Gdzie oni są? Czy ich spotykam? Oczywiście. Ale z reguły nie w życiu.

Co wtedy robisz?
Kiedy ich spotykam?

Tak.
Ziewam. [*śmiech*] Zauważysz to. Z nami jest inaczej, bo trzymasz mnie na baczność, ale ja nie potrafię skupić się na dłużej. Jeśli się tak nie dzieje, zasypiam, ponieważ zwykle nie jestem za bardzo wyspany. Więc prawdopodobnie nie spędzę wiele czasu z ludźmi, jeśli nie ma równych relacji.

[*patrząc na listę*] O, to jest niezłe. Francuska pisarka z przełomu XVIII i XIX wieku, Madame de Staël, powiedziała: „Sława to błyszczący całun szczęścia". Zgodziłbyś się z tym?
[*pauza, potem cichym głosem*] O, coś takiego! Zeszłego wieczora razem z Simonem [przyjacielem i scenarzystą Simonem Carmodym] poświęciliśmy podobnej myśli dwie godziny. Powinieneś z nim porozmawiać. W piosence *Mercy* znajduje się linijka, którą pominęliśmy na tym albumie: „Szczęście jest dla tych, którzy tak naprawdę go nie po-

trzebują". Potrafię żyć bez szczęścia. Jeśli taka jest cena sławy, trudno! Ale radość nie jest na sprzedaż. A moja radość pochodzi z zupełnie innego źródła. Nie mylisz się, Michka. Gdzieś tam sława zawsze pachnie paktem z diabłem.

Czyli?
Czyli: możesz zająć miejsce przy stole, ale nie zachowasz własnego poczucia humoru. [*śmiech*] A ja się na to nie zgadzam. Nie, i koniec. Nasze poczucie humoru przeprowadziło U2 przez cały galimatias. A w latach osiemdziesiątych prawie go straciliśmy.

Naprawdę?
Tak. Za wiele myśleliśmy.

Właściwie o czym?
O sławie. Jak to jest, kiedy się w ciebie wpatrują, jak to jest, kiedy cię fotografują, jak to jest, kiedy szepczą o tobie w restauracji. Wiele się nad tym zastanawialiśmy.

I do czego doszliście?
Do samoświadomości. Takie rozmyślania mogą cię wykrzywić. Chodzisz inaczej. Nosisz się inaczej. Zapytaj fotografa. Zapytaj Antona [Corbijna]. Widzisz, fotograf rozumie, że twarz dawniej piękna może się stać brzydka przez samoświadomość. Największym darem modelek nie jest to, że są ładniejsze niż inni, ale to, że mogą być fotografowane i nie są tego świadome. A zniekształcająca soczewka, jaką jest sława, oszpeca ludzi i onieśmiela. Usta bledną, twarz nagle wygląda na znękaną. Robi się zdjęcie, ale przyczyna, dla której chciałeś je zrobić, zniknęła. Tak się czułem w latach osiemdziesiątych, bo za dużo o tym myślałem.

Widywałem cię sporadycznie w latach osiemdziesiątych i nie uważałem cię za osobę, którą teraz opisujesz.

Nie byłem taki przy tobie, bo wyczuwałem pokrewną duszę, byłem odprężony, mieliśmy wspólne tematy. Ale kiedy wychodziłem, czułem, że nie chcę zawieść ludzi, którzy mnie podziwiają. Starałem się sprostać ich oczekiwaniom: [*naśladuje poirytowany, zadufany w sobie głos*] „Nie jestem gwiazdą rocka, jestem prawdziwym człowiekiem!". Teraz mówię: „Jestem pieprzoną gwiazdą. I co z tego?". [*śmiech*] Potrzebowałem dużo czasu, ale w końcu do tego doszedłem. Jeżeli rock'n'roll coś znaczy, to właśnie wyzwolenie, swobodę.

W latach osiemdziesiątych nie czułeś tej swobody.

Lata osiemdziesiąte były więzieniem samoświadomości. „O, mój Boże, zarabiam pieniądze!" [*pariodiuje okrzyk strachu, potem mówi głosem osoby ściganej przez wampira w horrorze*] „Chyba się dobrze sprzedaję. Ale chwila, dzisiaj jeszcze nikogo nie naciągnąłem. Chociaż nie – musiałem to zrobić!" [*śmiech*] Teraz nie sądzę, żebym musiał cokolwiek na mój temat udowadniać. Chodzi tylko o to: „Masz dobre piosenki? Czy twój zespół jest dobry? Wystarczy, kolego. Nie żyję według piosenek, bo są lepsze ode mnie. Nie szufladkujcie mnie jako dobrego człowieka, bo się zawiedziecie. Hej, jestem skomplikowany, jestem artystą! A mogę być szajbusem". Mam to za sobą. Teraz jestem bardzo szczęśliwy, sprawiając ludziom zawód. Kiedy ktoś mnie widzi, jak wypełzam na czworakach z klubu nocnego, nie może powiedzieć [*parodiując oburzony głos*]: „Ale przecież MÓWIŁEŚ!!!" – „CO ja takiego mówiłem? Chcę, bracie, żebyś zabrał stąd ten pieprzony flesz. [*naśladując głos pijanego*] A tak przy okazji, to kolega mojej żony". [*śmiech*] Mam to już za sobą. Nasza rodzina nie żyje mediami. Nie czytujemy tych gazet, choć od czasu do czasu trafiają pod nasze drzwi. Muszą sobie jakoś radzić.

Jak w takim razie odzyskałeś poczucie humoru? Co się wydarzyło?

Rzecz ciekawa, wszystko zaczęło się w 1986 roku, kiedy nadrabialiśmy stracony czas w kontaktach z moimi kumplami Guggim i Gavinem i zaczęliśmy razem malować. Wychodziliśmy razem w czwartki wieczorem, malowaliśmy i odgrywaliśmy scenki. Znalazłem w tym początki swobody, która później zakiełkowała.

Dziwne. Sprawiasz wrażenie, że sława to choroba, którą musiałeś pokonać.
Ludzie, którzy naprawdę szanują kult gwiazdorstwa, poświęcają całą energię, próbując go uniknąć. Ludzie, którzy... [*przerywa zdanie, parodiując westchnienie kogoś, kto próbował wszystkiego*]. Ktoś mi opowiadał o jednej osobie, nie powiem o kim. Kiedyś był w muzyce wysoko cenioną i szanowaną postacią. Dwadzieścia lat później nadal wychodzi z domu [*naśladuje spojrzenia szpiega z okresu zimnej wojny z filmu Hitchcocka*] i przemyka się do taksówki, żeby go fani nie zauważyli. Ale nie ma nikogo, już nikt się nim nie interesuje! Przecież nie zostaje się gwiazdą przez przypadek. Osiągnąć ten cel i protestować to czyste chamstwo. Ci, którzy się chowają, robią to tak, żeby dać się znaleźć. Poświęcają temu zbyt wiele energii.

Kto albo co pomogło ci się wyluzować?
Kiedy w tamtym okresie za dużo o tym myślałem, prawdziwym darem niebios była dla mnie Chrissie Hynde. Miała poczucie humoru i właściwe podejście: wdzięk dla dobrych ludzi, a obelgi dla tych, którzy stawiali ją na zbyt wysokim piedestale. A teraz, Michka, specjalnie dla ciebie, szalona dygresja. Słyszałem opowieść o kościele, gdzie wśród wiernych siedzą demony, diabły. Kaznodzieja usiłuje przepędzić diabły, ale wciąż coś miota nim o ziemię i robi z niego głupca. Sprowadzają innego księdza. Ten mówi do wiernych: „Musicie przepędzić te diabły z waszego życia. Kto tu jest?". Wywołuje je, a one go powalają. Panuje amok, organy zaczynają grać i na koniec wszystkie panie lądują z sukniami na głowach. Wreszcie po trzech, czterech czy pięciu egzorcystach pojawia się wielka szycha i odzywa się do diabłów: „W imię Jezusa, rozkazuję wam ujawnić wasze imiona". I wszystkie się przedstawiają. Boją się. Pyta ich: „Dlaczego terroryzujecie to miejsce?". Pada odpowiedź [*naśladuje nieśmiały głos*] „Ponieważ poświęcają tu nam tyle uwagi". [*śmiech*]

Wiesz, do czego zmierzam? Ludzie uciekający od gwiazdorstwa, tak jak ja w latach osiemdziesiątych, za wiele o tym myślą. Kogo prześladują paparazzi? Tych, którzy ich unikają albo z nimi walczą.

Zdarzały się takie chwile, kiedy sława wchodziła w paradę przyjaźni?
Na samym początku lat osiemdziesiątych: w 1982, 1983.

Odzyskałeś przyjaciół?
Tak, musiałem ich gonić. Nie odpuszczam ludziom tak łatwo. Nadal mam przy sobie osoby, które kocham - i kilka takich, których nie kocham. [*śmiech*] Co do ludzi, bywam bardzo uparty.

Czy budzisz się czasami, zupełnie nie pamiętając, że jesteś Bono z U2?
Owszem. Przez większość dni naprawdę nie myślę o tym, że jestem w zespole. Myślę o tym, że jestem ojcem, mężem, przyjacielem.

O czym jeszcze myślisz, kiedy rano otwierasz oczy i leżysz jeszcze w łóżku?
Eee... myślę o tym, co mam, zazwyczaj nie rano, ale w nocy. Sporo czasu poświęcam na to, żeby podziękować Bogu. Czasami myślę sobie: „Co by było, gdyby to wszystko przepadło?". Pracowałbym jako dziennikarz, miałbym mniejszy dom. Nic innego by się nie zmieniło, bo ludzie, którzy ostatnio nocowali u mnie w domu albo w ogrodzie, pozostaliby. Z innymi - bo na przestrzeni lat pozawierałem nowe przyjaźnie - może bym się nie zetknął. Ale gdyby mój świat miał się zmienić, moi najbliżsi nadal by w nim byli. Zastanawiam się nad tym czasami: to niesamowite, że nie trzeba się martwić o rzeczy, o które martwi się większość ludzi. Rankiem myślę jedynie, w jaki sposób wcisnąć życie w ramy dnia, co bywa dość trudne.

Miewasz coś, co nazywa się nawracającymi snami? Ja mam taki jeden. Podchodzę do egzaminu i oblewam.
Ho, ho! Wiesz, o co w nim chodzi?

Jest chyba takie słowo: „oszustwo". Zupełnie jakbym podstępem wszedł we własne życie.
Bardzo dobre. Czujesz się oszustem...

Tak. Uzurpatorem.
Mam taki nawracający sen, zresztą miałem go przez całe życie. Jest o dwóch domach. Jeden z nich jest zabity deskami, drugi nie. Oba stoją nad wodą, podobnie jak te dwa domy we Francji. Miałem ten sen na wiele lat przedtem, zanim razem z Edge'em kupiliśmy to miejsce. I dziwna sprawa, przez pierwszych dziesięć lat ten dom, przed którym teraz siedzimy, był zabity deskami, a tamten drugi - nie. I tam mieszkaliśmy. Nie wyglądały jak domy ze snu, ale musiały mieć coś wspólnego z tym zakątkiem.

Niesamowite. Jak to sobie tłumaczysz?
Nie mam pojęcia, bo kiedy kupiliśmy te domy, oba były zabite deskami. Ale potem jeden bardzo szybko przestał.

Więc to przeczucie.
Ale one tak nie wyglądały. Zmieniały lokalizacje. Mógłbym je nawet narysować. Ale pomysł jest taki sam. Ostatnio też miałem ten sen.

Masz jakieś wyjaśnienie?
Nie. Jeden to ruina, a drugi to ładny dom.

Trudno to rozgryźć. Różdżka radiestety nie pokazuje żadnego kierunku. [*śmiech*] Ale ciekawe, że właśnie tutaj jesteśmy.
Dzięki temu miejscu znalazłem się najbliżej... swobody. Nawet kiedy były to zaledwie dwie ruiny i koczowaliśmy tutaj, naprawdę nauczyłem się stylu życia, jakiego wcześniej nie znałem. Jak to jest po francusku? *Savoir-vivre*?

***Savoir-vivre* oznacza właściwe zachowanie, uprzejmość i ogładę.**
No nie. To coś przeciwnego. [*śmiech*]

Ale w pewnym sensie masz rację. W szerszym kontekście oznacza umiejętność pokierowania swoim życiem. Może chcesz powiedzieć,

że nauczyłeś się cenić dobre rzeczy w życiu i rozkoszować się nimi z klasą.
Raczej w pozbawiony klasy prymitywny sposób, ale z pewnością chodzi o to, żeby je smakować. Właśnie tego nauczyłem się tutaj, słuchając muzyki z przyjaciółmi. Tutaj przytrafiła mi się odwilż. Epoka lodowcowa skończyła się w 1992 roku.

Tutaj jesteś kimś innym.
Tak.

Łączysz w sobie tyle różnych postaci. Tę, którą spotykam w Dublinie, tę, z którą rozmawiam przez telefon, bardziej wyluzowaną.
Przez telefon? Znacznie bardziej. Przez telefon jest tak prywatnie, jak tylko się da. Druga osoba znajduje się tuż przy uchu. Przez telefon musisz uważać, bo możesz się bardzo otworzyć.

Istnieje kilku innych Bono: ten piszący nad ranem, ten występujący przed tłumami.
[*cichym głosem*] Hmm... hmm...

Ten zwracający się do amerykańskich kongresmanów i oczywiście ten, który zasiada teraz w zarządzie Elevation Partners.
Hmm... hmm...

Oczywiście, jedna osoba łączy w sobie wszystkie rozmaite role. Czy nigdy nie czujesz się jak komediant?
Masz na myśli kameleona...

Obaj robią to samo, czyż nie? Podejrzewam, że Bono to znak firmowy i nikt właściwie nie zna osoby stojącej za nim, poczynając od ciebie.
[*śmiech w kułak*] Nie dasz się zbyć. [*długa pauza*] Każda sztuka to próba określenia siebie. Przymierzasz wiele postaci w drodze do odnalezienia tej, która najbardziej ci odpowiada i dlatego jest tobą. Wszystkie dzieci tak robią. Często widzisz, jak nastolatki wypróbowują róż-

ne aspekty własnej osobowości. A ja poszukuję, próbuję dojść do tego, na co mnie stać. Jak mógłbym zrobić coś pożytecznego dla rodziny, moich przyjaciół i... świata.

Jesteś zbyt zajęty tym, co robisz, żeby zrozumieć, kim naprawdę jesteś.
Powiem tak: na powierzchni widzisz szum, pewną szaloną nadaktywną osobę robiącą wiele rzeczy, o wielu zainteresowaniach i pomysłach, za którymi się ugania. Ale pod powierzchnią, na samym dnie, panuje... spokój. Kiedy jestem sam, czuję trudny do opisania spokój, spokój – który wykracza poza wszelkie zrozumienie. Niektórzy ludzie na zewnątrz wyglądają naprawdę spokojnie i błogo, ale w głębi są jak wrzące kotły. Gotują się od nerwowej energii. Cała moja energia znajduje się na wierzchu. Wewnątrz panuje spokój. Kiedy jestem sam, nie panikuję, żeby odnaleźć rozmaite osoby, które opisałeś. Kimkolwiek jest ta osoba, jest najbliższa temu, kim jestem.

A czy spokój, o którym mówisz, nie graniczy czasami z obojętnością?
Nie, jest w nim wiele troski o moich przyjaciół. Bardzo ciepłe uczucie. I tam właściwie zmierzam. Kiedy w życiu sprawy obracają się do góry nogami, tam się udaję. I zawsze przychodzę do siebie, zawsze czuję się odświeżony. To wcielenie jest chyba najbliższe osobie, którą znajdę, osobie, jaką jestem i jaką chcę być.

Jak ją odnajdujesz? Czytając? Modląc się?
Czytając, modląc się, medytując, chociaż może to być zwykły spacer. Ludzie często mówią do mnie: „Jak ty to wszystko robisz? Robisz to, robisz tamto". Chyba właśnie tak. Nie potrzebuję dużo czasu, żeby tam dotrzeć. Możesz, jeśli chcesz, nazwać to chwilą szabatu, bo szabat był dniem odpoczynku.

Może nie masz zbyt wiele czasu, żeby pobyć tym, kim naprawdę jesteś.
Dlatego właśnie naprawdę potrzebuję tego siódmego dnia. Ale mój szabat niekoniecznie wypada siódmego dnia albo w niedzielę czy

w jakiś tam dzień. Po prostu chłonę chwilę. Ogarnia mnie wtedy niesłychany spokój i jestem sobą. [*śmiech*] Nie potrafię tego opisać, ale chyba nie muszę tego robić, kiedy zagłębiam się w takiej chwili. Znalezienie drogi przez świat może mi sprawić kłopoty. Ale kiedy wszystko znika z horyzontu i zostaję sam, nie czuję tej potrzeby sprawdzenia się.

W świecie zewnętrznym może się to sprowadzać do jednego: nie lubię przegrywać. Nie lubię tracić okazji. Jest ich aż tyle! To mnie ekscytuje. Nawet tor przeszkód mi nie przeszkadza. Przebiec go, przeskoczyć, jak najszybciej przesadzić przeszkody – to niezła zabawa. Co to takiego? Ja też chcę. Mogę w czymś pomóc? Naprawię to. Jejku, biorę to. Jak to smakuje? Hmmm! Co to jest? Och, to jest piękne! Jaki to rocznik? Dzięki!

Pozostało bardzo niewiele pytań. Do kogo byś najpierw zadzwonił, gdybyś poczuł się przygnębiony? A może zachowałbyś to dla siebie?
To chyba byłaby... moja rodzina...

Czyli twoja żona?
„ET dzwoni do domu!” [*śmiech*]

A czego w głębi siebie najbardziej się obawiasz?
[*długa pauza*] Hmmm... utraty perspektywy...

Czy wcześniej ci się to przydarzyło?
Tak sądzę.

Jak byś określił utratę perspektywy?
No cóż, pierwszą oznaką jest depresja...

Czy kiedyś przez to przechodziłeś?
Tak. To właśnie oznacza, że tracę perspektywę. Nie postrzegam rzeczy w ich właściwym kształcie.

I taki stan trwa tygodniami? Miesiącami?

Nie. Może mi wyjąć z życia jeden dzień, może kilka. [*pauza*] Jedyna prawdziwa lekcja, którą pamiętam od mojej matki, wyglądała następująco: stanąłem na odłamku szkła i nie przestawałem płakać, wiesz, rana i krew. A ona na to: „Zabiorę cię do szpitala Cappagh - dość blisko - i pokażę ci ludzi, którzy nigdy nie będą chodzić". Perspektywa jest niezwykle ważna, po ludzku rzecz ujmując. Myślę także, że to jedna z pierwszych ofiar gwiazdorstwa. Wydaje ci się, że ponieważ jesteś dobry w aktorstwie, pisaniu piosenek, w czymkolwiek, jesteś w pewnym sensie ważniejszą osobą niż ktoś, kto - powiedzmy - jest pielęgniarką, lekarzem czy strażakiem. To po prostu nieprawda. W Bożym porządku rzeczy ludzie tacy jak ja są... bardzo zepsuci. Nadal wprawia mnie w zakłopotanie to, że świat robi bohaterów z gwiazd rocka lub filmu, z najróżniejszych artystów.

Co wiesz o depresji? Z pewnością nie jest ci łatwo mówić otwarcie na taki temat. Raz już próbowałem o to pytać.

No cóż, od czasu do czasu czuję, jak depresja wdziera się w moje życie. Musisz przyznać, że we wszystkich naszych rozmowach nie wyszedłem chyba na biadolącą gwiazdę - i niech Bóg nas przed takimi broni! Owszem, spieprzę coś, popełniam błędy, zarzynam się. Ale mam wiarę, do której się zwracam. Jeśli mogę przez chwilę być szczery, kiedy wcześniej zapytałeś mnie, co się dzieje, gdy budzę się rano... Kiedy budzę się rano, wyciągam rękę - duchowo - i sięgam po, można powiedzieć, Boga. Czasami nie czuję Go i dopada mnie samotność. Czuję się opuszczony i zastanawiam się, gdzie jest Bóg. A potem [*pauza*] - nie chcę wpaść w melodramat - pytam Boga: „Gdzie poszedłeś?". Zazwyczaj odpowiada w sposób trudny do opisania: „Nigdzie nie poszedłem. [*śmiech*] Gdzie t y się podziewałeś? Ja się nigdzie nie ruszałem". Potem muszę to sprawdzić i zdaję sobie sprawę, że gdzieś zawaliłem, zaprzedałem sam siebie. Zwykle dzieje się to stopniowo, małymi krokami. Nigdy nie zdradzasz siebie - przynajmniej ja nigdy siebie nie zdradzam - wielkimi, dramatycznymi, śmiałymi posunięciami, w rodzaju: no dobra, dziś rano obrabuję bank, dowiem się, gdzie mieszka mój wróg, i przywiążę go do łóżka. Powoli oddalasz się od tej najbardziej do ciebie podobnej osoby...

Nie obawiasz się, że zabłądzisz na dłużej niż kilka dni?
Cóż, jeżeli masz w sobie ciekawość intelektualną, masz charakter skłonny do eksperymentów, będziesz podnosił kamienie, zaglądał pod nie i od czasu do czasu znajdował odrażające robaki, a one czasami będą kąsać. Wtedy zawołasz: „Au!". Ja właśnie tak robię i, owszem, jestem zaskoczony własną umiejętnością oszukiwania samego siebie. Potem się budzę w miejscu, które można nazwać rozpaczą.

I powiesz, że Bóg cię stamtąd wyciąga. To jednak brzmi dla mnie dość egzotycznie.
[*wybucha śmiechem*] Świetne słowo! No dobra. [*nadal się śmieje, po czym znów poważnieje*] Wiesz, muszę znów odnaleźć Boga, muszę wszystko uporządkować. Na tym polega problem, więc muszę to naprawić.

Domyślam się, że nie stracisz mowy, kiedy spotkasz Boga. Jak sądzisz, co ci powie?
Cieszę się, że przedstawiłeś to jako stwierdzenie. Eee... [*śmiech*] „Dobrze wyglądasz". Michka, dzięki ci, że we mnie wierzysz. Mam nadzieję, że Bóg mógłby mi powiedzieć, jeżeli zdoła dojść do słowa: „Wchodź, ale błagam, przestań się tłumaczyć!". [*śmiech*] A tak przy okazji, wcześniej pytałeś, dlaczego nie napisałem o tym w książce. Uważasz, że napisałbym o tym w książce? Nie ma mowy!

Powiedziałeś o swoim ojcu: „Nabierał wody w usta albo zaczynał dowcipkować". Sądzę, że w twoim przypadku ty nabierasz w usta słów albo zaczynasz dowcipkować. [*Bono wybucha śmiechem*] Co na to powiesz?
Winny, wysoki sądzie.

Żadnych dodatkowych komentarzy?
„Milcz i wiedz, że jestem Bogiem". To mój ulubiony cytat z Pisma Świętego: „Zamknij się i pozwól mi cię kochać", tak byłoby w piosen-

ce. [*śmiech*] Właśnie o to tu chodzi. Jeżeli kiedykolwiek będę chciał usłyszeć komentarz, pewnie będzie właśnie taki.

Ostatnie pytanie, potem się mnie pozbędziesz. Co odbiera ci mowę?
[*wzdycha... dwudziestosekundowa przerwa, ciągły odgłos cykad*] Czy śpiew się liczy?

Obawiam się, że nie. Piosenki mają słowa.
Nie mają, kiedy zaczynam. Zwykle to jest melodia i sylaby bez sensu. Hmm... Piosenki są prawie tak zwięzłe jak ja. Po prostu cię oszczędzam. [*śmiech, potem zastanawia się przez chwilę*]
*Forgiveness**, to moja odpowiedź.

Chodzi ci bardziej o „otrzymanie przebaczenia".
Tak.

Czasami odpowiadasz na pytanie cytatem z piosenki, którą napisałeś. Czy powiedziałbyś, że temat zostaje wyczerpany, kiedy ty i U2 napiszecie o tym piosenkę?
Nie, nie. Widzisz, jednym z ciekawszych aspektów naszej rozmowy jest to, że zadajesz pytania, których nie zadałem. Ale kiedy zadajesz pytanie, które sam sobie zadałem, to prawdopodobnie udzieliłem już na nie odpowiedzi.

Chodzi ci o piosenkę? Czy to znaczy, że niektóre z zadanych przeze mnie pytań zamienisz kiedyś w piosenki?
Hmm, możliwe. To dręczące pytania.

Ciężko mi skończyć. Ale powiedz szczerze: czy naprawdę uważasz, że są sprawy, o których dowiedziałeś się właśnie dzięki naszym rozmowom?
[*zastanawia się przez chwilę, potem uśmiecha się*] Życia pozbawionego pytań nie można zazdrościć.

---

* Przebaczenie – ang. (przyp. tłum.).

Ta rozmowa telefoniczna odbyła się 8 grudnia 2005 roku. Bono zadzwonił ze swojego nowojorskiego apartamentu. Mijało dokładnie dwadzieścia pięć lat od dnia zabójstwa Johna Lennona. Bono napomknął, że znajduje się „przy ulicy, gdzie to się wydarzyło". Jak niejednokrotnie zdarzało się podczas naszych rozmów, kiedy odebrałem telefon, usłyszałem, że śpiewa.

[*śpiewając*] „*Well, we all shine on...*"

Brzmisz jak radio tranzystorowe z lat sześćdziesiątych. Czuję się, jakbym słuchał jakiejś polskiej stacji nadającej na falach krótkich. Pogłos, jak z łodzi podwodnej.
Mmm... I znów ten typowy francuski snobizm...

A czego innego się po mnie spodziewałeś?
Myślałem, że twój niedawny sukces i świeża sława na światowych targach książki obudziły w tobie nieco pokory.

Dlatego właśnie spodziewam się, że teraz będziesz się do mnie zwracał innym tonem.
[*śmiech*]

... ale w twoim głosie jeszcze tego nie słychać...
Staram się jak mogę. Jak się miewasz, przyjacielu?

W porządku.
Mój przyjaciel i kat...

Na początek zamiast skatować, chyba cię połaskoczę. W lipcu 2005 roku wystąpiłeś wspólnie z Paulem McCartneyem na wielkim koncercie Live 8. Z towarzyszeniem U2 zaśpiewałeś z nim *Orkiestrę Klubu Samotnych Serc sierżanta Pieprza*, wszedłszy niejako w skórę Johna Lennona. Czy czułeś się godny? Nie miałeś wrażenia, że w pewnym sensie nie masz prawa tego robić? Czy nie martwiłeś się, choćby przez chwilę, że rozstąpi się ziemia i pochłonie cię za to bluźnierstwo?
Wiesz dobrze, że tak nie myślę! [*śmiech*] Jestem albo nieskromny, albo głupi. Nie baliśmy się porównań naszego zespołu z Beatlesami. Wydaje mi się, że gdybym znał Johna, naprawdę dobrze byśmy się rozumieli. Byłem dumny, że mogę znaleźć się na jego miejscu. Dziś przypada rocznica zamachu na jego życie, coś strasznego. Wczoraj wieczorem wykonaliśmy nową wersję *Instant Karma*, którą ci śpiewałem. To niesamowita piosenka, najtrudniej zaśpiewać linijkę „Już wkrótce będziesz martwy".

Ale żyje Paul McCartney. Mówiłeś mi kiedyś, że go podziwiasz.
Wiesz, że nigdy wcześniej nie śpiewał na żywo *Orkiestry Klubu Samotnych Serc sierżanta Pieprza* – tylko kodę pod koniec albumu. Staliśmy obok niego na próbie i patrzyliśmy, jak po raz pierwszy śpiewa piosenkę, którą napisał przed czterdziestu laty. Ja śpiewałem partię Johna Lennona, a on dawał mi wskazówki. Zabawne i przerażające zarazem. Spędziliśmy dwadzieścia cztery niesamowite godziny. Bardzo mu zależało na wykonaniu, chciał, żeby było dokładnie tak jak przedtem.

Nie czułeś się niezręcznie w jego towarzystwie?
Od razu zaczęła się błyskotliwa wymiana zdań. Pewnie spodziewał się po nas pozerstwa, ale my graliśmy jak uczniowie przed profesorem, nie jak wielki zespół rockowy, bo taka jest właściwa hierarchia.

Widok ciebie i Edge'a notujących słowa McCartneya to zabawna scenka.

Kiedy przyszedł do naszej przyczepy obok sceny, zdarzył się zabawny incydent. Maglowaliśmy go, jak powstawały niektóre piosenki, jak Beatlesi doszli do takiej klasy w komponowaniu utworów. Tak naprawdę cieszyliśmy się jego towarzystwem, mam nadzieję, że on naszym też, kiedy Paul zmienił temat i przeskoczył na garderobę. Zapominasz, że McCartney, chyba w zmowie z Brianem Epsteinem, wymyślił długie potargane fryzury. Z drugiego końca przyczepy zauważył marynarkę. Pyta: „To od Diora? Czyje to?", a Sharon Blankson, nasza projektantka kostiumów, mówi: „To dla Bono". On na to: „Chwileczkę, właśnie coś takiego mam później włożyć w czasie występu, moja córka Stella wynalazła ją dla mnie. Nie możemy obaj wystąpić ubrani tak samo, prawda?". Sharon odparła: „Pewnie, że możecie. Nie ma problemu". Powiem ci, że zanim wyszedł z przyczepy, wytargował u mnie zamianę modnej marynarki na dżinsową bluzę, którą, jak widzisz, miałem na sobie na scenie. To „Macca" sprawił, że Bono ubrał się jak Cygan.

No i jak się czułeś, śpiewając *Sierżanta Pieprza* w kostiumie cygańskim?

Kiedy tak stałem obok McCartneya, wiele myśli przelatywało mi przez głowę. Całkiem nieźle nam wyszło. Umieściliśmy ją w sieci i stała się najszybciej sprzedającą się piosenką przez Internet.

Dwadzieścia lat po Live Aid Bob Geldof zorganizował Live 8 w połączeniu ze szczytem G8 w Gleneagles (Szkocja). Kilku europejskich artystów, takich jak Damon Albarn z Blur, publicznie skarżyło się, że na koncercie Live 8 w Londynie na scenie nie pojawiła się żadna gwiazda z Afryki. Bob Geldof odparł bez ogródek, że to nie jego wina, że afrykańskie dzieci wolą Eminema – który, nawiasem mówiąc, nie pojawił się również – od rodzimych gwiazd. Czy ty odpowiedziałbyś tak samo?

Nie. Damon zadzwonił do mnie, spróbowałem więc załagodzić sytuację. Paru z nas się tym martwiło. Bob zazdrośnie pilnował wskaźników oglądalności, bo czuł, że to one w ostatecznym rozrachunku mają stać się wyrazem troski o Afrykę, o całą sytuację. Jednak dla mnie nie było to tak jednoznaczne. Ale to impreza Boba. Nie pojawił się Youssou N'Dour, a wielu afrykańskich artystów występowało tego dnia w Johannesburgu. Większość światowych stacji postanowiła nie transmitować tego koncertu, co pewnie potwierdza zdanie Boba.

Na koncercie w Johannesburgu nie było zbyt wielu widzów z Południowej Afryki.
Czy ktoś w ogóle ma pojęcie, że zorganizowanie koncertu Live 8 graniczyło z niemożliwością? Geldof poświęcił na to rok życia. Brak snu i sporo zmartwień. Podobnie jak Richard Curtis* i jego żona Emma Freud. Trzeba było rozegrać parę piłek... większość wylądowała w bramce. Pomysł imprezy w Johannesburgu wyłonił się dość późno.

Nie da się zaprzeczyć, że brakowało zaangażowania ze strony Afrykanów.
Osobiście uważam, że nieściągnięcie większej liczby artystów z Afryki to błąd, stracona szansa. Przepadam za ich muzyką. Czy to Youssou, czy Angélique Kidjo, Baaba Maal, Salif Keita, wszyscy ci artyści przesłali pod naszym adresem ciepłe słowa i współpracują z nami w różnych sprawach. Youssou N'Dour wystąpił w Paryżu. Trzeba powiedzieć, ma jeden z najbardziej niesamowitych głosów w światowej muzyce.

Słyszałeś o tym, że wielki gitarzysta bluesowy Ali Farka Touré z Mali znany z pracy z Ry Cooderem powiedział, że nie popiera Live 8? Stwierdził, że nie interesuje go „wykorzystywanie jako politycznego pionka". Jest burmistrzem okręgu Niafunke w Mali i robi dużo dla swoich ludzi.
Jeżeli uważa, że Live 8 im nie pomaga, to może powinni się zastanowić, czy nadaje się na burmistrza. [*śmiech*]

---

* Producent i scenarzysta m.in. *Notting Hill* oraz współorganizator akcji „Make Poverty History" (przyp. tłum.).

OK, dostanie ostrzeżenie [*śmiech*]. Wygląda na to, że rok 2005 był ciężki dla DATA. Najpierw dotarły do ciebie złe wieści. Inicjatywa Stanów Zjednoczonych dla Afryki, Millenium Challenge Account, powołana na początku 2004 roku, przeznaczyła zaledwie czterysta tysięcy dolarów na pomoc dla Afryki. To znacznie mniej, niż obiecywano. Potem miałeś dobre wieści na szczycie G8 w Gleneagles, gdzie najbardziej wpływowe kraje świata zadeklarowały, że razem przeznaczą dodatkowe dwadzieścia pięć miliardów dolarów rocznie na ten cel. Jak doniósł redaktor „New York Timesa" James Traub, który we wrześniu ubiegłego roku napisał artykuł o twojej pracy w DATA, poczyniono prawdziwe postępy w walce z malarią i w staraniach o bezpłatną szkołę dla każdego dziecka w Afryce. Jednak nadal wydaje się, że nie ma postępu w kwestii dla ciebie kluczowej – uczciwszego handlu z Afryką. Udało ci się wszcząć alarm w związku z AIDS i malarią i to oczywiście pomogło ocalić wiele istnień. Ale w tym momencie reforma strukturalna i handel z Afryką nie znajdują się chyba w planach najbogatszych krajów... zwłaszcza mojego, nawiasem mówiąc. Co ty na to?

Francja to jeden z największych problemów na drodze do osiągnięcia ugody handlowej. Ludzie są zaniepokojeni, że likwidacja Wspólnej Polityki Rolnej w Europie odbije się w rzeczywistości na drobnych francuskich farmerach. Nie podzielamy tych obaw. Jesteśmy zdania, że drobni farmerzy w Stanach i Europie mają bardzo podobne interesy do tych w Afryce. Większość subsydiów otrzymują duże gospodarstwa, wielkie korporacje rolne w Stanach i Europie. To okrucieństwo w stosunku do rolników w kraju rozwijającym się, którzy starają się włączyć do rywalizacji. Widzisz, osiągnęliśmy postęp w kwestii zadłużenia i pomocy i z tego trzeba się cieszyć. Handel będzie długotrwałą walką, heroiczną, czasochłonną bitwą. Kiedy zaczynaliśmy pracować nad umorzeniem zadłużenia, wszyscy nam mówili, że nigdy do tego nie dojdzie, ale niczego nie osiągniesz, jeśli nie wierzysz, że niemożliwe jest możliwe. A nam się udało. Trzydzieści sześć krajów może zacząć zupełnie od początku, bez dwu- czy wielostronnego zadłużenia. To więcej niż zmiana modelu postępowania. To zmiana reguł gry.

Czy uważasz, że kiedy zacząłeś pracować nad zadłużeniem, twoje cele wydawały się tak samo niemożliwe do osiągnięcia jak te, które masz obecnie w sprawach handlowych?
O tak. Ludzie myśleli, że nie ma szans. Nawiasem mówiąc, praca z konserwatywną administracją w Stanach Zjednoczonych... Śmiano mi się prosto w twarz na samą myśl, że rząd amerykański i prezydent George W. Bush sprawią, że w tym roku czterysta tysięcy Afrykanów zacznie zażywać leki antyretrowirusowe. W zeszłym roku nikt ich nie przyjmował. A to niebywały postęp.

À propos **administracji, nigdy nie słyszałem, żebyś powiedział złe słowo na temat administracji Busha. Zawsze wolisz podkreślać pozytywy. Ale w 2005 roku amerykańskie wsparcie programu ONZ na rzecz pandemii AIDS uległo zmniejszeniu, a administracja Busha nie przejawia żadnych oznak dochodzenia do siedmiu dziesiątych procenta PKB na pomoc zagraniczną. Twój przyjaciel Jeffrey Sachs stwierdził podobno: „Pomijając publiczne potępienie prezydenta, zwyczajnie chciałbym, żeby Bono sam to przed sobą przyznał". Proszę, Bono, powiedz mi, czy obrzucasz prezydenta Busha wyzwiskami, kiedy nikogo nie ma w pobliżu.**
[*podśmiewając się*] No wiesz, miewałem gorsze chwile w związku z poziomem środków na walkę z AIDS w 2003 roku, kiedy pieniądze napływały zbyt wolno. Mieliśmy małą sprzeczkę w Gabinecie Owalnym i nawet parę tygodni temu kolejny raz poróżniliśmy się odnośnie do The Global Fund, o który ci chodzi. Ale to trudniej zrozumieć. Ta administracja, przy poparciu Kongresu, sfinansowała najbardziej udany program walki z AIDS. Blisko czterysta tysięcy Afrykanów bierze leki antyretrowirusowe. Wspomniałeś o Millenium Challenge: jestem wkurzony, a nawet wściekły, że nic więcej się nie stało. To bardzo frustrujące. Ale i tak wydarzyło się więcej, niż ktokolwiek w roku 2001 się po nich spodziewał. I choć suma wynosi czterysta tysięcy dolarów, masz rację, przyznano i przeznaczono dla Afryki ponad dwa miliardy dolarów. Z prezydentem odbyliśmy na ten temat gorącą dyskusję. Co dziwniejsze, w sprawie funduszu Millennium Challenge był prawie tak samo wkurzony jak ja.

Naprawdę? Co powiedział?
Powiedział, że nie ma żadnego wytłumaczenia, ale jasno widać, że miał wtedy sporo na głowie. Moim zdaniem, tę inicjatywę wymyślono przed 11 września. Po 11 września i po rozpoczęciu wojny niektórym departamentom przybyło zajęć oraz personelu. To nie jest usprawiedliwienie, które mi wystarcza, ale wierzę, że i to zostanie uporządkowane. Nawet najbardziej zagorzali krytycy pomocy ze strony administracji przyznają, że prezydent potroił pomoc dla Afryki i rozpoczął największą inicjatywę przeciwko AIDS na ziemi. Większość powie, że mieliśmy w tym swój udział. Takie są po prostu fakty. Czy to wystarcza? Nie. Czy zaczęli od niskiej kwoty? Tak.

Niektórzy mogliby powiedzieć, że publiczna krytyka administracji Busha pomogłaby ci posunąć sprawy do przodu, może nawet zdobyć więcej.
Przerabiałem to już z tobą, Michka. Mówiłem ci, że miewaliśmy liczne spory i krytykowaliśmy administrację, kiedy popełniała błędy, ale nie plakatujemy miasta i nie rzucamy zgniłymi pomidorami w ludzi, którzy potrajają pomoc dla Afryki. Doszło do poważnej kłótni z premierem Kanady. Podziwiam go jako wspaniałego finansowego menedżera swojego kraju. Ma na głowie wybory. Nie pomogę mu, kiedy będę mu się naprzykrzał i powtarzał, że ich kandydat robi za mało. Ale my to zrobimy. Pokażemy kły. I będziemy gryźć, jeśli będzie trzeba. A co do naszych krytyków, poznałem ich we wczesnych latach rock'n'rolla. To ci sami ludzie, Michka, tetrycy narzekający z trybun. Wielu z nich nie wiedziałoby, co zrobić, gdyby trzeba było wejść na boisko. Nazywa się ich partią, która zawsze jest w opozycji. Nigdy nie biorą odpowiedzialności za decyzje, bo wiedzą, że nigdy nie będą musieli wcielać ich w życie.

Niektórzy powiedzieliby, że takich ludzi potrzeba, żeby zwrócić uwagę na trudne prawdy, do których nie można podejść dyplomatycznie.
Naprawdę dobrze bym na tym wyszedł i zyskałbym punkty u pseudorewolucjonistów. Ale wiesz co? Podzielenie kraju wielkości Stanów

Zjednoczonych na pół, gdybym zrobił z tego kwestię lewicową, nie jest chyba najlepszym sposobem reprezentowania najbiedniejszych i bezbronnych tego świata. Kiedy pojechaliśmy do Gleneagles, pięćdziesiąt miliardów dolarów, w tym dwadzieścia pięć miliardów dla Afryki, wydawało się celem niewyobrażalnym i niesamowitym, ale gdy tylko dopięliśmy swego, niektórzy mówili: „Powinno być sto". I, rzecz jasna, mają rację, ale takie komentarze psują atmosferę i odstręczają rządy, które podejmują wysiłek doprowadzenia pierwszej transakcji do końca. Takie ciosy zbieramy z lewej strony. A ludzie prawicy, rozmawialiśmy o nich wcześniej - jak Paul Theroux, twierdzą, że Afrykanie nie powinni dostać nawet tych pięćdziesięciu miliardów, ponieważ to pogorszy sytuację: „Nie udzielajcie im pomocy, przeznaczą ją na odnawianie pałaców prezydenckich, nie trafi do najbardziej potrzebujących". Cóż, jesteśmy ponad to. Nasze mechanizmy działają. Obrywamy z lewa, obrywamy z prawa, ale w końcu z roku na rok nasza obecność sprawia, że ubogim na świecie wiedzie się lepiej, a my, mam nadzieję, jesteśmy siłą jednoczącą całe spektrum polityczne. Większość organizacji pozarządowych - od lewicowej Oxfam do prawicowej World Vision - zgadza się z naszym ogólnym kierunkiem działania. Jasne, że od czasu do czasu wszyscy - i z lewa, i z prawa - denerwują się na nas. Ale nasze działanie polega na tym, żeby im służyć radą i pomocą.

We wrześniu zeszłego roku powiedziałeś, że rysują się marne perspektywy na kolejne sześć miesięcy po tym, jak Biały Dom wycofał się ze swoich zobowiązań w sprawie rozwoju przygotowanych na ONZ-etowskie spotkanie na szczycie. Czy nie sądzisz, że powodzenie One Campaign, którą razem z przyjaciółmi planujecie na rok 2008, stanęło pod znakiem zapytania?

Nie. Nawiasem mówiąc, Szczyt Światowy nie był taki zły. W końcu Bush zaangażował się w realizację celów Millennium Development, co dla niego było nowością. Wyzwaniem na rok 2008 i na przyszłość jest stworzenie ruchu, który zmusi polityków do dotrzymywania obietnic i do intensywniejszych działań. Na razie rozwodzimy się nad moim udziałem, ale są też inni: Angelina Jolie, George Clooney, Brad Pitt, piłkarze, gwiazdy hip-hopu, gwiazdy NASCAR... W końcu to ruch położy kres zbieraniu datków. Ruch da nam prawdziwą siłę polityczną. Wcześniej prosiliśmy milion ludzi w Stanach o poparcie do końca roku One Campaign, aby nędza przeszła do historii. Mamy dwa miliony! Jestem pewien, że teraz, do końca 2008 roku, do następnych wyborów, znajdzie się pięć milionów Amerykanów, co uczyni z nas organizację większą od National Rifle Association. A NRA, jeśli z nimi zadrzesz [*śmiech*], wie, jak zabrać się za ciebie.

Skoro już o tym mowa... Czy spotkały cię ataki ze strony ludzi, których stanowisko krytykujesz? Grożono ci? Czy ktoś lobbuje przeciwko temu, co robisz w Ameryce?
Bardzo dobre pytanie, ale moim zdaniem, skoro nasze stanowisko jest apolityczne, oszczędzono nam bezpośrednich ataków ze strony grup interesów, zarówno z lewa, jak i z prawa. Myślę, że w pewnych środowiskach postrzegają nas jako utrapienie, ale powszechnie uchodzimy za siłę dość łagodną.

Ale może stanie się mniej łagodna, jeżeli albo kiedy budżet się rozrośnie. Niektórzy mogą stwierdzić, że odbierasz pieniądze ubogim Amerykanom.
Właśnie. I dlatego zawsze się upieramy, że te pieniądze muszą być nowe. Nie chcemy zabierać ich innym ważnym programom i to jest dla nas istotne.

Przytacza się wypowiedź Adama [Claytona]: „Miało to swoją cenę, jeżeli chodzi o nasze wzajemne relacje", co odnosiło się do twojego stałego zaangażowania w sprawy DATA podczas trasy koncertowej.
Chciałbym spędzać z Adamem znacznie więcej czasu, ale myślę, że jego wypowiedź odnosi się bardziej do relacji w obrębie zespołu z kierownictwem i biznesem muzycznym, bo rok był bardzo trudny, udział w G8 i Live 8. Brakowało snu, poniesiono koszty. Teraz spędzam z grupą znacznie więcej czasu. Jedno ci powiem. Jestem

spragniony czasu, który mógłbym poświęcić na pisanie, i czasu, który mógłbym spędzić z zespołem. Teraz o wiele bardziej doceniam każdą minutę, każde pół godziny z nimi, bo są tak pełni godności, chcę im służyć. Nic się nie równa z obecnością w miejscu, gdzie pojawia się magia nowej muzyki. W przyszłym roku naprawdę chcę się tak zwyczajnie zatracić w muzyce i będę musiał bardziej trzymać się w cieniu.

A więc Adamowi nie chodziło o to, że twoja nadaktywność wywołała w czasie trasy tarcia w zespole.
Wydaje mi się, że koncerty na tym nie ucierpiały. Przeciwnie, uważam, że moja działalność wniosła do nich trochę energii. Obserwujemy falę zainteresowania naszym zespołem, jakiej nie pamiętam.

Naprawdę? Trasa „Elevation" w 2001 roku spotkała się z niesamowitym przyjęciem.
Tak, ale właściwie w ciągu ostatnich kilku miesięcy „Vertigo" coraz bardziej wymyka się spod kontroli. Teraz osiągnęliśmy w naszych występach kolejny etap, zupełnie nowy poziom niespotykanej dotąd intymności. Zmieniliśmy trochę nasze ustawienie. Pod koniec mamy sekcję akustyczną, co jest bardzo dziwne, ale świetnie się sprawdza. To jest fantastyczna trasa.

Niektórzy mówili, wśród nich wieloletni fani U2, że trasa „Vertigo" była trasą w rodzaju „The Best of U2".
Gówno prawda i jedna z najbardziej krótkowzrocznych opinii, jaką w życiu słyszałem. Cóż, to jest „The Best of U2", ale w historii nie było ani jednego zespołu, który grałby osiem piosenek z nowego albumu, czasami pięć z pierwszego, których nikt nie zna. Myślę, że niekiedy dziennikarze nie patrzą na ustaloną listę albo dostrzegają na niej pewne utwory będące filarami czy końmi bojowymi z przeszłości – i to się zgadza. Ale zakończenie z sekcją akustyczną jest naprawdę bardzo ciekawe, bo sugeruje, że wcześniej w trasie być może trochę nam tego brakowało.

Kilku waszych największych fanów jeżdżących za wami przez ostatnich dwadzieścia pięć lat stwierdziło ostatnio: Odnosi się wrażenie, że Bono nie zatraca się w muzyce tak jak przedtem. Jest teraz wielkim profesjonalistą, panuje nad wszystkim. Podobne opinie słyszałem więcej niż kilkakrotnie.
Rozmawiasz z ludźmi cierpiącymi na atrofię duszy. Ja taki nie jestem!

Co przez to rozumiesz?
To są dorośli. Popytaj młodszych, którzy przychodzą nas zobaczyć. Wiem, do jakiego stopnia podczas występu angażuję się w piosenkę. Nie ulega wątpliwości, że to na tej trasie interpretacje były jednymi z najbardziej emocjonalnych. Szczególnie uczuciowy jest śpiew. Ci ludzie naprawdę nie wiedzą, co mówią. Wiedzą, o kim mówią, ale to nie o mnie chodzi, tylko o nich.

Uważasz, że nakładają na ciebie własną osobowość.
Oczywiście. Po prostu przysiadają się. Widujemy tych ludzi co wieczór.

Zatracić się w muzyce... Zniknąć w niej... Zwykle, pod koniec występu, sami otrząsają się ze skrępowania i osiągają ten stan. Ale niektórzy siedzą z założonymi rękami. Oni po prostu nigdy tego nie pojmą, bo stracili umiejętność poddania się muzyce. Ludzie szukają czegoś oczywistego, inscenizacji i w pełni akceptuję ich krytycyzm. Przez lata dokonywaliśmy bardzo szybkich zmian w stylu produkcji, a widzowie przychodzili i mówili: „Mój Boże, co oni teraz zrobili? Mają na scenie statek kosmiczny w kształcie lustrzanej kuli, zabierają ze sobą w trasę stację telewizyjną!". Tym razem nie zrobiliśmy takiego triku. Złamaliśmy rym. Ważne jest, żeby od czasu do czasu złamać rym. Pozostaliśmy przy formie, w której centrum znajduje się muzyka. Rdzeń emocjonalny jest teraz tam, gdzie wybuchają fajerwerki.

Właśnie wydano płytę DVD z obecnej trasy zespołu. To mnie zaciekawiło: kiedy oglądasz swój występ, co widzisz? Często myślałem so-

bie: „Bono jest jedyną osobą, która nigdy w życiu nie była na koncercie U2. Naprawdę dużo traci!".
[*śmiech*] Trudno mi oglądać samego siebie.

Co widzisz?
Pornografię emocjonalną. Widzę po prostu, jak zespół robi to w pełnym świetle. Trudno mi to oglądać.

Czujesz się niezręcznie? Współczujesz sobie?
Są chwile, kiedy widzę coś, co znam, bo mam oko reżysera. Pracuję z reżyserami wszystkich naszych występów, przy obmyślaniu i inscenizacji, więc wiem, z czego się to składa, ale jest tak, jak ci mówiłem. Jak nazywasz osobę, która włożywszy wcześniej królika do kapelusza, jest później zaskoczona, że królik się pojawia? Magikiem. Kiedy wszystko się udaje, czuję się zaskoczony na równi z innymi. Mogę przyglądać się produkcji i czuć muzykę, ale trudno mi oglądać siebie zatracającego się w muzyce.

Sprawiasz wrażenie, że panujesz nad tym, co robisz na scenie. Nie mogę się powstrzymać, żeby cię nie zapytać: czy od czasu do czasu tracisz jeszcze panowanie nad sobą? Czy w ciągu ostatniego roku wypadłeś z szyn na scenie albo poza sceną?
Nie, nie miałem czasu, żeby wypaść z szyn.

Tak, wcześniej miałeś na to więcej czasu.
Miałem dużo roboty. Trochę się rozerwałem i spędziłem miłe chwile na wakacjach na południu Francji i w Meksyku. Odkrycie Meksyku sprawiło mi prawdziwą przyjemność. Chwilami znikałem tam z radaru kontroli lotu.

Co tam robiłeś?
Pojechałem do Gualalajary z moim przyjacielem Guyem Laliberté, który wymyślił Cirque du Soleil, i spędziłem naprawdę sympatyczne chwile z tymi artystami, żonglerami. Miło było tak po prostu pojeź-

dzić z cudzym cyrkiem. Ale zaszywszy się na wybrzeżu Meksyku, i zachodnim, i wschodnim, po stronie karaibskiej, przeżyłem cudowne chwile pod wodą z moimi dziećmi i kumplami. Nie sądzę, żeby ciśnienie mnie odkształciło, raczej nadało mi właściwy kształt. Myślę, że trasę kończę silniejszy niż wtedy, kiedy ją zaczynałem, chociaż przyznam, że tuż przed wakacjami nie byłem tak ostry, jak chciałem. Zacząłem odczuwać, że koła nieco zjeżdżają z drogi. Kiedy byłem w Kanadzie, na konferencji prasowej próbowałem nakłonić Paula Martina, żeby przeznaczył siedem dziesiątych procenta PKB na pomoc zagraniczną. Konferencja się zaczyna, sala zatłoczona, a ja wypadam gorzej niż przeciętnie. Totalny by-pass charyzmy... Zanotowałem sobie w myślach: „Muszę naładować akumulator". I zrobiłem to w kilka dni. Teraz czuję się dobrze.

Więc to tylko zwyczajne zmęczenie. Szczęściarz z ciebie. Podziwiam cię.
Czuję się naprawdę świetnie. Może to dzięki twojej książce, Michka! Skończyłem kurację, zobaczyłem drugą stronę. Stałem się lepszym człowiekiem. Wracam na łono społeczeństwa...

Planuję teraz rozpocząć program dla innych gwiazd. Nazwę go „Terapia Michki".
John Lennon miał swoją terapię Janova „Pierwszy krzyk", a moja polega na krzyczeniu NA Michkę.

Moja metoda terapii jest całkiem prosta. Działam jak funkcjonariusz policji, przesłuchuję. Wcielam się w adwokata diabła. To chyba wychodzi. A przy okazji, pamiętasz, jak skończyliśmy naszą rozmowę? Zapytałem cię: „Czy to znaczy, że niektóre z zadanych przeze mnie pytań zamienisz kiedyś w piosenki?". A ty odparłeś: „Hmm... możliwe. To dręczące pytania". No więc, czy tak się stało?
Cóż, zacząłem piosenkę zainspirowaną wielkim pisarzem argentyńskim Jorge Louisem Borgesem i nosi ona tytuł *If I Could Live My Life Again*. Wydaje mi się, że trzeba chyba podziękować terapii Michki za

rozpoczęcie takiego utworu. Tylko dlatego że byłeś pierwszą osobą, która sprawiła, że odwróciłem głowę i spojrzałem wstecz.

Dobrze, że nie dzieje się tak co tydzień.
Nie, tego nie robię. A więc piosenka będzie wspomnieniem terapii.

Wiesz, ostatnio zaskoczył mnie i sprawił mi zaszczyt krótki list od Billa Clintona. Napisał: „Pańska książka wygląda jak wspaniały portret jednego z moich dobrych przyjaciół". Patrząc wstecz, czy nie wolałbyś go nieco podretuszować? Może jest kilka rzeczy, których żałujesz, że powiedziałeś, albo inne, których żałujesz, że NIE powiedziałeś?
To nie mój portret, żebym go retuszował. Stałem przed tobą, siedziałem przed tobą i leżałem przed tobą. Sądzę, że widziałeś wiele wymiarów mojej osoby. Oczywiście, są sprawy, które nawet przed sobą skrywam, ale jak wiesz, tajemniczość to coś, co cenię, i nie sądzę, że dobry portret powinien odzierać swój obiekt z całej tajemniczości. Wszystkie portrety, jeśli mają w sobie coś, zostały namalowane z jednego, dwóch albo trzech punktów widzenia. Nie mogą zawierać ich wszystkich. Może próbowali tego kubiści, ale jeżeli chcesz skrzyżować mi nad głową gitarę i krzesło, to proszę bardzo!

CO MOŻESZ ZROBIĆ, BY POMÓC

Więcej informacji na temat DATA (Debt, AIDS, Trade, Africa):
www.data.org

Aby złożyć datek na walkę z globalnym AIDS:
www. theglobalfund.org

ŹRÓDŁA ZDJĘĆ ZAMIESZCZONYCH W KSIĄŻCE

Wkładka I

fot. 1, 2, 3 - Neal Preston/Corbis
fot. 4 - Vatican Pool/Sygma/Corbis
fot. 5 - John Marshall/Sygma/Corbis
fot. 6 - Pierre Schwartz/Corbis
fot. 7 - Eric Draper/CNP/Corbis
fot. 8 - Thierry Tronnel/Corbis

Wkładka II

fot. 1, 2, 4, 7 - Tomasz Wajsprych/Agencja Gazeta
fot. 3, 5, 6, 8 - Maciej Jarzębiński/Agencja Gazeta

SPIS TREŚCI

Społeczny Instytut Wydawniczy Znak,
ul. Kościuszki 37, 30-105 Kraków. Wydanie I, 2007.
Druk: ZPW „POZKAL", ul. Cegielna 10/12, 88-100 Inowrocław.